SCHUILPLAATS

Wil je op de hoogte worden gehouden van de romans van Orlando uitgevers? Meld je dan aan voor de nieuwsbrief via onze website www.orlandouitgevers.nl.

FRANCES GREENSLADE

Schuilplaats

Vertaald uit het Engels door Elvira Veenings

ORLANDO
uitgevers

Deze vertaling kwam mede tot stand dankzij een subsidie
van Canada Council for the Arts.

Canada Council   Conseil des arts
for the Arts   du Canada

ISBN 978 90 229 6121 6
NUR 302

www.orlandouitgevers.nl

Voor David, die me verhalen vertelde.

VOEDSEL

HOOFDSTUK I

Jenny heeft me gevraagd om dit verhaal op te schrijven. Ze wilde dat ik alles wat er is gebeurd voor haar sorteerde, kraal voor kraal aan elkaar reeg om er een officieel verhaal van te maken, zoiets als een rozenkransgebed dat ze steeds opnieuw kon opzeggen, iets om zich aan vast te houden. Maar ik heb het ook gedaan voor haar, voor mama. Of voor Irene, zoals anderen haar zouden noemen, aangezien ze lang geleden afscheid heeft genomen van wat het ook was dat 'mama' ooit voor haar betekende. Zelfs nu nog kwam het schuldgevoel onverbiddelijk naar boven als we aan haar dachten. We zijn mama nooit gaan zoeken. Ze was verdwenen zoals een kat op een avond door de achterdeur verdwijnt om nooit meer terug te komen, zonder dat je ooit zult weten of ze door een coyote of een havik gegrepen is, of misschien ergens ziek geworden is en de kracht niet had om thuis te komen. We lieten de tijd verstrijken, we wachtten af, we vertrouwden haar, want ze was altijd de beste moeder van allemaal geweest. Zij is de moeder; dat zeiden we tegen elkaar, of in elk geval in het begin. Ik weet niet wie van ons het als eerste zei.

Dat is niet waar. Ik was het. Jenny zei: 'We moeten haar gaan zoeken,' en ik antwoordde: 'Zij is de moeder.' Toen ik het zei, wist ik niet dat deze vier woorden zo bepalend zouden worden voor ons leven. Ze bevatten een klank van waarheid, beladen en onaantastbaar. Maar ze werden een krabbend anker dat ons meesleurde, ver weg van onze zuiverste impulsen.

We wachtten tot ze terugkwam om ons te halen, maar dat deed ze niet.

Niets wees erop dat dit stond te gebeuren. Ik weet dat mensen altijd op zoek gaan naar een teken. Op die manier kunnen ze zeggen: ons soort mensen gebeurt zoiets niet; alsof wij wel dat soort mensen waren, alsof we het hadden moeten zien aankomen. Maar er was geen enkel signaal. Niets anders dan mijn eeuwige ongerustheid, die volgens mij aangeboren is, als je tenminste als tobber geboren kunt worden, en volgens Jenny kan dat.

Die bezorgdheid zat in de holtes rond mijn hart gepropt, als kranten in de kieren van de wanden van een blokhut, en verstikte de gemoedsrust die daar had moeten zitten. Ik ben inmiddels oud genoeg om te weten dat lang niet iedereen wordt achtervolgd door een gevoel van naderend onheil, dat er mensen zijn die denken dat hun leven altijd een overzichtelijke, wijd open vlakte onder een helderblauwe hemel zal zijn, waar een duidelijk afgebakend pad doorheen loopt. Door de angst klapte ik dicht als een oester. Ik was heel anders dan Jenny, die open en onbevangen was als een zonnige dag met een lichte bries en zoemende insecten in de lucht, zo'n dag waarop je zo vrij als een vogel in het gras kunt gaan liggen om de warme aarde in je rug te voelen. Straks, later, nooit, dat waren nietbestaande woorden. Jenny was 'altijd' en 'ja'.

Zoals ik al zei, er was geen enkel teken dat er iets mis kon gaan in ons vertrouwde wereldje. De slaapkamer die Jenny en ik deelden was lichtblauw geschilderd, in de kleur van een roodborstjesei, en als de vroege ochtendzon naar binnen viel glansde de wand op als een eierschaal die tegen het licht wordt gehouden. Ik tuurde naar de lichtval tot er schaduwen van piepkleine heuvels en valleien verrezen in de structuur van de wandplaten. In die streek brak de dageraad traag en steels aan met nevelig licht, als een prelude van het schelle daglicht.

Ons huis in Duchess Creek had een uitgesproken geur die me bij de voordeur verwelkomde: gekookte kool, gebakken rookworst, tomatensoep; de geur hing in de gordijnen, de broze muren en het plafond of in de kranten waarmee ze waren geïsoleerd. Het was een warm huis, zei mama, maar niet gebouwd door mensen die van plan waren er te blijven. Er zaten geen deurtjes voor de keukenkastjes en tussen de badkamer en de woonkamer hing alleen een dik, gebloemd gordijn. Duchess Creek werd in 1967 aangesloten op het elektriciteitsnet, het jaar waarin ik zeven werd en Jenny acht. Een paar maanden na onze verjaardagen trokken ze via de bomen een slaphangende kabel door naar ons huis. Sindsdien hadden we sporadisch stroom, maar dan nog alleen voor de lampen.

Een vriend van papa had ons een klein elektrisch fornuis gegeven, dat hij op de vuilnisbelt in Williams Lake had gevonden. Ze lieten het gewoon staan en mama maakte zich er nooit druk over, hoewel haar vriendin Glenna minstens tweemaal per week vroeg wanneer ze van plan was om dat fornuis te gaan gebruiken. Glenna zei: 'Hé, ben je dan niet blij dat de twintigste eeuw ons ook eindelijk heeft bereikt?' Mama antwoordde dat ze wel naar Vancouver zou verhuizen als ze in de twintigste eeuw wilde leven. Glenna lachte hoofdschuddend en zei: 'Nou, je bent niet de enige die er zo over denkt. Er zijn genoeg mensen die het fijn vinden dat Williams Lake tot in de wijde omtrek de grootste stad is.'

Zo was het in Chilcotin in de jaren zestig. Je had de indianen, de Chilcotins en de Carriers, die er al woonden lang voordat de blanken kwamen om hen van hun land te verdrijven en in reservaten te stoppen. Je had de blanke kolonisten, met een geschiedenis vol verhalen over pioniers, de veefokkerij en de aanleg van wegen. En dan had je de laatkomers, zoals ons gezin, de Dillons.

Papa was in 1949 vanuit Ierland naar Amerika gekomen; hij belandde in Oregon en trok van daaruit naar het noorden. Anderen kwamen om niet naar oorlogen te hoeven waar ze niet in geloofden, of om te ontkomen aan een manier van leven waar ze niet in geloofden. Sommigen kwamen met al hun bezittingen in een voertuig gepropt uit grote steden, op zoek naar een woeste plek om in te verdwijnen. Zij waren de nieuwe pioniers, ze vonden zichzelf opnieuw uit en volgden hun eigen plan. Papa had een vriend met de naam Tipi Fred en een andere die Panbread heette. Toen ik papa vroeg wat hun achternamen waren, zei hij dat hij nooit de moeite had genomen om dat te vragen.

Mama maakte zich niet bijster druk over het elektrische fornuis, omdat ze er inmiddels aan gewend was om op het houtfornuis te koken. Ze kookte omdat het moest, niet voor haar plezier, en hield het meestal bij eenpansmaaltijden waarvoor ze geen oven nodig had. We bezaten ook geen elektrische koelkast. We hadden een oude gedeukte ijskist, waar een eenzame fles melk en een pakje boter in lagen.

We haalden water bij de pomp op het achtererf. Een van de bewoners voor ons was van plan geweest om waterleiding aan te leggen. De badkamer had een douche en een wastafel, met een gat in de vloer dat dichtgestopt was met vodden en waar een pijp liep voor een toilet, maar niets van dit alles werkte. We pompten ons water op in een emmer van twintig liter en sjouwden hem naar het aanrecht. We hadden een buitenplee, maar 's nachts legden we een wc-bril over een zinken teil, die elke ochtend door papa werd geleegd.

Aan de rand van de bush achter ons huis had papa speciaal voor mama een zware, oude badkuip op klauwpoten neergezet. Hij had er een kuil onder gegraven om een vuurtje te stoken. Hij vulde het bad met een slang vanaf de pomp. Het water werd lekker warm en mama zat erin op een cederhouten rek dat hij ook had gemaakt, zodat ze zich niet zou branden. Op sommige avonden hoorden we haar daar zachtjes in zichzelf zingen; haar stem rees op in het donker en werd meegedragen door de opkringelende stoom, hoog boven het scherm van gevlochten dennentakken die hij door een stuk hekwerk had gestoken. Soms zat ik naast haar op een boomstronk en liet ik mijn arm door het warme water glijden. De vleermuizen scheerden en doken als schimmen boven ons hoofd, niet meer dan flitsen in je ooghoek. De sterren lichtten op en verschenen als zwermen insecten aan de hemel wanneer het water afkoelde. Als ze bewijs nodig had dat papa van haar hield, was die badkuip dat wel, dacht ik.

Er moet een tijd zijn geweest dat ik mezelf wakker zong en gelukkige klanken met hoge en lage trillers uitkraaide als er een kever over de raamhor kuierde en een piepkleine schaduw wierp op de wand. Maar ik herinner het me niet. Ik kan me de tijd niet voor de geest halen waarin ik de wereld kon bezien zonder de angst aan de randen te voelen knagen. Over mijn moeder maakte ik me echter nooit zorgen. Ik voelde me uitverkoren omdat ik een moeder had die met ons ging kamperen, die niet bang was voor beren, ervan genoot om over de houtvesterspaden te rijden en over wat zij de 'wagensporen' noemde, die van Highway 20 de bossen in liepen. We ontdekten meertjes, half vergane blokhutten en verborgen valleien en dan was het of wij de eerste mensen waren die er ooit waren geweest. Hoe verder het kamp van de bewoonde wereld lag, hoe beter we het vonden. 'Niemand in de buurt in de wijde omtrek,' zei mama tevreden als het vuur was aangelegd. Zij was de constante factor in ons leven, de zekerheid en de troost. Papa was degene om wie ik zorgen had.

Hij moest uiterst behoedzaam benaderd worden, als een gewonde vogel. Te veel aandacht en hij zou wegvliegen. Als hij binnen zat, werd hij rusteloos. Dan rekte hij zich uit en keek hij om zich heen alsof hij daar niet hoorde; even later zag ik met een steek van teleurstelling dat hij naar de deur liep om zijn jasje te pakken.

Soms floot hij semi-nonchalant een deuntje als hij zijn armen in de flanellen mouwen stak. Dan ging hij naar buiten om wat hout te hakken, als een soort straf, om vervolgens in de wildernis te verdwijnen en urenlang weg te blijven. Op slechtere dagen vertrok hij naar zijn slaapkamer en deed hij de deur dicht.

Ik drukte mijn oor tegen de wand van mijn slaapkamer om te luisteren. Als ik daar lang genoeg bleef staan, hoorde ik de bedveren piepen als hij zich omdraaide. Ik weet niet wat hij daarbinnen deed. Hij had geen boeken en geen radio. Waarschijnlijk deed hij helemaal niets.

Als hij na een werkdag in de bush thuiskwam, deed hij meestal eerst een dutje in de verstelbare stoel bij het olievat dat ons houtfornuis was. Ik wilde dat hij daar bleef slapen. Als hij sliep, was hij bij ons. Maar soms zette hij de stoel te dicht bij het houtfornuis. Op een middag probeerde ik hem over te halen om de stoel iets achteruit te schuiven. 'Maak je geen zorgen, Maggie,' zei hij. 'Ik zal er niet van smelten.' Hij viel in slaap met zijn mond open en slaakte af en toe een diepe zucht die uitliep in een kuchje waar hij heel eventjes wakker van werd.

Ik was niet bang dat hij zou smelten. Ik was bang dat de stoel plotseling vlam zou vatten, net als het dak van de schuur van de familie Lutz die keer toen Helmer het vuur in de afvalbak te hoog had opgestookt.

Mijn moeder stond aan het aanrecht hertenvlees te snijden voor een stoofpot. Ik keek toe hoe zijn oogleden dichtvielen, knipperden en opnieuw dichtvielen. Mama pelde een ui en begon te hakken. Jenny en ik hadden onze Barbies uitgespreid op het zonnige gele linoleum. Jenny's Barbie wilde trouwen en aangezien we geen Ken hadden, fungeerde mijn Barbie als echtgenoot. Ik stak haar blonde haar weg onder een bikinibroekje. Mam draaide zich naar ons om. Haar ogen stonden vol tranen. Om de een of andere reden vonden we dat trucje met die uien en haar tranen erg grappig. We sloegen onze hand voor onze mond om papa niet wakker te maken. Mama huilde nooit. Misschien vonden we het daarom zo onwezenlijk dat zoiets simpels als een ui die invloed op haar had.

Ze draaide zich weer om naar het fornuis. In de zoet opkringelende damp van pruttelende uien schoof mama de blokjes hertenvlees in de pan. De penetrante bloedgeur van wild, waar ik niet van hield, dreef de kamer in. Dat duurde echter maar even, want het vlees en de uien vermengden zich tot een verrukkelijk aroma, waarop mama er peper overheen strooide en een pot tomaten pakte. Ze kreeg het deksel niet los en keek naar papa om te zien of hij wakker was. Ze dacht er niet over om hem te wekken. Ze zou de betovering van ons knusse samenzijn niet verbreken door hem te vragen om een pot open te draaien. In plaats daarvan pakte ze een schilmesje, stak het lemmet onder het deksel en gaf er een draai aan.

De rokerige herfstlucht blies een kruidige geur naar binnen via het keukenraam dat altijd op een kier stond als het houtfornuis brandde. Het warme gele linoleum koesterde mijn buik terwijl ik languit op de vloer lag en mama als een rots in de branding aan het aanrecht stond, haar kastanjekleurige haar in een glanzende krul op de rug van haar blauwe lievelingstrui. Ze droeg haar driekwartbroek met de kleine ruitjes, hoewel het daar eigenlijk te koud voor was, met een paar afgedragen mocassins aan haar blote voeten. Haar kuiten waren bruin en welgevormd. Er was iets met dat mes en die pot tomaten waardoor het onbezorgde gevoel dat door me heen stroomde begon te tanen. Mama had een lap stof met een dessin van bruine, ronde theepotten onder het aanrecht gehangen om de afvoerpijp en de vuilnisbak te verbergen. Dat leek een onderdeel te zijn van mijn ongerustheid, zo fragiel als dat was. Misschien betekende het wel dat wij ook niet van plan waren om te blijven.

Rondom het houtfornuis besmeurden zwarte brandplekken het verbleekte geel van de vloer. Jenny plaagde me altijd wanneer ik haastig de sintels uitstampte die uit de kachel sprongen als het deurtje open stond. Dan zei papa dat ze zich er niet mee moest bemoeien. 'Mag is net als ik,' zei hij dan. 'Veiligheid boven alles.'

Papa werkte samen met Roddy Schwartz met een Mighty Mite zaagmachine, niet ver van Roddy's blokhut. Roddy had de machine op een oplegger vanuit Prince George hiernaartoe gehaald. Het gevaarte had een Volkswagen-motor die twee zaagbladen tegelijk door de stammen trok en kon vrijwel elke boom die ze omhaalden aan. Meestal waren ze een paar dagen bezig om de bomen te vellen en van hun takken te ontdoen, om ze daarna met behulp van steunbalken naar de plek te slepen waar de machine was opgebouwd. Papa had een hekel aan dat slepen, omdat ze geen professionele boomsleper konden betalen. Ze moesten zich behelpen met een oude boerentractor en een ketting die ze om de stammen wikkelden om ze het woud uit te slepen. Papa was altijd bang dat de stammen ergens achter zouden blijven haken, waardoor de tractor zou kantelen.

Ik had hem op een avond met mama over zijn werk horen praten, toen ze buiten op de veranda zaten.

'Ik vertrouw Roddy niet als hij een kater heeft,' zei hij. 'Dan wordt hij roekeloos. Zegt dat ik op hem loop te vitten. Als een oud wijf, zegt hij. Pocht dat hij de zaagmachine van haver tot gort kent, dat hij hem met zijn ogen dicht kan bedienen. Ik blijf maar tegen hem zeggen dat het niet uitmaakt hoe vaak je het hebt gedaan. Als je even niet oplet, hakt zo'n blad je vingers eraf voordat je au kunt zeggen.'

'Patrick,' zei mama rillend. 'Zulke dingen moet je niet zeggen.'

'Nee, maar die vent wil niet luisteren. Een eigenwijze klier is het, dat zint me niet. We hebben hier met bomen van honderd meter hoog te maken.'

'Dat weet ik maar al te goed.'

'Je hoeft je over mij geen zorgen te maken.' Papa begon iets harder te praten toen hij mij achter de hordeur zag staan. 'Jantje Secuur!' zei hij met een knipoog naar mij.

Dat was papa's bijnaam. Niet alleen ons gezin noemde hem zo. Zijn vrienden deden het ook, geïrriteerd als hij zorgvuldig zijn geweren controleerde, zijn uitrusting naliep en altijd de remmen testte voordat hij aan de afdaling naar Bella Coola begon. De berg had een hellingsgraad van achttien procent en de reputatie dat hij iedere chauffeur slappe knieën bezorgde. Het was de plaatselijke gewoonte om je flink in te drinken voordat je eraan begon. Papa vond dat een schande.

'Jantje Secuur laat zich niet opjutten,' plaagden zijn vrienden en staken nog een sigaret op, wachtend tot hij al zijn banden op spanning had gebracht, inclusief zijn reserveband.

Nu hij in zijn verstelbare stoel bij het fornuis lag te slapen, ging ik ernaartoe en legde ik mijn vlakke hand op het groene vinyl. Het was bijna te heet om aan te raken. Ik wist niet wat ik liever wilde: dat hij doorsliep en bij ons bleef, of dat hij wakker werd en zijn stoel opzij zou schuiven, uit de gevarenzone. Ik stond achter zijn stoel naar zijn rode krullen te kijken, die trilden op zijn ademhaling. Bij de kruin waar de scheiding viel, was een stukje van zijn rossige schedel te zien.

Ik trok een keukenstoel naar het aanrecht en pakte het grootste glas dat ik kon vinden. Toen schepte ik water op uit de emmer en met mama's ogen op me gericht nam ik een klein slokje. Ik nam het grote glas water mee naar de stoel waar papa zat en hield de wacht.

Er verstreken enkele minuten waarin ik net deed of ik vol belangstelling naar papa's kruin zat te kijken. Plotseling slaakte hij een van die diepe, hortende zuchten, waarna zijn hele lichaam verstijfde en begon te schokken; hij maaide klauwend met zijn handen in de lucht en er kwamen benauwde geluiden uit zijn keel.

'Mama!' gilde ik, en ze liet het mes uit haar handen vallen en draaide zich vliegensvlug om.

'Patrick, wakker worden,' zei ze. Ze hurkte voor hem neer en pakte zijn handen. Hij gierde het uit, met het meest on-vaderlijke geluid dat ik ooit had gehoord. Als een baby. Als een dier in het nauw.

'Patrick!' zei mama nogmaals, en toen: 'Geef me je glas water, Maggie.'

Ik gaf haar het glas en ze zette het aan papa's lippen. 'Neem een slokje, Patrick. Drink. Het is lekker koel. Goed zo, goed zo.'

Hij sloeg zijn ogen op en slikte proestend het water door.

Mama zei: 'Het is in orde, jongens, het was maar een angstaanval.'

'Ik had een angstaanval,' zei papa. Zo noemden ze die aanvallen van pap. Zijn vader had er schijnbaar ook last van gehad: paniekaanvallen die vlak voordat hij in slaap viel door zijn hele lichaam raasden. Hij dronk het glas tot op de bodem leeg en schudde zich wakker. Zijn warrige rode krullen waren klam van het zweet.

'Kijk niet zo bezorgd, Mag,' zei hij en hij trok me op schoot. 'Mij overkomt niets. Ik ben Jantje Secuur, weet je nog?'

Papa rook naar tabak, naar rook van het houtvuur en de scherpe lucht van afgevallen bladeren. Ik begon de sproeten op zijn armen te tellen.

'Denk je dat ik net zoveel sproeten heb als er sterren aan de hemel staan?' vroeg hij.

'Misschien wel meer,' zei ik. Dat was wat ik altijd antwoordde en het was wat hij altijd vroeg. Zolang ik zijn sproeten telde, was hij mijn gevangene.

Er was niets akeligs gebeurd. Het was maar een angstaanval. Toch maakte ik me zorgen.

Als ik 's morgens naar de schoolbus liep en schuifelend met mijn laarzen door de sneeuw sjokte om mijn eigen spoor te maken, met Jenny al als een poederblauw baken bij de elektriciteitsmast aan de hoofdweg, maakte ik me zorgen om mama die alleen thuisbleef, omdat ze zo woest met de bijl zwaaide om aanmaakhoutjes te hakken en omdat papa maar bleef zeggen dat ze voorzichtiger moest zijn. Er kwam nog eens een dag waarop ze haar eigen voet afhakte, zei hij steevast. En als we aan het einde van de dag uit de bus stapten, vreesde ik vlak voordat we bij de kromgegroeide dennenboom de laatste bocht namen, waarna ons huisje in zicht kwam, dat het in lichterlaaie zou staan of dat er al niets meer van over was dan een berg rokende as. En telkens als het er nog net zo stond als altijd, de verf afgebladderd en grijs, met opkringelende rook uit de schoorsteen, voelde ik de spanning uit mijn spieren trekken en zette ik het op een rennen.

We waren een doodgewoon gezin; dat is ons verhaal. Onze dagen waren gevuld met rivieroevers en steenslagwegen, fietsen en sprinkhanen. Maar door aan iets te denken, open je een deur. Je laat de tragedie binnen. Dat is de les die mijn angst me heeft geleerd.

HOOFDSTUK 2

Er waren gezinnen in Duchess Creek die problemen aantrokken als vliegen, gezinnen voor wie het niet meer dan vanzelfsprekend was dat alles altijd misging. Ze vormden het onderwerp van gesprek aan de keukentafel, als de koffie werd ingeschonken en de koekjes erin werden gedoopt. De familie Lutz was zo'n gezin. Ze woonden een paar kilometer verderop in een nooit afgebouwd huis met plastic voor de ramen geniet en zeildoek over het dak tegen de regen.

'Alles komt in drieën.' Glenna zat met mijn moeder aan de keukentafel koffie te drinken. Ze tikte met haar lepeltje tegen de kop om haar opmerking kracht bij te zetten en liet hem even bezinken. Glenna werkte bij de dokterspost in Duchess Creek, dus van de meeste drama's in de omgeving wist ze alles uit de eerste hand. 'Eerst de tweeling, toen Peggy's kankerbehandelingen en nu dit.'

'Arme Mickey,' zei mama.

Mickey Lutz was mijn beste vriendin in Duchess Creek. Ik mocht van mama alleen bij haar blijven slapen als Helmer met zijn maten aan het jagen was. 'Aan de boemel,' noemde mama dat. Het huis rook naar babypies en zure melk. Overal in de kamer zwierven vuile, hard geworden vaatdoeken, opgerolde sokken, afgekloven babyspeelgoed en pluizen hondenhaar. De Lutzes hadden een wit met bruin hondje dat Trixie heette. Trixie werd al grijs rond haar bek, als de oude dame die ze was, maar ze was zo trouw dat ze altijd met Mickey en mij mee rende als we gingen fietsen, trekkepotend om ons bij te houden. Als we stopten, rolde ze zich uitgeput op in het steengruis langs de weg. Maar zodra we weer opstapten, hees ze zich moeizaam overeind op haar gammele oude pootjes en begon ze weer te rennen.

Het bed waar Mickey en ik in sliepen zat altijd onder de witte hondenharen, die ik stiekem probeerde weg te vegen voordat ik erin kroop. Op een keer gaf Peggy me voordat we naar bed gingen een sinaasappel die naar vuile sokken rook. Toen ik hem pelde, waren de partjes helemaal uitgedroogd. Ik at hem toch op, omdat Mickey de hare opat en er niets van leek te merken. Als ontbijt kregen we crackers en oranje priklimonade.

'De hele familie Lutz kwam tegelijk binnen,' vervolgde Glenna. 'Ze kwamen bij de dokterspost aan als een roedel wolven met hun gewonde. Helmer hing aan Peggy's arm, die arme vrouw; ze kon hem amper houden en hij liet zijn bloedende voet over de grond slepen. De kleine Mickey droeg de baby.'

Als Glenna op de koffie kwam, bracht ze altijd haar eigen zoetjes mee. Die kocht ze in grootverpakking bij de supermarkt in Williams Lake. Zo kon ze haar calorieën tellen, zei ze dan. Volgens mij was dit het enige wat ze deed als poging om af te vallen. Als mama haar bijschonk, scheurde ze de zakjes open om dan twee zakjes poeder tegelijk in de koffie te schudden. Ze staarde al roerend in haar kop, wat mama de tijd gaf om de vragen te stellen waarop zij alle antwoorden zou weten.

'Arme Peggy,' zei mama. 'Hoe is het gebeurd?'

'Hij was op jacht.'

Ze schoten allebei in de lach. Ik wist dat dat was omdat Helmers idee van jagen betekende dat hij op de laadklep van zijn truck met een biertje in de zon ging zitten wachten tot het wild voorbijkwam. 'Je kent Helmer,' zei Glenna, 'als er ook maar ergens narigheid in de buurt is, weet hij het te vinden. Was hij vergeten dat zijn geweer geladen was? Wie zal het zeggen? Hij heeft zijn hele grote teen en de helft van de twee tenen ernaast eraf geschoten.'

Hun hoofden bewogen traag en eendrachtig van links naar rechts. Het was oprecht medelijden, maar wel met een tikkeltje zelfgenoegzaamheid. Toch zou het niet eerlijk zijn om hun gesprekken af te doen als geroddel, denk ik nu. Als ze het hadden gekund, hadden ze een vaste, betaalde baan voor Helmer geregeld. Vrachtwagenchauffeur zou wel bij hem passen, zei mama, op en neer over Highway 20, van de ene stad naar de andere om spullen te bezorgen, een simpel baantje dat hem buiten de deur hield en waarmee hij Peggy en de kinderen kon onderhouden.

Toch was er altijd dat onderliggende vertrouwen dat ons zoiets nooit kon overkomen. Glenna en mama hadden echtgenoten die wel wijzer waren om met een jachtgeweer zonder veiligheidspal rond te lopen. Zijzelf waren wel wijzer om hoogzwanger van een tweeling thuis te blijven, zoals Peggy had gedaan, tot dagen na de uitgerekende datum.

'Ik begrijp niet waarom ze er niet voor heeft gezorgd dat hij met haar naar Williams Lake reed,' zei Glenna nog steeds elke keer als ze op bezoek kwam, hoewel het nu al maanden geleden was en ze alle uitvluchten van Helmer had gehoord. Ik had mama horen zeggen dat Glenna erover door bleef gaan omdat ze zich schuldig voelde, want een van de baby's stierf tijdens haar dienst en Peggy zelf was bijna doodgebloed in de dokterspost en moest met spoed overgebracht worden naar het ziekenhuis in Williams Lake.

Wat de kanker betreft, was het verhaal dat Peggy nooit goed voor zichzelf had gezorgd. Ze zat te veel binnen, ze kreeg niet genoeg frisse lucht en ze at niet gezond. Het was algemeen bekend dat Peggy kant-en-klaarmaaltijden insloeg zodra Helmer zijn bijstandsgeld had ontvangen. Ik had haar zelf gezien in de winkel, met die openlijk beschaamde blik op haar gezicht als ze al die platte dozen op de toonbank stapelde. Als het geld weer op was, leefde de familie Lutz op wittebrood met jam.

'Hij is Peggy alleen maar tot last,' zei Glenna al roerende. 'Ze zou zonder hem heel wat beter af zijn. Het beste wat dat gezin kan overkomen is dat Helmer even niet oplet en in het ravijn stort.'

'Die vent zit tot aan zijn nek in de hoefijzers,' zei mama. 'Hij had allang dood moeten zijn.'

'Hij had al drie keer dood moeten zijn. Moet je ons nu eens horen. Ik neem het terug, God,' riep Glenna naar het plafond.

'Ja, nou,' mompelde mama. 'Nog koffie?' Ze wierp een blik op Jenny en mij; we zaten te dammen in de streep zonlicht bij de houtoven. Ik denk dat mama vond dat haar gesprekken met Glenna bij onze opvoeding hoorden.

De nacht waarin haar moeder een van de tweeling verloor bleef Mickey bij ons slapen. Ze logeerde ook bij ons toen haar moeder had gehoord dat ze kanker had en voor de behandeling met het vliegtuig naar Vancouver moest. En ze sliep bij ons toen haar vader zijn halve voet eraf had geschoten met zijn 30.30. Mama had het nieuwe *McCall's Magazine* voor ons gekocht en we zaten met gekruiste benen op het bed de aankleedpopjes uit te knippen. Ik hoorde mama bij het aanrecht met de pannen rammelen, tot de hele boel met veel kabaal op de grond terechtkwam.

'Sorry!' riep ze tegen niemand in het bijzonder. Ze begon *Sweet Caroline* te neuriën. Er kletterde weer iets op de grond.

Ze maakte gehaktbrood naar een recept waarvoor ze de braadpan op het houtfornuis kon zetten. Mickeys voeten en de mijne zaten onder de broodkruimels, omdat we om de haverklap door de keuken liepen, op zoek naar de schaar en plakband. Mama riep dat ik haar wat velletjes wc-papier moest brengen; ze had haar vinger geschrapt, samen met de worteltjes.

'Laten we doen dat ik de vader was,' zei Mickey toen ik terugkwam. Ze zei het als 'lawedoen', wat me irriteerde. Ze was geen klein kind meer. Ze kon best goed praten.

'Lawedoen dat ik een nieuwe vrachtauto had gekocht. Goed?' Ze liet haar papieren poppetje langs de rand van mijn beddensprei wandelen.

'Wat voor kleur heeft hij?' vroeg ik.

'Rood,' zei ze.

Ik vond haar spelletjes saai, maar ik deed mee omdat ik wist dat dit de manier was waarop een van de tweeling was gestorven, volgens het verhaal van de familie Lutz. Helmer reed die nacht niet naar Williams Lake omdat hij bang was dat zijn truck het niet zou halen. Er stonden altijd een paar blikken koppelingsvloeistof in de achterbak omdat die om de zoveel kilometer bijgevuld moest worden, waarbij Helmer steevast liep te klagen dat hij hard aan een nieuwe vrachtauto toe was.

Mama had zich er dagenlang kwaad over gemaakt toen ze het had gehoord.

'Met zijn kromme schouders en zijn schuldbewuste armezondaarsgezicht,' zei ze. 'Arme zondaar' was mama's benaming voor een man die binnen de muren van zijn huis zijn gezin zo slecht behandelde dat hij op straat niemand recht in de ogen kon kijken. Vooral andere vrouwen niet. Een schuldig geweten, dat bedoelde ze met arme zondaar.

'Luie klootzak,' had mama gezegd. 'Ellendige, luie klootzak. Geeft zijn truck de schuld.'

Papa had gelachen.

'Wat nou?' had mama gevraagd.

'Ach, niks, niks,' had hij glimlachend gezegd.

'Vertel jij me maar eens wat er zo grappig is. Vind jij het grappig om een baby te verliezen en zelf bijna dood te gaan?' Ze was echt kwaad. 'Zonder hem zou ze beter af zijn. Dan kon ze het bijstandsgeld tenminste voor zichzelf en de kinderen houden. Het is een waardeloze vent. Net een baby, maar dan groter en hij eet meer.'

'Lawedoen dat jij de moeder was en dan kreeg jij een baby,' zei Mickey.

Mickey wilde altijd deze 'verbeterde versie van de werkelijkheid'-spelletjes spelen. Ik vond er niets aan, maar meestal zei ik dan toch: 'Oké, en mijn baby is de kroonprins van het rijk en we moeten hem beschermen tegen de kidnappers die zich verschuilen in de bergen.' Zo waren we allebei tevreden. Maar vandaag niet. Vandaag liet ik mijn papieren poppetje zeggen: 'Ik voel me niet zo lekker. Ik denk dat mijn baby eraan komt.'

'Ik breng je naar het ziekenhuis,' zei Mickeys pop.

'Nee, dank je. Ik neem mijn eigen truck wel,' zei ik. Ik kon het niet helpen.

Mickey staarde me sprakeloos aan.

'Mijn truck is niet nieuw,' zei ik. 'Maar hij doet het prima.'

'Zullen we buiten gaan spelen?' vroeg Mickey.

Die nacht, toen ik met Mickeys voeten bij mijn gezicht in bed lag en Jenny met kleine fluitgeluidjes in het andere bed lag te snurken, luisterde ik naar de keffende coyotes. Er was altijd eentje die begon, met een aanhoudende, naargeestige jammerklacht, luid en schril. Dan vielen de anderen in en sloegen ook de honden in het nabijgelegen indianenreservaat aan, luidkeels jankend in de nacht.

Aan het voeteneinde van mijn bed lag Mickey te huilen. Ik hoorde haar, al probeerde ze haar snikken te smoren.

Ik had medelijden met Mickey. Maar ik was vooral blij dat ik haar niet was.

HOOFDSTUK 3

Als ik 's nachts niet kon slapen, als ik me zorgen maakte over het vuur in het houtfornuis, dat het zo heet zou worden dat het dak in brand vloog en we alles kwijt zouden zijn, net als die gezinnen van wie de kinderen naar school moesten in de veel te grote of te kleine afdragertjes van de buren, liep ik op mijn tenen naar onze slaapkamerdeur en keek ik om het hoekje.

'Ik heb dorst,' zei ik dan. En als mama of papa knikte, schuifelde ik over de warme vloer langs het fornuis en liet ik mijn hand in het voorbijgaan over de rug van papa's stoel glijden. Ik mocht geen glas water op mijn nachtkastje zetten. Mama bezat een dwangmatige kennis over de gewoonten van muizen. Ze wist bijvoorbeeld dat ze water nodig hadden om te blijven leven, al was het maar een heel klein drupje, en daarom zette ze elke avond voordat we naar bed gingen alle kopjes en glazen op hun kop en legde ze een plank over de wateremmer. Op een nacht was ze wakker geworden van geritsel in de afvalbak en zat er een muis in, knagend aan het hard geworden speeldeeg van meel en zout dat Jenny en ik erin gegooid hadden nadat we cakejes hadden gebakken in de doucheruimte. Ze dekte de afvalbak hardhandig af met een stuk karton en wekte het hele huis toen ze ermee de voortuin in liep, hem omkieperde en met de schoffel naar de muis sloeg, haar nachtjapon fladderend in het maanlicht. Papa stond in zijn pyjamabroek slaperig te lachen in de deuropening. 'Laat hem toch gewoon gaan,' riep hij.

Haar obsessie werkte in mijn voordeel, omdat het betekende dat ik bij het aanrecht moest blijven staan om het glas helemaal leeg te drinken, het af te drogen en op zijn kop terug te zetten in de kast. Dat betekende dat ik kon blijven treuzelen in de veilige kring van papa, zachtjes snurkend in zijn stoel, en de kletsende geluiden van mama's spelletje solitair aan tafel.

Soms hadden papa en mama de tafel dichter naar het houtfornuis getrokken en zaten ze samen te kaarten, met de brandende kerosinelamp tussen hen in. Dan dronk ik mijn water op en bleef ik staan kijken hoe ze met hun ogen strak op hun handen gevestigd de kaarten schudden en elkaar plaagden. Op die zeldzame avonden ging ik tevreden terug naar bed, luisterend naar de gedempte geluiden van hun spel en de sporadische overwinningskreet van mama, gevolgd door papa's diepe lach.

Maar meestal, als ik niet kon slapen na het glas water, trippelde ik kort daarna naar de zinken teil in de badkamer, rillend in mijn nachtpon omdat de warmte de badkamer niet bereikte. Soms merkte papa het en zei hij: 'Kun je niet slapen?' en dan hees hij zich overeind uit zijn stoel en kwam hij even later op het randje van mijn bed zitten. Dan stopte hij de dekens in tot onder mijn kin. 'Stel je maar voor dat we in de bush zitten en een afdakje bouwen om te schuilen,' zei hij dan. 'We zetten een paar lange stokken tegen een steunbalk en dekken alles af met sparrentakken. De wolken pakken zich samen en er is een fikse storm op til, maar we moeten geduldig zijn. Straks willen we voor ons afdakje een vuurtje kunnen stoken, beschut tegen de wind. We vlechten de takken een voor een in elkaar, zodat ze stevig blijven zitten. Het wordt een mooie, sterke mat tegen de wind. Leg jij de takken maar neer, Maggie, dan maak ik intussen vuur. En als je klaar bent, ga je bladeren zoeken om op de grond te leggen, zodat het lekker zacht is. Daar heb je de regen al. We zijn net op tijd.'

Dan was ik blij dat ik in bed lag en liet ik mezelf naar de geborgenheid van de slaap glijden.

In de nazomer en de herfst nam papa me vrijwel elk weekend mee de bossen in. Jenny ging nooit mee op deze uitstapjes en ik vroeg me nooit af waarom dat was. Ze ging met haar vriendinnen op stap, speelde met de barbiepoppen, fietste naar de rivier voor een picknick of speelde vadertje en moedertje in de hutten die ze bouwden. Ik dacht dat ze niet mee wilde. Papa en ik gingen nooit ver weg, hooguit een uurtje rijden van huis. Soms gingen we vissen in een van de meertjes. Als er een verlaten kano of roeiboot aan de oever lag, wat vaak het geval was, duwden we hem het zachte groen van de ochtendvroegte in, onder de oprijzende nevel en het plopgeluid van een vis op jacht naar een vlieg. Op een keer hebben we zelf een vlot gebouwd en zijn we de hele dag bezig geweest om takken te snijden en ze aan twee drijvers te binden. Toen zijn we het meer over gepeddeld naar een eiland, waar we een kampvuur hebben gestookt en zijn gebleven tot de maan opkwam. Soms gingen we paddenstoelen of bessen zoeken en namen we een maaltje mee naar huis voor mama en Jenny. Maar ik vond het het allerfijnste als papa me liet zien hoe je een echte schuilplaats moest bouwen. Hij kon afdakjes en tipi-achtige schuilhutten bouwen, of hij gebruikte een natuurlijke schuilplaats die bescherming bood tegen de elementen, zoals een uitstekende rotspunt die een grot vormde en die je alleen maar van een isolerende bladlaag hoefde te voorzien voor extra warmte.

'Ik heb een plekje ontdekt dat ik je wil laten zien, Maggie,' zei hij op een zondag toen ik negen was.

Rondom Duchess Creek wemelde het van de meertjes en naar de meeste daarvan liep een weg. Sommige van die wegen waren houthakkerswegen. Sommige waren aangelegd door mensen die voor tijdelijk gebruik een blokhut hadden gebouwd in de bossen, in hun onderhoud voorzagen als houthakker of klusjesman en dan verder trokken en de hut achterlieten voor de wasberen en de muizen, staketsels van met de hand gehakte boomstammen en ingezakte daken, beschimmelde kranten, stoffige planken en weckpotten. Ik stelde me graag voor hoe het 's nachts zou zijn in zo'n hut, als de wind door de lege ramen gierde, het zand zich ophoopte op de plek waar vroeger de deur had gezeten en het maanlicht op de roestige bedveren viel.

Het was herfst. Papa liet het raampje op een kier staan; een scherpe, kruidige bries blies frisse lucht naar binnen. Naarmate we dieper het bos in reden en over de sporen in de weg hobbelden, nam papa gas terug en voelde ik de warmte van de zon op mijn gezicht. Ik werd slaperig van het hotsen en botsen van de truck over stenen en boomwortels.

'Warm, hè?' zei papa. Hij had zijn blauwe flanellen jasje aan; zijn rode haar krulde over de kraag. 'Hou het stuur even voor me vast.'

Ik schoof naar hem toe om te sturen, zodat hij zijn jasje kon uittrekken. Het stuurwiel rukte aan mijn handen alsof het leefde.

'Wil jij rijden?'

'Ja, graag.'

Papa greep het stuur weer beet en remde toen af, terwijl ik me onder zijn arm door wurmde om in het driehoekje tussen zijn benen te kruipen. Hij legde zijn hand op de mijne op de koppeling en hielp me om hem in de eerste versnelling te zetten. De auto schoot naar voren en de motor viel uit.

'Geeft niks,' zei hij. 'Probeer nog maar eens, Maggie.'

Toen we eenmaal in de tweede versnelling reden, ontspande ik me een beetje tegen papa's warme borstkas. Ik zat in de beschermende cirkel van zijn met sproeten bezaaide armen, zijn geur van zweet en tabak.

Ik mocht sturen tot de auto het gras op sukkelde en toen nam papa het weer over. Het woud sloot zich om ons heen, een verlichte tunnel in geel, oranje en rood. Espenbladeren sloegen tegen de ruiten en bleven steken tussen de zijspiegels; de bomen schraapten langs de zijkanten; een tak met felgele bladeren kwam klem te zitten tussen de ruitenwissers en fladderde tegen de voorruit als een

vlinder die zich niet kon bevrijden. Toen opende het hoge bladerdek zich en parkeerde papa de truck bij een open plek, waar een
turkooizen meertje lag. Een afgebladderde roeiboot lag op zijn kop
deels verborgen in het riet.

'We zijn er.'

We stapten uit. Een frisse wind deed het water rimpelen en tok-
kelde door de rietkraag en het hoge gras.

'Zie je die boom?' zei papa. Het was een grote, oude, knoestige
spar met op ongeveer tweeënhalve meter hoogte een stevige, breed
uitwaaierende tak. 'Ik ga je leren hoe je van deze boom een schuilhut kunt bouwen in de vorm van een afdakje. Ga maar een lange,
stevige tak zoeken, eentje die vanaf deze kromming ongeveer tot
hier komt.'

Ik liep het bos in. De bladeren dwarrelden als reusachtige
sneeuwvlokken omlaag en zeilden zachtjes naar de sponsachtige
bosgrond. Ik bleef staan om naar die stille regen van afgevallen
bladeren te kijken, die overal in het bos neervielen. Onder mijn
voeten voelde de grond soepel aan, als een omhulsel van aarde bedekt door dode bladeren en geurige, diep oranje gekleurde dennennaalden. Daaronder lagen de tunnelsystemen van insecten, mieren
en torren, met dieper nog de holle beenderen van dieren, laag na
laag, tot aan de harde rotsgrond en de steenkoollaag.

Ik raapte een tak op. Hij voelde broos aan in mijn handen en toen
ik hem tegen een boom sloeg, brak hij in stukken. Dieper in het woud
stuitte ik op een massa takken en kreupelhout. Ik greep een essentak
beet die dik genoeg was en trok hem eruit. Hij was ruim drieënhalve
meter lang en nog groenig, niet bros. De wind stak op en ritselde door
de bomen. Ik keek over mijn schouder om naar het meer. Door het
bladerdek heen zag ik het water glinsteren in het zonlicht.

Toen ik terugkwam, zat papa op de motorkap van zijn truck te
roken, zijn rode krullen wapperden als herfstbladeren in de wind.

'Goed zo, Maggie,' zei hij. 'Die is volmaakt.' Hij sprong van de
motorkap, doofde zijn sigaret en stopte de peuk terug in het pakje.

'Een afdakje is een van de makkelijkste schuilplaatsen om te bouwen,' zei papa. 'Het hoeft niet heel groot te zijn, daarom plaatsen we de steunbalk ongeveer hier. Waar moeten we nu eerst naar kijken?'

'Naar de zon. De ingang is naar het oosten gericht voor de ochtendzon.'

'Precies. Je wilt de warmte zo vroeg mogelijk voelen.' Papa zette de steunbalk stevig in de V van de boom. 'Maar we plaatsen hem ditmaal een tikje meer naar het zuiden, voor het uitzicht over het meer. En dan?'

'We moeten zorgen dat er geen dode takken overhangen en dat er nergens in de buurt kans is op een landverschuiving.'

'Hebben we dat hier?'

'Nee.'

'Juist. Dit is het volmaakte plekje, aan de rand van de open plek. Het bos achter ons, het meer voor ons, maar niet te dichtbij. We willen niet dat de dieren op weg naar hun drinkplaats over ons struikelen.'

Papa zette een van de takken die hij had verzameld tegen de steunbalk. 'Het maakt niet uit als ze uitsteken,' zei hij. 'Dat maakt hem steviger.' We werkten zwijgend door in de herfstzon en stapelden takken op elkaar voor de wanden van de schuilhut. Na een tijdje stak er een koude wind op die striemend in ons gezicht en op onze blote handen blies. Op zoek naar meer takken ging ik in de luwte van een pijnboom heel even op mijn hurken zitten, met de zon op mijn gezicht en de lekkere, warme geur van boombast en bos om me heen.

Ik wilde de hut het liefst zo snel mogelijk afbouwen, om erin te kruipen en uit de wind te kunnen zitten. Maar papa ging grondig te werk en ook al bouwden we de schuilhut alleen voor deze middag, hij zou erop toezien dat hij vrijwel volmaakt was.

'Weet je waarom ik naar dit land ben gekomen?' vroeg hij onder het werk.

'Je had genoeg van Ierland.'

'Dat klopt, maar ik had ook in Amerika kunnen blijven. Ik had werk gevonden in Oregon, als houthakker. Ik verdiende goed geld. Met de kerstdagen ging ik naar Portland om de bloemetjes buiten te zetten. In een kroegje hoorde ik een muzikant, ene Pete Seeger, liedjes zingen over de dienstplicht. Ik had in de krant gelezen dat ze vijftigduizend jongemannen zouden oproepen voor het leger. Dat was tijdens de Koreaanse oorlog. Ik was niet uit Ierland vertrokken om in andermans oorlog verzeild te raken.

Eenmaal terug op het werk liep ik een kerel tegen het lijf die me vertelde dat zijn grootvader opperhoofd was geweest van een van de grote stammen in de buurt van Bella Coola. Indertijd waren zij de ongekroonde koningen en koninginnen van het land. Ze waren zo rijk dat ze het weggaven, alleen om te laten zien hoe welvarend ze waren. Maar de regering greep in en verbood hen alles: hun taal, hun godsdienst, hun oude liederen en dansen. Ik vertelde hem dat het in Ierland niet anders was.

Zijn moeder was met een lid van de Ulkatcho-stam getrouwd. Als ik in een rechte lijn doorliep vanuit de plek waar wij zaten in Oregon, zei hij, steeds maar rechtdoor, dan kwam ik uit bij de plek waar hij was opgegroeid. Tussen Bella Coola en Williams Lake liep een wirwar van paden die de mensen door de eeuwen heen hadden gemaakt en gebruikt, het voedsel en de seizoenen achterna. Je hoefde nooit honger te lijden, als je maar wist wat je deed. Zolang je je vrijheid bezat, kon je leven van wild, bessen en vis. Het was een land van melk en honing. Zorg dat je bij de kust terechtkomt en de natuur geeft je alles wat je nodig hebt, gratis en voor niks: mosselen, strandgapers en zalm. Daarom ben ik hiernaartoe gegaan. Ik heb geluisterd en gekeken. Zo leer je hoe het moet.'

Toen hij tevreden constateerde dat de wanden van dennentakken lichte regen en zware dauw konden doorstaan, hoewel misschien geen zware regenbui, zei hij: 'Laten we hem maar eens uitproberen.' We schoven achterstevoren door de opening, allebei aan weerszijden van de steunbalk, tot alleen onze hoofden nog naar buiten staken.

'Als je ooit een keer verdwaalt, is dit het eerste wat je doet. Je bouwt een schuilhut voor jezelf. Niet vergeten.'

Hoe zou ik dat kunnen doen? Hij zei altijd hetzelfde als we de bossen in trokken.

'O ja, bijna vergeten.' Hij haalde een flesje Orange Crush uit de binnenzak van zijn jasje en stak hem me toe. Voor zichzelf had hij een biertje meegenomen. Hij viste nog wat dieper in zijn binnenzak om een pakketje tevoorschijn te halen, verpakt in een theedoek. 'En dan eet je je chocoladekoekjes op.'

Sommige mensen zijn ervan overtuigd dat je het altijd voelt als je gaat sterven. Zelfs als je niet ziek bent, zelfs als de dood uit het niets komt opzetten als een hert op de hoofdweg. Ik weet dat niet zo. Maar ik vraag het me weleens af als ik aan deze middag met mijn vader terugdenk.

Ik kreeg het koud van de priklimonade, maar ik dronk het op, rillend en wel, omdat hij het voor me had meegebracht. Papa opende zijn bierflesje met een knal en nam een paar trage slokken, uitkijkend over het meer dat rimpelde in de wind. Hij zei: 'Weet je, Maggie, ik ben niet zo'n prater. Dat weet je wel, denk ik. Ik kan nooit iets bedenken wat de moeite waard is om te zeggen, als ik er nog eens over nadenk. Dat begrijpt je moeder niet.'

Hij nam een slok bier en glimlachte naar me. Het juiste visaas, de naam van een vogel die een onbekend lied tjilpt, dat waren zoal de dingen die papa me meestal vertelde. Ik wist niet of ik iets moest terugzeggen of niet.

'Je weet wel, als we op een mooie middag buiten voor het huis zitten, lekker warm in het zonnetje. Als ik dan naar haar kijk, lijkt het wel of ze licht geeft. Haar huid, haar haar en alles. En dan voel ik het. Als een visje dat op de bodem van de boot ligt te spartelen. Dan krijg ik zin om feest te vieren. Dan wil ik een koud biertje halen en de rest van de dag vergeten. Een toost uitbrengen op haar.

En als ik het nou maar kon zeggen, hoe ik haar zie. Maar dat lukt me nooit. Ik weet nooit de juiste woorden te vinden. En als ik dan een biertje ga halen, is alles bedorven. Je weet wel hoe ze dan kan kijken.'

Hij nam een flinke teug bier.

'Ze zegt er gelukkig nooit iets van. Ik weet dat ze haar best doet om die glimlach op haar gezicht te houden. En ik weet dat ik alles bederf als ik een biertje ga halen, maar ik kan er niets aan doen. Hoe zou dat toch komen?'

Wilde hij dat ik daar antwoord op gaf? Ik zette het flesje Orange Crush aan mijn mond, nam een flinke slok en keek aandachtig toe hoe de limonade schuimend terugliep in het flesje.

'Mijn vader, jouw opa, was net zo. Nee, hij was erger. Ik heb gezworen dat ik nooit zo'n dronkenlap zou worden als hij. Dat is ook niet gebeurd. Ik ben mijn eigen soort dronkaard geworden.'

Hij stak de hals van zijn bierflesje naar me toe en zei 'proost'. Ik tikte mijn Orange Crush-flesje tegen het zijne, net als anders.

Ik had papa nog nooit dronken gezien, niet zoals Helmer, luidkeels lachend om grapjes die niet grappig waren om daarna huilerig te worden, wat plotseling kon omslaan in kwaadaardigheid, zodat de andere mannen hem in bedwang moesten houden. Mijn moeder had een hekel aan die sentimentele zwakheid in een man en ik denk dat ze nooit met mijn vader was getrouwd als hij zo'n soort dronkaard was geweest. 'Het gaat razendsnel van grappig via meelijwekkend naar vals,' zei ze.

Maar er waren ook avonden waarop mama zonder hem naar bed ging, nadat haar lage, smekende stem door onze slaapkamermuur drong en de zijne hardnekkig klonk: 'Ik zit hier zomaar wat te genieten, Irene.' Aan de klap van een kastlade, het rammelen van de hangers in de kast, kon ik horen dat mama boos was. Ik vroeg me af wat hem bezielde om helemaal in zijn eentje bij het fornuis te blijven zitten. Soms zong hij zachtjes *Goodnight Irene*. Zijn on-vaste bromstem bracht bij mij een glimlach teweeg, maar dat effect had het niet op mama.

Als hij vervolgens overstapte op zijn Ierse liederen begon mama te huilen. Op een keer hoorde ik haar zeggen: 'Je doet me aan mijn vader denken.' Ik begreep niet waarom zijn gezang haar aan het huilen bracht. Ik was boos op haar omdat ze hem alleen liet en kwaad op hem werd. Waarom kon ze niet met hem meezingen en plezier maken, zoals hij wilde?

En dan had je die dag waarop papa, zijn vriend Panbread en mama aan het darten waren tegen de zijmuur van het huis. Ik hoor-de dat papa mama ergens mee plaagde. Voordat ik het wist zei mama tegen Jenny en mij dat we onze schoenen moesten aantrekken om-dat we een eind gingen wandelen. Ze ging naar binnen om onze baseballpetjes te halen en wat appels te pakken voor onderweg.

Papa riep haar na: 'Ach, toe nou, Irene, maak dit spelletje nou af.'

Ik hoorde Panbread zeggen: 'Laat haar maar, Pat. Je weet hoe vrouwen zijn.' Toen lachten ze allebei, te hard en te lang, en ik was blij dat mama binnen was en het niet kon horen.

Mama beende met fikse pas voor ons uit de bossen in en ging pas langzamer lopen toen we voorzichtig onze weg zochten door de droge bedding van een kreek. Ik stopte zo vaak om gladde kiezels op te rapen dat Jenny een heel eind voor me uit liep, uit het zicht, en mama was nog veel verder vooruit. De zon brandde op mijn rug. Zo nu en dan zag ik de flits van een kolibrie boven de oranje bloemen van de *Indian Paintbrush*. Een specht trommelde tegen een boomstam. De warme zon, het holle getrommel dat door de dennen galmde en het zachte kletsen van mijn hardloopschoenen op de stenen wikkelden me in een cocon. Een deel van me keek op mezelf neer, zoals ik daar door de kreek liep. Een smal stroompje kronkelde zich tussen de stenen door. Toen de punten van mijn hardloopschoenen donker kleurden van het water, keek ik op en zag ik wuivende krentenboompjes, helderwitte madeliefjes en turkooizen lucht. Ik had het gevoel of ik uit een droom ontwaakte.

Toen hoorde ik mama roepen. 'Mag-gie!' Tweetonig van hoog naar laag, als de roep van een Amerikaanse matkop. 'Mag-gie, kom nou. We zijn hie-ier!'

Ik volgde een smal hertenspoor dwars door het kreupelhout een heuveltje over. Daar zat mama, tot aan haar hals in een helder blauwgroen meer. Jenny sprong opgewonden op en neer in de modder, helemaal bloot op het baseballpetje na, waar haar lange rode haar onderuit wapperde.

'Raad eens?' zei mama.

'Wat?'

'Het is niet diep!' en ze stak haar armen in de lucht en sprong als een vis op uit het water. Het water kwam maar tot haar middel en mama was ook naakt, haar kleren lagen slordig op een hoopje in het gras naast Jenny.

'Schiet op,' gilde Jenny en ze rende lachend het water in, met haar baseballpetje nog op haar hoofd.

Ik weet nog hoe heerlijk loom we ons voelden nadat we uren in het water hadden gespeeld. We moesten onder water duiken om aan de paardenvliegen te ontkomen. We deden wedstrijdjes: zaten elkaar achterna in het ondiepe water, met onze handen in de modder om ons vooruit te werken; wie het langst op een stuk drijfhout kon blijven zitten, wie het langst haar adem kon inhouden, wie het hoogst vanuit het water in de lucht kon springen. We lieten ons opdrogen op een groot rotsblok in de zon, met de warme steen onder onze wangen, om dan het water weer in te gaan om af te koelen, schreeuwend naar mama dat ze moest kijken van haar plekje op onze kleren in het gras, met de gladde buiging van haar heup naar haar taille en de ene borst tegen de andere gevleid.

Tegen de tijd dat we die avond strompelend ons huis weer in het vizier kregen, was de zomerlucht purper gekleurd. Onze benen voelden aan als rubber van de lange wandeling en we konden niet ophouden met giechelen, omdat we doodop waren en helemaal gek werden van de jeuk. We zaten niet alleen onder de muggenbeten, maar we hadden ook een soort zwemmerseczeem opgelopen in het meer.

'We moeten allemaal in bad,' zei mama. 'Dan smeren we ons in met *calaminelotion*.'

Jenny was als eerste bij het trapje naar de voordeur. 'Papa!' zei ze en ze bleef staan. Ze was bijna over hem gestruikeld. Hij lag met opgetrokken knieën in het gras bij de onderste trede, naast een omgevallen keukenstoel.

'Ga naar binnen,' zei mama.

'Gaat het wel goed met hem?' vroeg Jenny.

'Ga naar binnen, Jenny, Maggie. Vooruit.'

Jenny en ik deden wat ze zei, maar we bleven bij de deur staan kijken.

Mama hees hem een stukje van de grond en probeerde hem overeind te krijgen. Maar hij gleed uit haar armen en viel weer terug in het gras.

'In godsnaam, Patrick. Ga naar binnen.'

Het was een van de zeldzame keren dat ik mijn moeder hoorde vloeken en ik schrok ervan. Hoewel we alleen met Pasen en Kerstmis naar de kerk gingen, beschouwde ze zichzelf als een goede katholiek en vloekwoorden waar God in voorkwam waren bij ons thuis strikt verboden.

'Wat is het probleem, Irene?' vroeg mijn vader, plotseling klaarwakker.

'Ga naar binnen. Ga naar bed.'

'Rustig, rustig. Ik wilde alleen even een luchtje scheppen.' Hij schudde zich los en banjerde naar binnen, met een knipoog naar Jenny en mij in het voorbijgaan.

Mama liet hem gaan. Ze ging op het trapje zitten, met haar rug naar ons toe.

'Ik heb jeuk,' zei Jenny even later.

Mama hees zich overeind om water te pompen voor ons bad.

HOOFDSTUK 4

Toen ik tien was riep mama Jenny en mij op een ochtend in juni naar de deur om te komen kijken. De indianen uit het reservaat in Duchess Creek trokken naar Potato Mountain, waar ze hun kamp zouden opslaan om wilde aardappels te rooien.

'Vroeger waren het er veel meer,' zei mama tegen de deurpost geleund. 'Grote karavanen, zoals je je voorstelt in de woestijn. Toen ik klein was namen ze altijd het pad dat pal achter ons huis liep. Als mijn vader zag dat ze op weg gingen naar Potato Mountain, kreeg hij de kriebels. Hij wilde ook mee. In die tijd trokken de indianen er veel vaker op uit om te jagen en te vissen.'

Ik vond het nog steeds een heleboel mensen, meer dan ik ooit had gezien als we om het reservaat heen fietsten. Waar kwamen ze allemaal vandaan? Ze hadden hun paarden bepakt met spullen, gereedschap en beddengoed, en sommige droegen achttienliterblikken op hun rug. Die waren voor de aardappels die de indianen gingen rooien. Er draafde een hele stoet honden achter de paarden aan. Een span trekpaarden trok een Bennett-wagen voort, gemaakt van het frame van een oude auto, waar oude mensen en kinderen in zaten, sommige met jonge baby's op schoot.

Toen mama haar hand opstak om te wuiven, kwam een van de vrouwen uit de groep onze oprit op. Ze was ongeveer even oud als mama, met lang haar, zo glanzend en zwart als de vleugel van een kraai. Ze droeg een paarsgebloemde jurk over haar lange broek. Ondanks de broek zag ik dat ze dunne benen had die een beetje krom waren. Maar ze liep zoals ik me voorstelde dat een ballerina zou lopen, waarbij ze gracieus eerst haar tenen op het steengruis zette.

'Agnes,' groette mama.

'Ik heb je mocassins voor je meegebracht,' zei ze. Ze had een zachte, hese stem en ze hield haar hoofd een beetje schuin, alsof ze verlegen was. Jenny zat naast me en kneep me in mijn arm om me te waarschuwen. Toen ik naar Agnes' gezicht keek, slaakte ik een kreetje van schrik. Haar lip vertoonde een brede spleet tot aan haar neus, als een open wond. Ze glimlachte vriendelijk naar Jenny en mij en ik voelde dat ik bloosde van schaamte omdat ik zo kwetsend had gereageerd.

'Je hebt eraan gedacht,' zei mijn moeder. Ze nam de mocassins van Agnes aan, een groot paar van zachte elandenhuid, geborduurd met blauwe, oranje en witte kralen. Papa was bijna jarig. 'Pak mijn portemonnee even, Maggie.'

Ik realiseerde me dat Agnes de vrouw was over wie Glenna het weleens had. 'Ik heb medelijden met dat arme ding,' had ik haar horen zeggen. 'Ze zegt dat niemand met haar wil trouwen vanwege haar hazenlip. Ze heeft waarschijnlijk nog gelijk ook.'

Mama was het nooit met Glenna eens wat Agnes betreft. 'Ik vind dat ze het prima doet. Die vrouw is ijzersterk.'

Ik was er ook bij toen Glenna mijn moeder vertelde over die keer dat Agnes naar de dokterspost was gekomen met blauwe plekken in haar gezicht. 'En dan die hazenlip! Wat zag ze eruit.' De man met wie Agnes zou gaan trouwen had haar zo toegetakeld. Mijn moeder noemde het verkrachting, een woord dat ik toen nog niet kende, en Glenna en zij hadden geruzied over dat woord. 'Kun je dat wel verkrachting noemen?' vroeg Glenna en toen was mijn moeder boos geworden.

Zelf had ik niet precies begrepen waarom zoiets onbenulligs als een hazenlip, wat ik me toen voorstelde als iets met zachte snorharen, zo belangrijk kon zijn en ik dacht dat die afschuw van haargroei misschien een typische eigenschap van indiaanse mannen was, net als andere trekjes die ze schenen te hebben, zoals dat ze zich nooit wilden haasten of hun geld uitgaven zodra ze het hadden.

Ik haalde de portemonnee en toen ik hem mama toestak, keek ik Agnes expres recht in haar gezicht, om haar te laten merken dat het mij niet uitmaakte.

'Ik zal aardappels voor jullie meebrengen, meisjes,' zei ze met een glimlach alsof ze ons een geheimpje verklapte.

'Dank u wel,' zeiden Jenny en ik.

We keken haar na. Haar lange haar danste zachtjes op haar rug toen ze terugliep naar de weg, waar ze zorgvuldig een plekje koos om zich aan te sluiten bij de karavaan.

'Er waren jaren waarin mijn papa Potato Mountain op ging,' vertelde mama toen. 'Hij ging mee om wilde paarden te zoeken, maar hij bleef voor de paardenrennen.' Ze sprak zelden over haar ouders. Haar moeder was gestorven toen ze nog een klein meisje was en haar vader wilde liever cowboy zijn dan vader, zei mijn moeder altijd. 'Mama is een keer met hem meegegaan. Ze zijn een nacht bij de indianen blijven kamperen. Ze vertelde dat ze nog nooit zoveel wilde bloemen had gezien als daar, in de velden onderweg naar boven: de heuvels waren bezaaid met Indian paintbrush, gele balsamwortel en blauwe berglupinen. En helemaal boven op de top velden en velden vol witte aardappelbloesem. Ze is er maar één keer geweest, maar ze praatte erover alsof ze nooit een jaar had overgeslagen. Ze zei altijd: "Ik herinner me die berg, vol met witte bloemetjes." Mama zette gekscherend een verlangend stemmetje op: "En al die bessen. Zoveel dat je ze nooit allemaal kon plukken. Dik. Zo noemden de indianen ze. We aten dik en wilde aardappels, piepklein, niet groter dan mijn duimnagel, en hertenvlees dat boven het kampvuur werd gebraden. En 's nachts was de hemel bezaaid met sterren, net zoals de heuvels bezaaid waren met witte bloempjes. We sliepen in de openlucht onder de sterren. Ik zeg wel dat we sliepen, maar er werd de hele nacht muziek gemaakt, gezongen en gedanst, dus wie kon er slapen? Je kunt je niet voorstellen hoeveel sterren er waren." En als ze het helemaal gehad had met ons en met de sneeuw en de hele dag binnen zitten, zei ze altijd: "Ik wilde dat ik naar Potato Mountain kon. Voordat ik sterf wil ik al die wilde bloemen nog één keer zien."'

'Is ze nog eens gegaan?' vroeg ik.

'Nee, het is er nooit meer van gekomen.'

'Ik zou ook wel naar Potato Mountain willen,' zei Jenny. 'In plaats van naar school. Al die kinderen hoeven de laatste week niet naar school. Geluksvogels.'

'Ik geloof niet dat ik het nu nog leuk zou vinden,' zei mama, die de karavaan nog steeds nakeek. De paardenhoeven wierpen hoopjes zand op. 'Te veel drank, naar wat ik hoor.' Ze draaide zich om naar het huis en voegde eraan toe: 'Maar misschien is dat niet waar. Is het iets wat de mensen alleen maar zeggen.'

Die nacht droomde ik dat mama, Jenny en ik ons klaarmaakten om Potato Mountain op te gaan. We waren buiten de auto aan het inladen, hoewel je in het echt niet met de auto de berg op kon, en liepen in en uit met onze koffers en dekens, maar papa bleef rustig in zijn groene vinyl stoel bij het fornuis zitten.

'Gaat papa niet mee?' vroeg ik aan mama.

'Nee, hij is niet sterk genoeg. Hij zou het nooit halen, helemaal naar de top van de berg.'

Dat vond ik vreselijk zielig voor hem. Mama had gelijk; hij was nog maar een kleine jongen en hij zou ons allemaal ophouden. Ik keek naar hem zoals hij lag te slapen in zijn stoel. Toen trof het me als een mokerslag: hij sliep helemaal niet; hij was dood. Daar schrok ik wakker van.

Een heldere maansikkel scheen door het slaapkamerraam en wierp een spookachtig blauw licht op onze beddenspreien. Ons droogrek vormde de schaduw van een gebochelde oude vrouw op de wand. Ik luisterde naar Jenny's regelmatige ademhaling en voelde mijn eigen hartslag hortend en stotend in galop gaan. Ik ging rechtop zitten en keek naar mijn zus om te zien of ze echt sliep. Mijn voeten raakten het koude linoleum. Zelfs in de zomer voelde onze vloer 's nachts koud aan. Ik boog me over Jenny heen, die iets mompelde en verder snurkte. Ze sliep echt. Ze zou boos worden als ik haar wakker maakte. Ik had het onrustige gevoel dat er buiten iemand naar me keek, daarom dwong ik mezelf om uit het raam te kijken.

Ik dacht aan Agnes en haar hazenlip en stelde me voor dat ze gracieus in het maanlicht voortstapte over de weg naar Potato Mountain. Er gleed een schaduw over het gras en langs de oprit. Er schoot iets donkers door de tuin, waarschijnlijk een vleermuis. Er stond geen zuchtje wind, het was bladstil.

Ik ging naar de slaapkamer van papa en mama en bleef voor de deur staan. Hij stond op een kier van ongeveer dertig centimeter en ik luisterde naar hun ademhaling. Papa maakte een schokkerig, fluitend geluid. Hij was in orde. Ik maakte me zo smal mogelijk en glipte stilletjes de kamer binnen. Op de ladekast blonk papa's knipmes in het maanlicht. Hij stopte hem altijd in zijn zak, met het parelmoer heft dat versierd was met een eland en de woorden *Beautiful British Columbia*. Hij gebruikte het om touw te snijden, draad en vingernagels te knippen en fruit te schillen. Ik pakte het op en hield het in mijn hand en toen nam ik het mee naar mijn kamer. Ik ging op mijn bed zitten en keek hoe het glom. Ik zocht iets waarmee ik kon testen hoe scherp het was. Ik dacht niet dat het de dubbelgestikte zoom van mijn laken kon snijden, maar toen ik het lemmet eroverheen trok, ging het dwars door de stof. Dat zou mama niet leuk vinden. Toen ik het mes dichtklapte, streek de scherpe rand langs mijn vinger. Er viel een druppel bloed op het laken. Ik moest door het donkere huis naar de badkamer sluipen om een velletje toiletpapier te halen om mijn vinger mee te verbinden. Ik viel in slaap met het mes in mijn hand.

Toen ik wakker werd, was papa al naar de zagerij. Ik zocht tussen de dekens naar het mes. Het lag aan het voeteneinde van mijn bed, verborgen tussen de lakens.

'Dat is ook raar,' hoorde ik mama in de slaapkamer zeggen toen Jenny en ik aan het ontbijt zaten.

'Wat, mam?' riep Jenny.

'O, je vader was vanmorgen op zoek naar zijn knipmes. Het was nergens te vinden, maar het ligt gewoon op het kastje waar hij het altijd neerlegt.'

'Raar,' zei Jenny, gebogen over haar cornflakes. Even later hief ze haar hoofd en keek ze me aan.

Op dat moment voelde ik me schuldig, maar dat was niets vergeleken bij het schuldgevoel dat me later kwelde, toen we plotseling net zo'n gezin waren geworden als de Lutzes, met ons verdriet open en bloot bij de dokterspost waar iedereen het kon zien. Ik stelde me voor hoe papa die ochtend naar zijn mes had gezocht dat niet op zijn gewone plekje lag, hoe hij op en onder de ladekast had gekeken en in de zakken had gevoeld van de broek die hij de dag daarvoor had gedragen. Hoe vaak had hij die ochtend zijn hand in zijn zak gestoken, op zoek naar het gladde imitatieparelmoer van het mes dat er niet was?

Ik was degene die Roddy's vrachtwagen bij de dokterspost zag staan toen we er die middag met de schoolbus langsreden. Beide cabinedeuren stonden wijd open en ik wilde het tegen Jenny zeggen, maar zij zat te giebelen met haar vriendin Josie en die twee lachten me altijd uit als ik iets zei. Dus in plaats daarvan zei ik toen we uit de bus waren gestapt 'Wie er het eerste is!' en rende ik voor haar uit de weg op. Mijn angst was al omgeslagen in paniek.

'Waarom staat Roddy's vrachtwagen bij de dokterspost?' riep ik uit zodra ik mama zag. Dus in zekere zin was ik de boodschapper van het slechte nieuws.

'Wat?' Ik zag dat de schrik haar om het hart sloeg.

'De cabinedeuren stonden open.'

'Hier blijven.' Ze griste de sleutels van de stationwagen van het haakje bij de deur. 'Ik ben zo terug.'

'Wat is er, mam?' vroeg Jenny toen ze naar binnen slenterde.

'Jullie blijven hier. Ik ga naar de dokterspost.'

'Waarom?' vroeg Jenny, maar mama was de deur al uit. We zagen haar wegrijden, het zand spatte op toen ze de grote weg op draaide.

Jenny zegt dat ik na papa's dood niet meer kon praten. Daar weet ik niets meer van, maar ik herinner me wel dat mama voor me neerhurkte, mijn schouders beetpakte en me recht in de ogen keek. 'Zeg iets, Maggie,' smeekte ze. Dat wilde ik wel, om haar een plezier te doen. Maar wat moest ik dan zeggen? Nu begreep ik hoe papa zich had gevoeld. Er was absoluut niets in mijn geest dat belangrijk genoeg leek om in woorden om te zetten. Ik hoorde mama in de slaapkamer fluisteren met Glenna. Ze bleven maar fluisteren, totdat het geluid een ondertoon van woede kreeg; daarna werd het stiller en gingen ze over in een zacht gemompel, als kippen die zich 's avonds klaarmaken om op stok te gaan. Wat konden ze in vredesnaam allemaal te kletsen hebben?

Ik herinner me fysieke gewaarwordingen: geur, honger, warmte en kou. Ik zat in papa's groene stoel van vinyl bij het houtfornuis en ik rook hem. Zaagsel. Tabak. Motorolie. Zweet. En nog iets anders. Warm, bedompt, kruidig. Niet echt kruidig. Ook niet bedompt. Als de kruin van zijn hoofd, een vertrouwde huidgeur. Ik rook het ook als ik papa's en mama's slaapkamer in ging en daar bleef staan.

Er kwamen vrouwen met ovenschotels en bakken gestoofde rabarber en ingemaakte zalm en ik keek hoe ze zich over de ijskist bogen, op zoek naar een plekje. Ik keek naar hun sterke benen; er heerste een hittegolf in Chilcotin en de vrouwen droegen de eerste shorts van het seizoen. Hun benen zagen rozig van het wieden in de middagzon. Hoe konden je benen je overeind houden zonder dat je erover hoefde na te denken? Op de een of andere manier was er iets in je hersenen wat ze gaande hield, maar dat er ook zomaar de brui aan kon geven, zoals die middag bij mama en Jenny gebeurde, toen we hoorden wat er met papa was gebeurd.

Mama was amper in staat geweest om zich staande te houden, en Glenna en Ron ondersteunden haar allebei aan een elleboog om naar binnen te gaan.

'Mama?' had Jenny gezegd en toen, zonder dat iemand een woord had gezegd, zakte ze in elkaar als een tuinstoel waarvan de oude aluminium poten het eindelijk hadden begeven. Moeders hoeven niet door twee man ondersteund te worden, tenzij het ergste wat je je kon voorstellen als je starend uit het raam zat te wachten tot de stationwagen de hoek om kwam en je straat in reed, werkelijk is gebeurd.

'Er is een ongeluk gebeurd, meisjes,' zei Glenna.

Ik haatte haar om die woorden. Ik haatte haar ter plekke en voorgoed; ik kon haar niet meer zien met haar zelfingenomen medelijden, alsof zij immuniteit genoot omdat zij de verpleegster was die wel wijzer zou zijn.

'Is papa dood?' wist Jenny door haar tranen heen uit te brengen.

Mama zei simpelweg: 'Ja.'

Ze zeggen dat iemand die voedselvergiftiging oploopt nooit meer kan eten wat hij als laatste heeft gegeten voordat hij ziek werd, ook al kwam de vergiftiging door iets anders. Ik had het gevoel dat papa was doodgegaan omdat ik zijn knipmes had weggenomen. Later hoorde ik dat er een stapel boomstammen was gaan rollen en dat hij was meegesleurd. Ik hoorde dat Roddy hem als een baby naar de dokterspost had gedragen. Waarom dat detail? Waarom als een baby? Maar dat was wat de mensen zeiden en daarom viel Roddy onmogelijk iets te verwijten; iedereen kon Roddy aardig blijven vinden en hoefde hem niet te haten omdat Jantje Secuur dood was en hij nog leefde.

De wake duurde vier dagen, waarin er een constante stroom voedsel ons huis werd binnengebracht. Een grote aluminium koffiepot pruttelde op het fornuis. Iemands witte koffiebekers stonden keurig in het gelid op het aanrecht. Glenna had zelfs haar zoetjes meegebracht. Ik zag dat ze een margarinedoosje met pakjes zoetjes bij de bekers zette. Ik keek hoe ze ze met twee tegelijk kapotscheurde en de poeder in haar beker strooide, vlak voor de brandende kaars bij papa's foto. In haar gewoonten veranderde in elk geval niets, zelfs niet door de dood van de man van haar beste vriendin. Zij telde haar calorieën.

Toen er geen ruimte meer was in de kist, kwam iemand op het idee om het ijs in de ongebruikte doucheruimte te storten en het voedsel daar in te zetten. Mama mopperde erover nadat iedereen 's avonds naar huis was vertrokken. Het ijs was gesmolten en ze moest ruimte maken in de ijskist voor de potten aardappelsalade en de schotels Nanaimo-toetjes.

'Waarom toch al dat eten?' hoorde ik haar bij zichzelf mompelen.

Dat zou ik ook wel willen weten. Maar ik besefte dat het eten niet echt voor ons was. Het verschafte iedereen die binnenkwam iets om te zeggen: 'Ik heb rabarbertaart meegebracht,' was in elk geval iets. 'Is er nog plaats in de ijskist?' was net zoiets en 'Ik zal even verse koffie zetten' ook. Zo babbelden ze door en de pijn, de woede en de angst brandden samen met de kaars eindeloos voort.

Papa zelf was nergens te bekennen, behalve in de ingelijste foto op de hoge plank die Glenna en Roddy hadden meegebracht. Ik hoorde de grote mensen fluisteren dat het lichaam niet werd opgebaard vanwege de warmte, en iemand anders corrigeerde hen beterig door te zeggen dat dat was vanwege het ongeval. Ik wist van geen van beide wat het betekende.

Na de begrafenis, toen de realiteit van papa's dood tot ons begon door te dringen, laaide Jenny's verdriet op als een zomerse onweersbui. De ene huilbui ging over in de andere, erbarmelijk en vol overgave, om te eindigen in zacht, hulpeloos gesnik als ze zich murw geslagen op haar bed liet vallen en zowel lichamelijk als geestelijk niet meer in staat was om op te staan en de ene voet voor de andere te zetten. Jenny trok mensen naar zich toe in haar verdriet. Glenna en de andere vrouwen brachten haar kommen kippensoep met vermicelli op bed en als ze haar kamer uit kwamen zeiden ze: 'Ze heeft iets meer dan de helft opgegeten,' of 'Ze heeft het amper aangeraakt.'

Voor mij was er een gat waar eerst mijn vader was geweest, een gapend gat met niets dan zijn herinnering. Ik kon het op geen enkele manier in woorden omzetten. Maar Jenny praatte elke avond met mama, die bij ons kwam zitten tot Jenny uitgeput was van het vragen stellen.

'Zijn we nu arm?' vroeg Jenny. 'Zoals die mensen die andermans afdankertjes moeten dragen?'

'Nee, lieverd, dat gaat niet gebeuren.'

'Hield papa van me?'

'Natuurlijk hield hij van je, doe niet zo mal.'

'Waarom nam hij Maggie dan altijd mee naar de bossen en mij niet?'

'Ach, Jenny. Ik denk dat hij niet wist dat je mee wilde. Hij dacht dat je meisjesdingen leuker vond. Hij nam toch Barbies voor je mee uit Williams Lake?'

'Maggie is meer een wildebras, denk ik. Geeft niet hoor, Mag.'

Zo kwam de storm in haar binnenste langzaam tot bedaren.

Na een paar dagen kwamen Jenny's vriendinnen haar halen om buiten te spelen. Ze zaten op een deken in het zonnetje met de Barbies, om ze aan- en uit te kleden en hun haar te doen met roze kammetjes en borsteltjes. Ze gingen picknicken en namen broodjes mee in een linnen tasje. Ik zag hen tussen de bomen verdwijnen, drie paar bleke benen tegen het diepe groen van het woud, hun paardenstaarten dansend op hun rug. Uren later zag ik ze weer van de andere kant de weg op komen, wazig in de hittesluier die opsteeg van de hoofdweg.

Na de hittegolf kwam de regen. Op een ochtend werd ik in alle vroegte gewekt door het geluid, het holle tikken op de kachelpijp en een monotone roffel op het dak alsof er kleine steentjes op vielen. Het zwol aan toen ik ernaar lag te luisteren, totdat het als een bulderend watergordijn omlaag stortte. Mama stond op om haar raam dicht te doen en ging vervolgens naar de keuken om ook daar de ramen te sluiten.

Jenny werd wakker en keek me met knipperende ogen aan. Ik zag voor me hoe de regen alles kletsnat zou maken, de weg, het rommelige stukje gazon rondom ons huis, onze moestuin en de geurige, veerkrachtige aarde onder de grote spar bij ons raam. Het gebulder nam iets af, als een motor die in een lagere versnelling wordt gezet, en zwol vervolgens weer aan om uit te groeien tot een donderend geluid van water, alsof de hemel was opengebroken en een oceaan van regen neerplensde op Duchess Creek.

De bezorgdheid kroop onder mijn huid. Een vingerbreed stroompje water sijpelde van het dak over ons slaapkamerraam. Dat was het niet. Mama was rammelend in de keuken bezig en bij het lek langs de kachelpijp tikte het water zachtjes in een aluminium pan. Dat was het ook niet.

Na het ontbijt trok ik mijn rubberlaarzen aan om buiten onder de takken van de spar te kruipen. De schuin invallende regen dreunde gestaag door.

'In een noodsituatie kun je altijd een natuurlijke schuilplaats vinden,' had papa gezegd op die herfstdag toen we de hut bij het meer hadden gebouwd.

'Zoals thuis onder de sparrenboom,' had ik geantwoord.

'Precies. Als je maar eventjes hoeft te schuilen, is er vrijwel altijd wel iets te vinden. Toch kun je dan evengoed een schuilhut bouwen. Dan kun je beter nadenken en raak je niet zo snel in paniek als je moet wachten tot je gevonden wordt.'

Er vormde zich een plas in het dikke naaldenbed onder de spar, die traag in de richting van mijn rubberlaarzen kroop. Als ik hier wilde kamperen, moest ik een geul graven om het overtollige regenwater op te vangen, en een goot om het af te voeren. Ik besefte dat mijn bezorgdheid te maken had met de schuilhut bij het meer die papa en ik de vorige herfst hadden gebouwd. Ik hoopte dat hij er nog stond. En als er iemand in zat, hoopte ik dat de regen niet dwars door de takken naar binnen liep.

Toen het eenmaal was gaan regenen, lieten ze ons alleen met ons verdriet als een gezin in quarantaine. Zelfs Glenna leek mijn moeder een poosje uit de weg te gaan.

'Als het zo blijft regenen, zal ik het dak op moeten om dat lek te repareren,' zei mama toen ze de lunch klaarmaakte in het grauwe licht van de zoveelste regenachtige middag.

'Waarom vraag je Glenna niet of Ron het voor je wil doen?' vroeg Jenny.

Mama keek haar even peinzend aan. 'Ik geloof dat ik er nooit echt bij heb gehoord in Duchess Creek,' zei ze. Ze klonk niet spijtig of verdrietig. Ze zei het alsof het een feit was dat ze zojuist had geconstateerd. 'Ik voelde me beter thuis op de ranches waar mijn vader werkte. Daar kon ik urenlang door de heuvels dwalen zonder iemand tegen te komen. Zelfs aan de kust vond ik het fijner, al kende ik daar niemand. Hoewel ik een hekel had aan de regen,' vervolgde ze, meer tegen zichzelf dan tegen Jenny, leek het wel.

Later die middag klaarde het op; de zon scheen op de plassen en blonk op de bladeren en het gras. Mama haalde de houten ladder onder de veranda bij de voordeur vandaan en vroeg me om hem voor haar vast te houden terwijl zij het dak op klom.

'Maggie, Jenny, jullie moeten ook naar boven komen,' riep ze, uitkijkend over de wereld. 'Jenny, hou de ladder vast voor Maggie.'

Ik klauterde naar het natte dak, waar mama schrijlings op de nok zat. Ze stak haar hand uit en hielp me verder tot ik tegenover haar zat, met aan elke kant van het dak een been.

'Moet je zien hoe ver je kunt kijken.' Ze wees met haar hamer naar de glinsterende hoofdweg en de weilanden die het dal in liepen. Ik praatte nog steeds niet en ik wist dat mama haar best deed om me te verlossen van wat het ook was dat bezit van me had genomen.

'Het ziet er allemaal heel anders uit vanaf hier, vind je niet?'

Ik glimlachte. Jenny klom naar boven en kwam bij ons zitten.

We zagen een witte pick-uptruck gas terugnemen en de hoek omslaan naar onze oprit. Ik kon regelrecht in de achterbak kijken: een kooi met kippen, een berg houtjes, een stel emmers. De truck stopte onder ons, het portier ging open en er stapte een blonde vrouw uit, gekleed in een overall met een wit T-shirt eronder.

'Heb je hulp nodig?' riep ze naar boven. 'Ik zag jullie vanaf de weg zitten.'

'Kun je een beetje dakdekken?' riep mama terug.

Haar hoofd verscheen boven de dakgoot. Ze had lange vlechten en een recht afgeknipte pony boven haar ogen. 'Heb je nog een plekje voor me? Het lijkt wel een feestje hierboven.'

De vrouw, die Rita heette, bleek niet alleen goed te kunnen dakdekken, maar was handig in alles. Ze hielp op een prettige manier, zonder de boel over te nemen. Ze leerde Jenny en mij hoe we de dakspanten moesten plaatsen die we in de schuur hadden gevonden en keek daarna toe hoe mama ze vastspijkerde. Toen de klus was geklaard, zette mama koffie en gingen ze samen op het vochtige trapje in de zon zitten om hem op te drinken. Mama liet haar rug tegen de warme muur van het huis rusten zoals ze altijd deed en ik zag dat ze zich ontspande. Rita vertelde over het hert dat in haar tuin kwam forageren, een jong solitair levend dier. Ze liet zich door geen zinken borden of stukken zeep verjagen.

'Uiteindelijk heb ik maar wat spinazie en sla voor haar geplant,' lachte Rita. 'Kennelijk weet ze nu dat dat haar gedeelte van de tuin is. Ze eet niet meer uit mijn moestuin.' Ik wilde vragen of ze haar een naam gegeven had, maar ik deed het niet. Rita's blonde pony lichtte op in de zon, het scherpe aroma van de koffie vermengde zich met de ranzige moddergeur die opsteeg van onder de trap.

'Heeft hij een naam?' vroeg Jenny.

'Een naam?' Rita keek mama aan; haar ogen blonken felgroen als kattenogen en loom stonden ze ook, als bij een slaperige poes.

'Ja, ik heb haar een naam gegeven. Ik heb haar Edel genoemd. Ze heet Edel.'

'Edel?' vroeg mama. 'Als in edelhert?'

'Ja, Edel, E-D-E-L, omdat ze een edelhert is en omdat ze een edel dier is, snap je?'

Ik vond Rita aardig.

Later die avond kwam mama onze slaapkamer binnen. Jenny sliep al en mama vertelde me fluisterend: 'Weet je, Rita woont helemaal alleen aan Nakenitses Road. Daar heeft ze een fijne plek met een huisje, wat schuren en een kleine stal. Ze houdt kippen en ze brengt de post rond. Ik ben er weleens geweest, een hele tijd geleden. Ze houdt haar eigen truck aan de praat. Ze heeft haar schuurtjes en de stal zelf gebouwd. Ze heeft eigenlijk niemand nodig.'

Toen ik niets zei, glimlachte mama en gaf ze me een kus op mijn voorhoofd. 'Ik zal je een geheimpje vertellen.' Ze zweeg even en streek me over mijn voorhoofd. 'Ik hoop dat Rita mijn vriendin wil zijn. Dat is mijn geheim. Ik vind het leuk dat ze zo goed voor zichzelf kan zorgen, jij niet?'

Ik knikte. Mama stopte de deken in en ik liet haar begaan, hoewel het een warme avond was.

'Ik heb een cadeautje voor je,' zei ze. Ze vouwde mijn hand open en legde papa's knipmes erin. 'Ik wil dat jij ook goed voor jezelf kunt zorgen.'

Toen had ik iets moeten zeggen. Ze liep de kamer uit. Ik wilde haar terugroepen. Ze had nooit iets gezegd over de gladde snee in de zoom van mijn laken of over de vlek die mijn bloedende vinger had achtergelaten. Toch moet ze ze allebei gezien hebben en zich hebben afgevraagd hoe dat kwam. Misschien wachtte ze tot ik zou opbiechten dat ik degene was die het mes had weggenomen waardoor Jantje Secuur zo kwetsbaar was geworden.

HOOFDSTUK 5

Ik fietste naar Bull Canyon, waar ik op een uitstekende richel over de rivier de Chilcotin kon uitkijken. Langs de oever bloeiden de wilde rozen; dennennaalden gloeiden op in de zon. De rivier repte zich voort, turkoois en snelstromend van het bergwater. Ik raapte een dennentak op die volmaakt zou zijn als wandelstok, haalde papa's mes uit mijn zak en begon de bast eraf te schrapen. De espen trilden in een lichte bries en de stank van berenklauw kriebelde in mijn neus. De trillende kolibrievleugels gonsden in de lucht. Er was niemand. Maar het leek alsof er wel iemand was, iemand die hoog in de boom naar me zat te kijken of net achter de bocht stiekem zat te luisteren. Het was het gevoel dat ik altijd had in het bos, niet verontrustend, maar plagend.

Ik werd doezelig van het ruisende water en ging met mijn rug tegen een afbrokkelende boomstronk zitten, met mijn benen languit in de zon. Opnieuw had ik het gevoel alsof ik in een cocon zat, dat ik uit mijn lichaam trad om vanaf een afstandje toe te kijken. Het werd mistig en stil om me heen, tot de espenbladeren begonnen te trillen en te dansen als wuivende handjes. Toen er een twijgje knapte, ging ik rechtop zitten. Een klein meisje, niet groter dan een meter, stond naar me te kijken. Ze had een gezichtje van boombast en haren van korstmos, versierd met gele balsamwortelbloemen. Ze droeg een rokje van paarse grasklokjes. Haar handen en voeten waren twijgen.

'Wie ben jij?' Ze had een grappige stem, tussen kinderlijk en volwassen in.

'Maggie,' zei ik.

'Waar woon je?'

'Even verderop langs de weg.'

'Langs de weg?' Ze lachte. 'Van welke stam ben je dan?'

'Ik heb geen stam,' zei ik. 'Ik heb een moeder en een zus.'

'Geen stam? Maar je moet toch een stam hebben! Wie past er anders 's nachts op je? Wie gaat er voor je jagen?'

'Mijn vader is dood.'

'Ach, is hij dood? Maggies vader is dood. Zou je bij onze stam willen horen? Als je door een gat in de kromme boom kruipt, kom je in ons land. Kom maar mee, ik zal het je laten zien. Kun je hard rennen?'

Ze rook naar dennenhars en wilde rozen en haar twijgenvoeten raakten amper de grond als ze rende. Ik volgde haar, zigzaggend tussen het geboomte en springend over de dode takken. Ze verdween en toen hoorde ik haar stem, als gekwetter dat door de bomen trilde. 'Deze kant uit!' Haar hoofd dook op onder de kromme stam van een knoestige pijnboom. 'Wat kan ik hard rennen, hè? Ik zal je omhoog helpen.'

Ik stak mijn hand uit, tot haar twijgenvingers zich om de mijne sloten.

'Sluit je ogen en als je ze weer opendoet, ben je in ons gebied.'

Ik deed wat ze zei.

Glooiende heuvels bezaaid met blauwe bloemen baadden in citroengeel licht en strekten zich uit tot aan de grijsblauwe bergen in de verte. In een schaduwrijke vallei blonk een jadegroene rivier in het licht. Van de houtvuren bij de rivier steeg rook op en kleine gedaanten bewogen er omheen. Over de citroengele heuvels rende een kudde schapen, die zich als een zwerm vogels allemaal tegelijk omdraaiden.

'Zullen we gaan zwemmen? Onze rivier is heerlijk fris en koel. Ik heb tien zusjes om mee te spelen.' Het twijgenmeisje rende voor me uit door het veld blauwe bloemen en maakte zo een vluchtig pad naar de riviervlakte dat golfde in de wind.

'O dood, dood, dood,' zong ze. 'Maggies vader is dood.'

Haar zusjes waren eveneens twijgenmeisjes, met jurkjes van allerlei verschillende wilde bloemen, oranje Indian paintbrush, gele boterbloemen, witte viooltjes, blauwe cichorei, paars vingerhoedskruid en de allermooiste, een jurkje van tere, rode akelei dat tot over de knieën reikte van een piepklein meisje.

'Zwemmen, zwemmen,' riepen ze me toe en ze lieten hun jurkjes in het gras vallen. Ik trok mijn short uit en sprong hen achterna het water in. Het koele water sloot zich om me heen als een tweede huid. De warmte van het pijnbomenbos gleed van me af.

De meisjes maakten een kring in de rivier. Ze gooiden elkaar een wit, hol bot toe en zongen in de kring:

Maggies vader, zijn haar was rood
Ging naar zijn werk, die duizendpoot
Hij kwam niet terug, 't verdriet is groot
Maggies vader is dood, dood, dood

'Meezingen, Maggie!' riepen ze. Het opspattende water rolde van mijn huid, de druppels stroomden over mijn vingers en mijn armen en gleden langs mijn zij, en de twijgenarmen van de meisjes sproeiden glinsterende druppeltjes door de lucht.

Maggie Dillon ging buiten spelen
Bouwde dromend haar luchtkastelen
Klop klop klop, niet langer beven
Maggie blijft nog heel lang leven

We zwommen en ik dook met mijn ogen open onder water, schoof het hoge wier met mijn handen opzij en gleed erdoorheen; de zon sneed door het water en liet de diepgelegen rotsen en de glanzende zandbodem oplichten. Ik schoot omhoog naar de oppervlakte om diepe teugen lucht in te ademen, en de meisjes zongen tot de ondergaande zon zijn oranje gloed over het water wierp.

Ik klauterde het water uit en ging op een steen zitten. Het water vormde belletjes op mijn benen. Toen de heuvels donkerder kleurden en van vorm veranderden, trok er een huivering door me heen. De nacht zou hier vast prachtig zijn, als de heuvels baadden in het maanlicht, maar ik wilde er niet op wachten; het was te eenzaam en ik had het koud gekregen.

'Ik moet naar huis,' zei ik tegen het twijgenmeisje.

'Dat denk ik ook,' antwoordde ze.

Ik trok mijn short aan en nam haar bij de hand. Toen ik mijn ogen opsloeg, stond ik aan de kant van de weg bij mijn fiets. De zon was nog niet aan haar afdaling begonnen en het was nog steeds warm. Mijn wandelstok lag schoongeschraapt op de grond. Ik raapte hem op. Ik voelde naar mijn zakmes. Het was er nog, glad en koel in mijn zak. Onder mijn short was mijn onderbroek koud en nat van het rivierwater en de onderkant van mijn T-shirt was vochtig.

Ik had ontzettende trek. Ik had zin in warme hertenstoofpot, gezouten tomaten en een hele Saskatoon-bessentaart. Ik bond mijn wandelstok met een schoenveter aan het stuur en sprong op mijn fiets. Ik voelde mijn benen branden toen ik naar huis fietste.

In die periode had ik voortdurend trek, een constant knaaggevoel onder in mijn buik. Er waren maar twee dingen die me een verzadigd gevoel gaven: het eigengebakken brood van onze buurvrouw, mevrouw Erickson, dat ze met twee broden tegelijk in theedoeken gewikkeld kwam brengen, en de bergaardappels die Agnes voor ons had meegenomen.

Agnes kwam op een mooie julidag ons pad oplopen. Ze had een juten zak bij zich. Ik zat op het trapje en zag haar aankomen. Ze stopte vlak voor me, opende de juten zak en liet me zien wat erin zat. Ik snoof de frisse aardegeur op.

Agnes glimlachte. 'Volgend jaar mag je met me mee,' beloofde ze.

Volgend jaar leek heel ver weg, maar mijn hart sprong op bij het idee.

'Je opa ging vroeger ook vaak mee,' zei ze. 'Hij was bevriend met mijn opa. Ze dreven samen de wilde paarden bijeen, namen ze mee naar Potato Mountain voor de rennen.'

Ze stond daar en we keken uit over de weg alsof ze elk moment langs konden rijden.

'Vraag of je moeder je mee wil nemen voor een tocht door het woud,' zei ze. 'Dan ga je je weer wat beter voelen.' Ze bleef me even recht in de ogen kijken, tot mama de voordeur uit kwam.

'Agnes,' zei ze.

'Irene. Ik heb het gehoord van je man.' Ze verdwenen naar binnen, sloten de deur en het dof kakelende gemompel begon weer.

Die avond kookte mama een maaltje wilde aardappels, op smaak gebracht met boter, zout en peper. We aten ze met ingemaakte zalm die iemand voor ons had meegenomen en vroege sperzieboontjes uit Glenna's tuin.

'We gaan kamperen,' kondigde mama aan. 'Even dit stille huis uit. Ik word er gek van. We gaan morgenochtend weg. Ik wil jullie een bijzonder plekje laten zien.'

Keer op keer heb ik gedroomd van die maaltijd, de knapperige groene boontjes, de zilte, vettige zalm en de zoete aardappeltjes met de warme gesmolten boter. Zoals mijn oma de wilde bloemen op Potato Mountain nog eens had willen zien, zo zou ik nog eens willen genieten van die simpele maaltijd, samen met mijn moeder en mijn zus aan tafel.

HOOFDSTUK 6

'De vrijheid tegemoet op Freedom Road,' zei Jenny, toen ze me met haar slaapzak voorbijliep naar de auto. Dat zeiden we altijd als we Highway 20 naar het westen namen. De avond daarvoor was mama gaan pakken voor ons kampeertochtje en Jenny probeerde me enthousiast te maken. Freedom Road, zo noemden de plaatselijke bewoners de hoofdweg in de jaren 1950, nadat ze zonder hulp van de regering de weg van de kust naar het binnenland hadden uitgehakt om er met hun eigen auto opuit te kunnen. 'Of hun dood tegemoet,' zei mama. De steil aflopende weg naar het dal werd ook wel Courage Hill genoemd, de Heuvel der Moed. Net als papa vond mama het een bespottelijk idee om je moed in te drinken voordat je aan de afdaling begon. 'Mensen denken dat ze met drank op beter rijden. Idioten. Het kan ze alleen wat minder schelen of ze het ravijn in duiken of niet.'

Het had die nacht geregend en toen we de hoofdweg opreden, draaide mama haar raampje open. Er dreef een frisse regengeur naar binnen; de weg lag dampend in de ochtendzon. 'Schenk eens wat thee voor me in, alsjeblieft,' vroeg ze aan Jenny, die naast haar voorin zat. Ik zat achterin. Zo zaten we altijd. Papa ging zelden met ons mee als we met mama gingen kamperen. Hij had zelfs amper in de stationwagen gereden. Het was mama's auto en die van ons: een bruin met witte Chevrolet impala met roomwitte stoelen en een bruin dashboard. Mama was dol op die auto. Ze hield de stoelen goed schoon en nam altijd een vuilnisbakje mee, dat ze leegde als we ergens gingen tanken, samen met de asbak als ze die had gebruikt. Ze zorgde dat de banden op spanning waren, controleerde het oliepeil en de andere vloeistoffen en noteerde in het onderhoudsboekje dat in het handschoenenkastje lag wanneer de olie was ververst. 'Maar het is en blijft een auto,' zei ze altijd. 'En auto's zijn bedoeld om mee te rijden. Hij hoeft niet vertroeteld te worden.' Dat betekende dat ze niet moeilijk deed over slechte wegen, zolang ze net breed genoeg waren en er geen scherpe stenen lagen die ons een lekke band konden bezorgen.

Toen we zo met ons drietjes op weg waren, leek het alsof er nooit iets was veranderd. Jenny schonk thee uit de thermoskan en ik wijdde me aan mijn taak: uitkijken naar wilde dieren. Rond dit tijdstip hoefde ik niet zo goed op te letten; meestal kwamen de herten pas tegen de schemering tevoorschijn om op de open plekken langs de berm te grazen. Mama's sterke handen lagen op het stuur. Jenny leunde met haar kussen tegen het portier. De auto voelde beschut aan. Ik denk dat we het allemaal voelden. Er kon niets misgaan en het was niet waar dat alle slechte dingen in drieën komen.

'Rol eens een sigaret voor me, lieverd,' zei mama.

Ik rook de kruidige tabaksgeur toen Jenny het zakje openmaakte, met daarna het zwavelkleurige vlammetje van de lucifer die ze mama voorhield. Mama rookte alleen als ze reed of als we gingen kamperen, en uitsluitend zelfgerolde sigaretten. De zoete, milde rook parfumeerde de lucht als wierook, zoals op alle tochten die we in de beschutting van die stationwagen hadden gemaakt, met mama achter het stuur.

Toen we het Redstone-indianenreservaat inreden, zagen we de bergen in de verte liggen.

'Ik wil stoppen,' zei ik. Mijn stem klonk hees en vreemd, zelfs in mijn eigen oren.

Mama keek me aan via de achteruitkijkspiegel. Jenny draaide zich om in haar stoel en stak haar armen uit alsof ze me wilde omhelzen. 'Maggie, je leeft!' zei ze.

'We zijn vlak bij de plek waar ik de vorige herfst met papa ben geweest,' zei ik.

'Oké.' Mama zei het bijna behoedzaam, alsof de betovering van deze alledaagsheid elk moment verbroken kon worden. 'Waar wil je stoppen, Maggie?'

'De weg ligt iets verderop.'

Mama nam gas terug en we namen de bocht naar het pad. In het begin liep het kaarsrecht en vlak door de weilanden om daarna slingerend de bossen in te gaan, precies zoals ik het me herinnerde. Het woud werd dichter, boven ons vlochten de takken zich in elkaar.

'Weet je het zeker, Maggie?'

'Hier was het,' zei ik.

Toen we bij de open plek bij het meer uitkwamen, raakte ik heel even gedesoriënteerd. Het meertje lag nog op dezelfde plek, maar verder zag alles er anders uit: er staken groene rietstengels uit het wateroppervlak; er groeide gras waar eerder geen gras was geweest, de bomen stonden in blad en de paadjes gingen verscholen achter het bladerdek. Maar toen zag ik in de schaduw van een groepje essen onze schuilhut liggen, met de ingang naar het meer gericht.

'Daar is hij!' riep ik, en ik sprong de auto uit. Mama en Jenny rekten zich uit en kwamen geeuwend achter me aan. Voor de schuilhut had iemand met een kring stenen een vuurplaats aangelegd. Er lagen verkoolde houtblokken in de kuil, grotendeels opgebrand.

'Hebben papa en jij dit gevonden?' vroeg mama.

'We hebben het gebouwd,' zei ik.

'Hebben jullie het gebouwd? Waar is het voor?'

'Je kunt erin zitten,' zei ik, en ik ging ze voor. 'Het is een schuilhut. We hebben er een heleboel gebouwd, allemaal verschillende. We kunnen er alle drie in als we een beetje opschuiven.' Ik schoof er achteruit tot aan mijn schouders in en Jenny deed hetzelfde. Mama wrong zich wiebelend met haar heupen tussen ons in. Ze was zo lenig als een jong meisje; je zag haar dijspieren dwars door haar spijkerbroek heen als ze liep. Haar onderarmen onder haar opgerolde mouwen waren bruin en gespierd in de zon, bezaaid met sproeten. Ze was ook nergens bang voor, dat kon je zo zien.

De zon scheen op onze drie hoofden die uit de schuilhut staken. Mama liet haar voorhoofd op haar armen rusten en sloot haar ogen. Het meer lag rimpelloos voor ons, de enige beweging was afkomstig van de wolken insecten die eenparig boven het riet zoemden. In de warme zon viel mama algauw in slaap. Het was precies zoals papa had gezegd, met het zonlicht op haar huid gaf ze licht. Jenny trok een takje door de zanderige bodem en schreef in sierlijke letters haar naam. Ik lette goed op dat er geen horzels op mama's armen gingen zitten en als ze dat toch deden, tikte ik ze weg. De hut leek nog steviger dan op de dag dat papa en ik hem hadden gebouwd en ik vroeg me af of iemand hem verstevigd had, hem extra waterdicht had gemaakt. De aarde onder me voelde droog aan, zelfs na een hele nacht regen. Misschien had er wel iemand in geslapen.

'Papa heeft mij nooit meegenomen om zoiets te bouwen,' fluisterde Jenny. Het klonk vrij nuchter, zonder een spoortje bitterheid.

'Hij dacht vast dat je er niets aan zou vinden. Ik was de wildebras, weet je nog?'

Aan de rand van het meer zagen we plotseling een reiger staan.

'Ja,' zei ze. 'Dat zal het wel geweest zijn.'

Na haar dutje reed mama terug naar de grote weg en vervolgens naar het westen. 'Stenen!' waarschuwde ik en ze week net op tijd uit voor een lawine van stenen die langs de rotswand naast de weg naar beneden kwam. Eentje ketste tegen de bumper.

'Het lijkt wel of Maggie helderziend is,' zei Jenny. 'Ze weet al van tevoren wat er gaat gebeuren.'

Dat was niets nieuws. Dat zei Jenny wel vaker over me. Ze kreeg er de kriebels van, zei ze.

'Ze let gewoon goed op,' zei mama in een poging om Jenny's 'Maggie is vreemd'-stokpaardje in de kiem te smoren. Jenny kon er eindeloos op doorgaan en klonk dan zo overtuigend dat ik het zelf begon te geloven en het niet eens meer erg vond dat ze het zei. Maar het is waar dat ik goed oplette en me niet kon ontspannen zoals Jenny dat deed, met haar blote voeten op het dashboard of soms zelfs uit het raam, lekker in de wind.

We begonnen algauw aan de gevaarlijk steile afdaling van de berg, met de befaamde hellingsgraad van achttien procent. Mama remde pompend om oververhitting te voorkomen, maar we konden het rubber ruiken. Aan de noordkant van de weg rees de rotswand steil omhoog, maar aan de zuidzijde ging een brokkelige rand over in een afgrond die kilometers diep loodrecht naar beneden liep, langs struikdennen en rotsblokken tot aan de bodem van het ravijn. Als ik de moed had om te kijken, zag ik alleen lege ruimte en boomtoppen. Zouden er verroeste autowrakken beneden liggen, waarvan de remmen het hadden begeven of waarvan de bestuurders net iets te hard gereden hadden en een fractie van een seconde in paniek waren geraakt? Ik zag ze voor me, zeilend door de helderblauwe lucht in een moment van pure verbazing voor de val, om hotsend en botsend omlaag te storten naar de bodem van het ravijn.

Het schemerde al toen we het sparrenbos bereikten, de plek die mama ons wilde laten zien. Meestal waren Jenny en ik door het dolle heen als we een nieuwe kampeerplaats inrichtten en lieten we de spullen algauw voor wat ze waren om op onderzoek uit te gaan. Deze avond was het anders. De sparren om ons heen torenden hoog en roerloos boven ons uit. Er lag een dik, glad tapijt van mos en naalden onder de bomen. Het was doodstil en verlaten en toen we de autoportieren dichtsloegen, klonk er een vreemde echo. Hoewel het avond was, voelde de lucht nog warm aan, bezwangerd met de sterke dennengeur van het woud.

'Dit lijkt me een goede plek om de tent op te zetten,' zei mama, en ze stapte een vierkant uit over een vlakke ruimte tussen een aantal hoge sparren. Jenny en ik stonden bij de auto naar haar te kijken. Ze keek op. 'Vinden jullie het goed?'

Jenny vroeg: 'Kwam je hier altijd met papa?'

'Nee, dit plekje heb ik in mijn eentje gevonden, een hele tijd geleden. Nog voordat ik hem kende. Dit is een oud woud. Dat kun je voelen. Kom maar hier met de tent, meiden.'

Jenny en ik tilden de zware canvas tent uit de stationwagen, en mama legde alvast de stokken uit en zette ze in elkaar. Ik hield van de vertrouwde oliegeur die van het canvas sloeg toen we de tent uitrolden. Mama bewoog zich zelfverzekerd; ze wist precies wat ze deed.

Nog voordat we de tent helemaal hadden uitgerold, wisten we al waar de ingang zat, vanwege het verstelde stuk canvas op de plek waar een brandgat had gezeten. 'Ha, de lap,' zei Jenny. 'Hier zit de ingang. Aan welke kant wil je hem hebben?'

'Daar komt de zon op, dus aan die kant moet de deur,' zei mama.

Ze moest de zaklamp gebruiken om het af te maken. Het bleke licht hing nog boven de boomtoppen, zonder de bosgrond te bereiken waar we met onze borden en de braadpan in de weer waren.

'Ik kan wel een kampvuur aanleggen,' zei mama, 'maar het is zo warm. Zullen we de worstjes maar opwarmen op de Coleman-brander?'

Toen we geen antwoord gaven, haalde ze de gasbrander uit de auto en begon ze te pompen. Ik zette de stoelen in een halve kring en Jenny stak twee kaarsen in aardewerken potten aan en zette ze in de spleet van een vermolmde boomstam. We staarden als betoverd naar de vrijwel roerloze vlammetjes, luisterend naar mama die boven het zacht sissende geluid van de brander in de pan met bonen en worstjes roerde. Ze overhandigde ons de dampende borden en sloot het klepje van de brander, waarop de blauwe vlammetjes langzaam doofden.

Onze menselijke geluiden veroorzaakten amper een rimpeling voordat de stilte weer intrad, alsof we door een dikke vloeistof waadden.

'Stil hier, zeg,' zei Jenny. Ze legde haar hoofd in haar nek om omhoog te kijken.

'Geen koffie voor mij vanavond,' zei mama. 'Ik ben kapot. Als we die kant uit lopen, komen we bij een kreek, meiden. Na het eten gaan we ernaar op zoek.'

De bonen met worstjes smaakten heerlijk rokerig. Ik volgde met mijn ogen een tor die tegen een van de aardewerken kommen opkroop tijdens het eten.

'Moet je zien,' zei Jenny, en ze greep me bij mijn arm. 'Het is stikdonker geworden.'

Toen we klaar waren, pakte mama het afwasteiltje en liep ze met de zaklamp voor ons uit de duisternis in. Op slechts een paar meter van het kamp werd de bodem zanderig en liep het schuin af. We hoorden de kreek voordat we hem zagen, het zachte geruis van traag stromend water over kiezels. Mama spetterde water in haar gezicht en hals en streek met haar natte handen over haar haar. Jenny en ik deden haar na. Toen plonsde mama het teiltje in het water en liet ze het vollopen. We stonden op de zanderige oever in het donker naar het water te kijken dat langs onze voeten stroomde.

'Wat zijn dat voor lichtjes in het water?' vroeg Jenny.

'Waar?' vroegen mama en ik in koor.

'Daar. Goed kijken. Zie je?'

'Sterrenlicht!' zei mama. We hieven ons hoofd naar de open lucht boven het water, waar een brede baan sterren in de nachtelijke hemel twinkelde.

Ik weet nog goed hoe ik die nacht in slaap ben gevallen, lekker weggekropen in mijn slaapzak alsof ik geen botten had, alsof onze tent in een kalme, warme zee dreef, in het veilige holletje van de zondoorstoofde canvasgeur. Ergens in die nacht werd ik wakker van het lage gekras van een uil. Uilen waren boodschappers van de dood, maar zelfs dat hinderde me niet. Zijn roep klonk helder en geruststellend. Ik bleef roerloos liggen, met zware ledematen van de slaap, en liet me in slaap sussen door de vredige sfeer van deze plek en de zachte ademhaling van mijn zus aan de ene en die van mijn moeder aan de andere kant.

Bijen dartelden tussen de wilde bramenstruiken toen Jenny en ik na het ontbijt onze emmers vulden op de zonnige open plek bij de kreek. De bramen waren groot en sappig; we deden een wedstrijdje om te zien wie het eerst een emmer vol had. Toen we er genoeg hadden, gingen we bij de kreek zitten, om ze een voor een in onze mond te stoppen.

'Heb je weleens van Chiwid gehoord?' vroeg Jenny.

'De oude dame die buiten leeft?'

'Ja, die. Als mensen gaan kamperen, schijnen ze haar weleens tegen te komen. Ze zeggen dat ze niet eens in een tent of zo slaapt. Zelfs 's winters niet. Ze stookt een vuurtje in een kuil in de grond, dan schraapt ze alle as eruit en gaat ze erin liggen. Dat houdt haar warm tot in de ochtend. Goed idee, hè?'

'Ik heb haar gezien,' zei ik.

'Echt niet,' zei Jenny.

'Wel waar, ik heb haar een keertje gezien, samen met papa. Ze liep langs de weg met allemaal bundels op haar rug. Papa zei dat hij haar graag een lift zou aanbieden, maar ze hield niet van vreemden en vooral niet als ze blank waren. Hij zei dat ze het op een lopen zou zetten als we stopten.'

'Gaaf,' zei Jenny. 'Ik heb gehoord dat ze bulkt van het geld en het overal verborgen heeft, in moerassen en zo. Ik durf te wedden dat ze hier ook wat heeft verborgen.'

'Dat betwijfel ik. Waar zou ze dat geld vandaan moeten halen?'

'Josies opa kent haar en hij zegt dat ze geld heeft. Ze heeft amper iets nodig omdat ze buiten leeft, daarom verstopt ze het. Josie zei dat ze dat geld misschien wel van haar man krijgt, omdat hij zich schuldig voelt over wat hij haar heeft aangedaan.' Ze keek me aarzelend aan, alsof ze niet zeker wist of ze me wel wilde vertellen wat hij had misdaan. Ze stopte een handvol bramen in haar mond.

'Ze heeft geen man,' zei ik. 'Papa zei dat ze helemaal alleen is, al is ze dan een oude vrouw. Sommige mensen zeggen dat ze een halve coyote is, vertelde papa.'

'Kan best. Maar ze heeft wel een man gehad. Ze was een normale vrouw die in een normaal huis woonde en alles.'

Ik kon me niet langer inhouden. 'Wat is er dan gebeurd?'

Jenny keek me aandachtig aan en sloeg haar armen om zich heen. 'Het is echt waar. Je kunt het iedereen vragen, behalve mama, want ze vermoordt me als ze hoort dat ik het je heb verteld.'

'Oké,' zei ik, maar nu wist ik niet meer zo zeker of ik het wel wilde weten.

'Haar man was een gemene vent. Josie zei dat ze haar opa over hem heeft horen praten. Hij heeft een keer gezien dat Chiwids man het paardentuig greep en zijn paard met het metalen bit op zijn hoofd en alles sloeg, tot het paard hem in zijn buik trapte. Daar had die vent lol in. Het maakte hem niet uit of iemand het zag. Soms zei hij dat hij Chiwid zou afschieten. Dan zette hij de loop van zijn geweer tegen haar buik en moesten de kinderen snel hulp gaan halen.'

'Heeft ze kinderen?'

'Ja, heel lang geleden wel. Ik zei toch dat ze vroeger een normaal leven leidde? In elk geval, die man was zo'n kwaaie dat hij op een keer een ketting pakte, zo'n dikke zware die ze gebruiken om stammen het bos uit te slepen, en haar heeft afgeranseld. Mooi was ze ook, zeggen ze. Nu is ze oud, natuurlijk, maar vroeger was ze mooi. Sommige mensen zeggen dat hij jaloers was. Dat hij het niet kon uitstaan dat andere mannen op een bepaalde manier naar haar keken en dat hij het daarom deed. Hij sloeg die ketting om haar hals en het scheelde weinig of hij had haar gewurgd. Daarom is ze gevlucht en sindsdien heeft ze nooit meer onder de mensen geleefd. Ze is ook net een coyote, omdat ze zo schuw is geworden. Ze is bang voor mensen en blijft bij ze uit de buurt.'

'Hoe is het met haar kinderen afgelopen?' vroeg ik.

'Dat weet ik niet,' zei Jenny.

'Papa zei dat Chiwid gelukkig was. Ze houdt ervan om buiten te slapen, zei hij. Sommige mensen zeggen dat ze een beetje getikt is, maar ze is kerngezond. Ze leeft al zo lang zo. Ze zal wel weten wat ze doet.'

Mama was naar de kreek gekomen. Ze glipte uit haar short en T-shirt en waadde het water in. Ik zette mijn emmer bramen neer. Aan de overkant zong de Amerikaanse matkop zijn lied. Jenny trok haar gympen uit en wierp ze een voor een in de richting van een wilgenbosje. 'Kom, we gaan het water in,' zei ze en ze hees me aan mijn arm omhoog.

Mama zat op een steen, met bungelende voeten in het water. Toen de zon warmer werd, gingen Jenny en ik languit in de stroom liggen en lieten we het koele, bruisende water over ons heen spoelen. Ik dacht aan Chiwid, die helemaal alleen in het bos in haar warme plekje in de grond sliep. Ik wist niet of ik medelijden met haar had of jaloers op haar was.

De duisternis viel even plotseling in als de avond tevoren en tegelijkertijd luwde de lichte bries die tussen de sparren door had gespeeld. Mama legde een kampvuur aan, haar geritsel en het geluid van knappende twijgen echoden op in die vreemde stilte. Jenny en ik zaten moe en voldaan met opgetrokken benen in de stoeltjes, samen onder een deken, en keken toe hoe de schors zich krulde tot gloeiende oranje sintels, die vlam vatten en wervelend opsprongen.

'Wat een volmaakte dag,' zei mama toen ze zich ook in haar stoel nestelde.

'Ben jij nooit bang?' vroeg Jenny.

'Bang? Waarvoor?'

'Van alles. Beren, wolven, poema's.'

'Ik ben eerder bang voor mensen,' zei mama.

'Wat voor mensen?' vroeg Jenny.

'Niemand in het bijzonder,' zei ze. 'Alleen denk ik dat we van mensen meer te vrezen hebben dan van dieren. Mensen zijn onvoorspelbaar.'

Nadat we haar waren kwijtgeraakt, probeerde ik een lijstje op te stellen van alle belangrijke dingen die mama tegen ons had gezegd: laat op de avond geen belangrijke beslissingen nemen. Blijf van de zijkanten van de tent af als het regent. Niet tegen het fornuis aan leunen, want je weet nooit of het heet is. Geen water uit een kreek drinken als je niet weet wat zich stroomopwaarts bevindt. Mensen zijn onvoorspelbaar.

Ik werd wakker van een geluid buiten de tent. Eerst dacht ik dat het de opstekende wind was. Toen herkende ik het lage ronken van een motor en het zachte geknerp van banden die langzaam de richting van ons kamp uit kwamen. Mama zat nog buiten bij het vuur. Ik hoorde dat ze haar stoel achteruitschoof en ik zag haar schaduw op de tent toen ze opstond. Ik hield mijn adem in. Als ik niet zou laten merken dat ik wakker was, hoefde ik niets te weten van wat er ging gebeuren, of misschien zou het dan wel helemaal niet gebeuren.

De wagen stopte, het portier ging open en werd met een zachte klik weer gesloten.

'Je hebt me de stuipen op het lijf gejaagd, om hier met gedoofde koplampen aan te komen zetten,' zei mama zachtjes.

Een zware mannenstem gaf antwoord: 'Je wist toch dat ik het zou zijn? Wie anders kan dit pad vinden in het pikkedonker?'

'Wat? Ben je me gevolgd?'

De woorden joegen me angst aan, maar er lag een plagende klank in haar stem. Ze was niet bang voor deze man.

Ik hoorde de stoelen weer schrapen en toen gingen hun mompelende stemmen op in het gemurmel van de kreek. Ik wilde opstaan om naar hen te kijken. Ik overwoog om de tentflap omhoog te doen. Ik weet niet waarom ik het niet heb gedaan. Misschien wilde ik het niet weten. Later die nacht werd ik opnieuw wakker, van het geluid van de wind die kreunend door de toppen van de sparren joeg. Ik kroop dieper onder de dekens. Mama's zachte lach klonk op in de wind. Ze zat nog steeds buiten bij het vuur. De zware mannenstem mompelde zacht. Het vuur knapperde. Ik had het koud. Toen ik rechtop ging zitten, lag mama naast me, lekker warm opgerold tussen Jenny en mij in.

Ik was als eerste op en ging naar buiten, de frisse ochtendlucht in. De helderblauwe lucht beloofde een mooie dag. Het zonlicht filterde door de vederachtige sparrentakken. Geen wind, alleen het zachte wiegen van de wilderozenbosjes bij de kreek. Een eekhoorn scharrelde over de grond en schoot langs een boomstam omhoog. Achter de tent speurde ik de bosgrond af, op zoek naar bandensporen. Ik kon ze niet vinden. Onze auto stond nog op de weg, de voorruit knipoogde in de zon en ik had het gevoel dat de nachtelijke bezoeker een droom was geweest.

Na het ontbijt dronk mama haar koffie met kleine slokjes uit de blauwe emaillen beker. Ze dronk met gesloten ogen en hield haar hoofd een tikje scheef naar het zonlicht dat door de sparren stroomde.

Jenny legde twee gehavende lepels tussen ons in op de grond. 'Raad eens waar deze voor zijn?'

'Muesli.'

'We hebben al ontbeten. Nog een keer raden.'

'Gaan we iets maken?'

'Nee, we gaan iets zoeken,' corrigeerde Jenny. 'De schat van Chiwid.'

'Met lepels?'

'We hebben nu eenmaal geen scheppen. En trouwens, zo diep hoeft ze het niet te begraven.'

Mama glimlachte en keek ons schuins aan. 'Chiwids schat?'

'Ze heeft vast wel iets,' zei Jenny. 'Denk je niet, mama?'

'Het zou kunnen. Ik weet alleen niet of ze het zou begraven.'

'Dan kan niemand het stelen. Dat is logisch. Ze kan het niet altijd met zich mee slepen. Dat zou te gevaarlijk zijn.'

'En te zwaar,' zei ik. 'Wat gaan we ermee doen als we iets vinden?'

Jenny's gezicht betrok, maar klaarde al snel weer op.

'Ik weet het. We doen er wat geld bíj... een klein beetje maar. En dan schrijven we haar een briefje om te zeggen dat we haar geld hebben gevonden, maar het niet willen stelen. Dan krijgt ze misschien weer vertrouwen in de mensen.'

'Dat is een lief idee, Jen,' zei mama slaperig, en ze liet haar ogen weer dichtvallen.

'Waarom wil je dat ze weer vertrouwen krijgt in de mensen?'

'Laten we nou maar gaan graven,' zei Jenny.

Het werd warmer naarmate de zon hoger aan de hemel kwam te staan en de roze wilgenroosjes langs de oever, de espenstruiken en de warrige takken van prachtframboos op de open plekken bescheen. We groeven in de veerkrachtige sparrennaaldengrond, onder grillig gevormde bomen en bergen afgevallen takken waarvan we dachten dat ze goede oriëntatiepunten voor Chiwid vormden om te onthouden waar ze haar schat had begraven. Mama droeg haar baseballpetje en zat iets verderop op haar hurken bessen te plukken. Ze had een veldje rijpe wilde aardbeien gevonden – laat voor de tijd van het jaar – en stak ze al plukkend vrolijk neuriënd in haar mond.

Ik wachtte het moment af om Jenny te vragen of ze de nachtelijke bezoeker had gehoord. Maar ik wilde niet dat Jenny er op haar eigen doortastende, onbesuisde manier in ging wroeten. Jenny kon zoveel vragen stellen dat ze zichzelf aan het huilen bracht met de antwoorden. Dat deed ik nooit. Als ik me een beeld kon vormen van een antwoord dat ik niet wilde horen, vroeg ik het niet.

Mama had gisteren ook geneuried, hield ik mezelf voor. Ze vond het fijn om met Jenny en mij te kamperen. Maar dat afwezige, tere geluk dat ik in haar zag toen ze in een baan zonlicht tussen de felroze pluimen van het wilgenroosje naar aardbeien zocht, dat was iets anders, wist ik. Dat geschenk hadden Jenny en ik haar niet gegeven.

HOOFDSTUK 7

Een paar dagen later, toen we weer thuis waren, boog mama zich naar voren om een slokje koffie te nemen en deed Rita hetzelfde, twee eendrachtig knikkende hoofden in de schaduw van de sparrenboom. Daarna leunde mama achterover zoals ze altijd deed, genietend van haar koffie, de sparrengeur en de warme dag. Rita draaide glimlachend haar gezicht naar haar toe.

Deze gesprekken verliepen anders dan die tussen mama en Glenna; ze zeiden minder, namen peinzende slokjes, lieten hun bruine, over elkaar geslagen benen opwippen en tuurden naar het wuivende gras en de plekken zonlicht onder de bomen.

Rita sprak graag over haar projecten. Ze had zelf een compostcontainer met drie compartimenten gebouwd die vrijwel alles kon afbreken: brood, botten, papier, pasta en de gewone dingen, zoals aardappelschillen en koffiedik.

'Geen knaagdier te bekennen, niet één. Als je het goed doet, komen er geen geurtjes vrij.'

Mama glimlachte en knikte. Ze namen tegelijkertijd een slokje.

'Zal ik er voor jou ook eentje bouwen?' bood Rita aan.

Mama proestte het uit, midden in een slok koffie, en ze schoot naar voren om hem uit te spuwen in het zand. Ze gierden allebei van het lachen en moesten hun kopjes op de grond zetten.

Ze barstten wel vaker in hulpeloze lachbuien uit, zomaar om niets, en dan lachten ze tot de tranen over hun wangen biggelden. Ik zat op het trapje sigaretten te rollen met een zwart apparaatje dat Rita had meegebracht. Voor elke vijfentwintig sigaretten die ik voor haar rolde, had ze me een kwartje beloofd. Ik hield van de geur van verse tabak die vrijkwam als ik het blikje openmaakte en een randje tabak over het papier in het rubberen houdertje spreidde.

Er reed langzaam een auto de oprit op, een oude, bruine Mercury monterey zonder achterruit. Hij stopte niet ver van waar ze zaten. Agnes stapte uit en liep langzaam naar ons toe met haar afgemeten, elegante tred.

'Agnes,' glimlachte mama, en ze droogde haar ogen.

'Irene.'

'Ken je Rita?'

De vrouwen knikten allebei. Mama ging naar binnen om koffie voor Agnes te halen.

'Jij bent de vrouw die zonder man aan Nakenitses Road woont,' zei Agnes.

'Dat klopt.'

Mama kwam naar buiten met een mok en overhandigde hem aan Agnes.

'Ik wil je iets laten zien,' zei Agnes tegen mama en ze gebaarde met haar kin naar de auto. De drie vrouwen kuierden naar de auto. Ik begreep dat het niet de bedoeling was dat ik meeging. Ze bogen zich over de achterbank en Rita richtte zich hoofdschuddend op, maar ze glimlachte. Ze overlegden even, maar ik kon niet horen wat ze zeiden. Toen tilde Agnes een kartonnen doos uit de achterbak en overhandigde hem aan mama. Ze liepen langzaam terug naar het huis en keken nu alle drie naar mij. Mama zette de doos voor me neer. Er lag een jong katje in, wit met oranje, opgerold op een oude handdoek.

'Dit is de kleinste uit het nest,' zei Agnes. 'De andere vijf jongen laten haar niet bij de moeder. Ze moet gevoerd worden.'

'Wil je een jong katje om voor te zorgen?' vroeg mama.

'Echt?'

'Je moet haar voeren met een oogdruppelaar,' zei Agnes. 'Geitenmelk is goed.' Ze haalde een stopfles uit haar zak en stak hem me toe. De melk was nog warm.

Ik noemde haar Cinnamon, vanwege de oranje vlekjes op haar kop en haar rug, precies de kleur van kaneel. Ze likte de geitenmelk met haar roze tongetje uit de druppelaar en viel toen tegen mijn borst in slaap, haar pootjes klauwend in haar dromen. Cinnamon spinde als een tractor, dat zei Rita. Ik nam haar graag mee naar mijn plekje onder de spar, om te kijken hoe ze met de dennenappels speelde en haar klauwen scherpte aan de boomwortels. Ze liep nooit weg. Ze waagde zich nooit buiten een bepaalde cirkel om me heen en kwam om de paar minuten terug om tegen mijn benen op te klimmen. Ze vond het heerlijk als ik haar tegen mijn borst hield, met haar voorpootjes en kop tegen mijn schouder, zodat ze alles vanaf een veilige hoogte in de gaten kon houden.

'Die poes lijkt wel een hond,' zei Jenny. 'Ze loopt je als een hondje achterna. Zo doen katten normaal nooit.'

Het was waar dat Cinnamon me huppelend volgde als ik het bos in liep; ze stopte weleens om aan de grond te snuffelen of tegen een vogel te blazen, maar daarna kwam ze altijd weer op een holletje achter me aan. Ze waagde zich nooit zonder mij naar buiten. Mama had me gewaarschuwd dat coyotes en arenden aangetrokken konden worden door Cinnamons sneeuwwitte vacht. Toen in september de school weer begon, liet ik haar elke ochtend veilig slapend achter op mijn bed. Toch was ik altijd bang dat mama het keukenraam op een kier zou laten staan en dat ze dan naar buiten zou glippen. Of dat mama als ze bezig was de deur niet goed dicht zou doen en dat ze dan zou weglopen.

'Ik zal goed op haar passen,' beloofde mama elke ochtend als ze me een afscheidskus gaf bij de deur.

Op een dag liepen Jenny en ik na school onze oprit op, toen de vroege herfstkou het laatste zweempje zomer van de middagzon kaapte. De gele espenbladeren blonken als lichtjes tegen de turkooizen lucht, net als die dag waarop papa en ik de hut bij het meer hadden gebouwd. De vertrouwde pijn kroop vanuit mijn middenrif door mijn lijf. Soms voelde het alsof het mijn hele lichaam vertraagde; dan kon ik minder hard lopen dan normaal en voelden mijn voeten loodzwaar aan. Het werd sterker als ik geen manier kon vinden om het tegen te houden.

Jenny kletste over het olieverfschilderij van een hert dat ze in de tekenles had gemaakt en hoe ze haar best had gedaan om de schaduwen van de oren precies goed te krijgen. 'Oren zijn moeilijk,' verklaarde ze, toen ik geen antwoord gaf.

Ons huis doemde op achter de grote sparrenboom. De voordeur zat dicht; er stond een dekselschaal op het trapje, met een berg aardappelschillen op een natte krant ernaast. Mama zat het liefst op het trapje als ze aardappels moest schillen. Ik deed de deur open, liet mijn boeken op de grond vallen en ging naar mijn kamer, waar Cinnamon zodra hij me zag geeuwend zijn pootjes zou uitrekken. Ze was er niet.

'Cinnamon?' Ik bukte me om onder het bed te kijken, waar ze zich weleens oprolde op een puntje van de beddensprei die over de vloer sleepte.

'Mam!' hoorde ik Jenny roepen. Ze verscheen in de deuropening van onze slaapkamer. 'Waar is mama?'

'Is ze niet even gaan liggen?'

'Nee, ze is niet binnen. Misschien in de schuur.' Jenny liep de voordeur weer uit. Ik hoorde haar roepen.

Ik volgde haar naar buiten, Cinnamons naam roepend. Ze kwam me altijd begroeten als ik thuiskwam; ze was er altijd. Jenny stond bij de schuur en gilde uit alle macht: 'Mama!' Op dat moment schoot Cinnamon het bos uit en sprong dartelend langs de rand van de moestuin. Ze rende recht op me af en ik tilde haar op en begroef mijn neus in haar vacht. Ik besefte dat ik huilde, mijn tranen vielen op haar zachte vacht en ze likte mijn hand met haar ruwe tong.

Mama kwam pal achter haar aan; struikelend door het kreupelhout stormde ze het bos uit als iemand die verdwaald was en eindelijk de weg naar huis heeft teruggevonden.

'Mama!' schreeuwde Jenny. 'Waar zat je nou? We wisten niet waar je was; toen we uit school kwamen, konden we je nergens vinden!' Ze rende op mama af en sloeg haar armen om haar heen. Jenny huilde nu ook.

'Meisjes, meisjes, rustig maar,' zei mama. 'Ik was gewoon een boswandeling aan het maken. Ik ben de tijd vergeten. Het spijt me.'

Maar er klopte iets niet, ze deed vreemd. Ze ging naar binnen, plukte de klitten van haar rok en trok Jenny lachend tegen zich aan.

'Het spijt me van de kat, Maggie. Ze kwam me achterna. Ze is de hele tijd bij me gebleven. Hebben jullie geen trek? Ik ben uitgehongerd.'

Haar ogen glansden en ze was druk en opgewonden, met rode vlekken op haar huid, niet alleen in haar gezicht, maar ook in haar hals, op haar borst en onder de V van haar zachte flanellen blouse.

'Wat deed je daar dan?' drong Jenny aan.

'Ik wilde even het huis uit, dus ik ben een eind gaan lopen. Cinnamon moet ongemerkt naar buiten zijn geglipt toen ik de deur opendeed. Maar na een tijdje zag ik dat ze achter me aan liep.' Mama haalde de kommen en de chocoladesiroop uit de kast. 'Tijd voor onze traktatie,' zei ze opgewekt.

'Heb je ijs gekocht?' vroeg Jenny.

Mama haalde een doosje uit de vriezer. Ze lepelde een grote krul vanille-ijs in elke kom en sprenkelde er toen gebroken Grahamcrackers overheen. Ze zette de kommen op tafel en we mochten er zelf chocoladesaus over doen.

Ik keek toe hoe mama haar ijs opat. Ze zat diep in gedachten verzonken en merkte niet dat ik haar gadesloeg. Ze likte traag en peinzend haar lepel af en stond op om de schaal aardappels van het trapje te halen. Ze boog zich voorover om een andere schaal uit de ijskist te pakken en liep ermee naar het fornuis. Toen strekte ze haar armen hoog boven haar hoofd en zei: 'Ik ga voor het eten nog even een dutje doen.'

Ik was boos op haar omdat ze Cinnamon had laten ontsnappen, maar wat me het meeste dwarszat was de afstand die tussen ons was ontstaan. Het leek wel of ze niet echt mijn moeder was, maar een vreemde, mooie vrouw met een blozende huid die een dutje ging doen in mijn moeders slaapkamer.

HOOFDSTUK 8

Terugdenkend aan die eerste herfst zonder papa, denk ik dat ik wist dat er verandering op til was. Ik had beducht moeten zijn op onze tweede akelige gebeurtenis, ik had het kunnen weten toen we in die grauwe dagen uit school kwamen en mama boven op de dekens op bed lag, met Cinnamon onschuldig uitgestrekt aan haar zij. Maar ik had nooit kunnen bevroeden uit welke hoek het ongeluk zou komen.

Het was niet normaal dat Jenny ons avondeten moest klaarmaken. Ze probeerde opgewekt te doen, alsof ze het niet erg vond, alsof het leuk was om te experimenteren met spullen die ze in oude kruidenpotjes onder het aanrecht aantrof, om een spaghettisaus te improviseren met de potten gestoofde tomaten die de buren ons hadden gebracht. Als we aan tafel gingen om te eten, stond ze niet toe dat er een naargeestige stilte viel en beschreef ze in geuren en kleuren wat ze met kleurkrijt op het bord had getekend voor Halloween, Thanksgiving Day, Remembrance Day.

'We hebben allemaal een heel oranje krijtje gebruikt voor de pompoenen, er waren alleen nog stompjes van over, echt stompjes, zeg ik jullie!' Jenny's natuurkundeleraar van dat jaar had een stopwoordje en eindigde vrijwel elke zin met 'zeg ik jullie'. De eerste keer dat Jenny hem nadeed moest mama erom lachen, daarom deed ze het zo vaak.

Jenny had een stel goede vriendinnen en soms bleef ze bij hen logeren. Ik had alleen Mickey, die ik meestal niet eens leuk vond en die zelfs niet kon spellen, ook geen simpele dingen als 'je hebt,' dat ze schreef als 'je hep', of een woordje als 'wanneer', dat kon uitvallen als 'vaneer' of 'waanneer'. Dat irriteerde me zo, dat ik me niet kon voorstellen dat we ooit echte vriendinnen konden worden.

Dat najaar deed ik 's morgens weleens of ik niet lekker was, en dan deed mama net of ze me geloofde. Dat was vooral als ik een nachtmerrie had gehad over Cinnamon, wat regelmatig gebeurde in die periode. In de droom was ze verdwenen als ik thuiskwam uit school. Haar afwezigheid was tastbaar en treurig en ik werd wakker van het geluid van mijn eigen gejammer. 's Morgens kon ik het niet over mijn hart verkrijgen om Cinnamon achter te laten, wetende dat ik me de hele dag bezorgd zou afvragen of mama wel goed op haar zou passen. Ik zat met haar op schoot in papa's stoel bij het vuur en aaide haar over haar vacht. Ik mocht thuisblijven en mama bracht me een gekookt ei met zout en een kopje slappe thee met suiker. Na school wrong Jenny zich naast me in papa's stoel en kietelde me tot ik eruit viel.

Op een koude zaterdag vroeg in november kwam Rita langs om mama te helpen de houtblokken te splijten die Glenna's man Ron had gebracht. Daarna rook het naar koffie en tabak in huis en viel het licht anders, alsof er een sprankje extra warmte in de lucht hing; mama was wakker geworden. Rita zette een achtsporenbandje van Carole King op in haar truck en liet de portieren open; zij hakten en wij stapelden.

Ze zongen allebei mee met *I Feel the Earth Move*. Ze bewogen zich synchroon, twee bijlzwaaiende danseressen die hun bewegingen op elkaar afstemden, totdat een van de bijlen zijn doel raakte en ze uit de maat vielen. Die nacht bleef Rita slapen. Ik hoorde hun zachte stemmen rijzen en dalen in de keuken. Toen ik de slaapkamer uit kwam voor een glas water, viel hun gesprek stil.

'Kun je niet slapen?' vroeg mama en ze wachtte tot ik mijn glas had gevuld en het staande had leeggedronken. Terug in mijn kamer hoorde ik hun stemmen weer opklinken.

'Ik voel me net een tiener,' zei mama.

'Geef ik je het gevoel dat je een tiener bent?' vroeg Rita en ze barstten in lachen uit.

Jenny lag ook te luisteren en ze glimlachte. Mama was in een veel beter humeur als Rita er was en dat vonden we allebei fijn. De volgende ochtend was ze er nog steeds en plaagde ze mama toen ze samen het ontbijt klaarmaakten.

'Die eieren zijn allemaal hetzelfde gebakken,' zei ze.

'Weet ik,' zei mama.

'Waarom vroeg je dan hoe ik ze wilde?'

'Ik was hoopvol. Maar bij mij gaan de dooiers altijd kapot.'

'De volgende keer bak ik de eieren.'

Daarna kwam Rita vaker en ze bracht altijd iets mee: verse eieren, hertenworst, een elandenbout, een fles van haar zelfgemaakte bessenwijn. Mama leefde op en Jenny hoefde niet net te doen of ze vrolijk was. Rita en mama bleven tot laat in de avond wijn drinken. Ik viel in slaap op de cadans van hun zachte stemmen, altijd maar kletsend. Laat in de nacht werd ik wakker als ze het fornuis oppookten, van hun zachte gelach en het geruststellende piepen van de slaapkamerdeur.

Jenny plaagde hen met hun pyjamafeestjes: 'Jullie zijn echt net twee tieners.'

We reden de drieënhalf uur naar Rita's boerderij aan Nakenitses Road om met kerst een paar dagen bij haar te logeren, met Cinnamon rustig slapend op de trillende vloer van de stationwagen. We deden alsof we niet merkten dat papa er niet bij was. We deden alsof we het spel dat hij altijd speelde niet misten, als hij op kerstavond tegen het plafond tikte en Jenny en mij liet geloven dat het rendierhoeven waren. We deden alsof het ons niet uitmaakte dat de keuze van de kerstboom in het bos en het uitgraven en omhakken van de boom voornamelijk werden uitgevoerd door mama en Rita, die zich warm hielden met een flacon pepermuntlikeur en het ritueel giechelend en vloekend uitvoerden, met niets van de nodige plechtigheid en zonder overleg, zonder samen met ons in respectvolle stilte een stapje terug te doen en eerst goed te kijken, zonder kampvuur in de sneeuw.

Op kerstavond werd ik altijd bevangen door een onverklaarbare melancholie. Misschien kwam het omdat ik zag hoe papa en mama hun best deden om ons gezinnetje alles te geven wat we nodig hadden. Maar zelfs toen al had ik het gevoel dat er iets ontbrak, iets wat ik nooit had begrepen. Ik miste het omdat zij het misten, omdat de banden met hun familie waren verbroken of er nooit waren geweest. Dit jaar, nu papa er niet meer was, was het erger. Onwillekeurig nam ik het Rita kwalijk dat ze papa niet was, dat ze zo haar best deed om ons af te leiden. Stilletjes bij mezelf herhaalde ik steeds: papa is dood, papa is dood. Als ik de pijn voelde – ik voelde het werkelijk branden en ik kreeg krampen in mijn buik – was dat bijna een opluchting.

Rita braadde een van haar eigen eenden voor het kerstdiner en toen ze een fles van haar zelfgemaakte wijn had opengemaakt, zette ze voor Jenny en mij ook een glas neer.

'Een speciale gelegenheid,' zei ze. 'Hij is niet zo sterk.'

'Hij is lekker,' zei Jenny, die bij haar eerste slok een lichte huivering probeerde te onderdrukken. Ik vond het ook lekker. Na nog een paar slokjes vroeg Jenny: 'Waarom ben je nooit getrouwd, Rita?'

'Jennifer!' zei mama.

'Ik vroeg het me alleen af.'

'Het geeft niet,' zei Rita. 'Ik heb nooit het idee gehad dat mijn leven er beter op zou worden als ik trouwde. Ik wilde onafhankelijk zijn.'

'Net als Chiwid?'

'Nee, anders dan Chiwid. Misschien omdat ik niet als Chiwid wilde eindigen. Je moet uitkijken dat je niet met iemand trouwt die eropuit is om je ziel te vertrappen.'

'Laten we hopen dat je hoger inzet dan iemand die er niet op uit is om je ziel te vertrappen,' bracht mama in het midden.

'Zo is dat,' knikte Rita en ze klonken.

Op eerste kerstdag trokken we onze sneeuwschoenen aan en waadden we achter Rita's huis door de diepe sneeuw. Ik ging voorop, omdat ik meters ver over de hard geworden sneeuw kon lopen zonder erdoorheen te zakken. In de open velden aan de voet van de berg glinsterde de sneeuw blauw in de zon en vergat ik dat ze achter me liepen. Ik was helemaal alleen met de mollige wintervogeltjes, snoepend van de armzalige takken met bevroren bessen die door het sneeuwdek staken. Ik had het gevoel dat ik buiten mijn lichaam zweefde, alsof het een of andere wonderlijke machine was die mijn knieën optilde, eerst de ene en dan de andere. Alles om me heen verdween, behalve de sneeuw en het web van mijn sneeuwschoenen – vooruit, vooruit, vooruit – en het geruststellende kloppen van mijn hart – niet dood, niet dood, niet dood.

De volgende dag stak er kort voordat we naar huis zouden gaan een sneeuwstorm op, die de weg en Rita's oprit afsloot met hoge stuifsneeuw. Ik was blij dat we niet weg konden, maar Jenny wilde terug naar haar vriendinnen en zelfs mama leek rusteloos te worden. Die nacht, toen de wind de sneeuw tegen de ruiten joeg en het huisje deed schudden in de storm, hoorde ik de stemmen van mama en Rita opklinken in de woonkamer.

Rita zei luid: 'Nou, ik begrijp niet wat je ertegen hebt.'

'Laat maar. Ik kan het niet uitleggen, Rita. Je moet gewoon ophouden... ik weet ook niet waarmee. Ik weet niet eens wat ik wil zeggen. Ik heb gewoon de pest in. Ik wil in mijn eigen bed slapen.'

'Prima. Dat begrijp ik. Ik doe alleen mijn best om een goede vriendin te zijn.'

'Je bent een geweldige vriendin, oké? Je schiet me altijd te hulp; jij bent Rita, mijn grote redster in nood. Is dat wat je wilt horen?'

Het bleef even stil.

'Nee, niet echt,' zei Rita. 'Dat is eigenlijk totaal niet wat ik wil horen.'

Er viel opnieuw een stilte, maar nu gierde de wind langs de dakspanten van het huis, als een menselijke stem die dan weer hard en dan weer zachtjes kreunde. Ik stelde me voor hoe de open velden geteisterd werden door de wervelende sneeuwbuien, hoe de wintervogels bij elkaar kropen in de pijnbomen en ik vroeg me af of Chiwid vannacht buiten sliep of veilig bij iemand thuis, bij een hoog opgestookte kachel. Dat zeiden ze over Chiwid: dat ze het buiten warm had, maar binnen, als ze door mensen die de gedachte niet kon verdragen dat ze met veertig graden onder nul buiten zat was overgehaald om binnen te komen, had ze het altijd koud. Ze zeiden dat ze bij een aantal mensen thuis bijna brand had veroorzaakt, omdat ze de kachel te hoog oppookte in een poging om het warm te krijgen.

'Hoor die wind toch eens aan,' zei Rita. 'Ik zal morgen proberen of ik de oprit sneeuwvrij kan krijgen met de tractor.'

In het voorjaar kondigde mama aan dat ze een zomerbaantje had aangenomen als bakker voor een vliegvisserskamp. We zouden ondergebracht worden in een schitterende blokhut aan het Dultso Lake, ongeveer twintig kilometer ten westen van Highway 20, alleen wij drietjes. De broden en taarten werden dagelijks met een watervliegtuig opgehaald en naar het kamp gebracht. De eigenaars waren ermee akkoord gegaan dat mama pas begon als de schoolvakantie was begonnen. Mama was niet zo'n beste bakker, maar ze zeiden dat ze altijd dezelfde recepten gebruikten, waar iedereen mee uit de voeten kon. Rita kende de eigenaars, die vooral iemand zochten die ze konden vertrouwen om op hun huis te passen in de periode dat zij zelf in het kamp verbleven. Vroeger had hun tienerdochter het altijd gedaan, maar zij was onlangs naar Vancouver verhuisd.

Jenny vindt Dultso Lake de beste plek waar we ooit hebben gewoond. Voor mij is het de laatste plek waar we ooit hebben gewoond. Het kost me moeite om avonden waarop we gedrieën met andermans spel scrabbelden, met Cinnamon knus op andermans deken, onze 'beste' te noemen. Voor het eerst woonden we in een huis met televisie. Naast de riante blokhut rees een reusachtige antenne op, waarmee we programma's uit Amerika konden ontvangen, zoals *The Partridge Family*. De televisie liep net als alle andere elektrische apparatuur in huis op een generator, die de hele dag zoemde. 's Nachts zette mama hem uit en dan stroomde de stilte het huis binnen als de rechthebbende eigenaar.

Naast de televisie hing een plank met een hele stapel yahtzee, monopoly, levensweg, een dam- en een schaakspel. Er stond een hifi-installatie in een donkerhouten kast waarin achter een schuifdeur andermans platen stonden: Elvis, The Beatles, The Bells, Conway Twitty. Jenny speelde *I Got You Babe* van Sonny en Cher grijs die zomer en tot op de dag van vandaag kan ik dat nummer niet horen zonder het gekraak en geruis van die plaat te verwachten. Op rustige middagen, als mama's brood in de oven stond en Jenny buiten op de steiger zat te lezen, liet ik mijn hand over de albums glijden en vroeg ik me van alles af over het gezin dat ze had uitgezocht. Ik kreeg een ontzettende hekel aan *Conway Twitty Sings*. Op de cover van het album stond Conway Twitty in een rood overhemd en met een glad achterover gekamd kapsel. Zijn liedjes hadden titels als *I'll Have Another Cup of Coffee (Then I'll Go)* en *Guess My Eyes Were Bigger Than My Heart*. Ik denk dat dit album voor mij de verpersoonlijking vormde van dat stomme, fortuinlijke gezin met hun veel te grote huis aan het meer, uitgerust met alles wat ze zich maar wensten. Dit was geen gezin waarvan de gewonden of doden open en bloot naar de dokterspost van Duchess Creek werden overgebracht. Het ergste wat hen was overkomen kon worden vertaald in sentimentele liedjes die je kunt meezingen. Dat dacht ik in elk geval die zomer, met een brandende haat waar ik zelf versteld van stond. Soms haalde ik de Twitty-plaat tevoorschijn, alleen om ernaar te kijken en te zwelgen in mijn haat voor dat fortuinlijke gezin.

Op de meeste dagen ging ik in de bossen rond het meer wandelen en soms kwam ik alleen thuis voor het avondeten. Cinnamon ging met me mee en huppelde op die typische manier van haar over omgevallen bomen en boomwortels. Als ik stilstond, stond zij ook stil en keek ze om zich heen naar een sprankje zonlicht om in te zitten, met haar pootjes netjes bij elkaar en haar ogen op mij gericht. De langere haren van haar vacht gloeiden als een halo op in het zonlicht. Soms kropen we samen tegen de warme kant van een rotsblok en vielen we in slaap.

Op een dag stak er tijdens onze wandeling een stevige wind op, die door de bomen ruiste en de hoge toppen met een griezelig gekreun liet zwiepen. Ik was op weg naar de strook zandstrand aan de westzijde van het meer. Als het begon te regenen, kon ik daar een schuilhut bouwen voor Cinnamon en mij. Ik draaide me om om te zien waar ze bleef, maar ze was nergens te bekennen. Een meter of tien verderop klonk plotseling geritsel van takken en bladeren, met daarop een kort, luid gemiauw. Ik holde terug en zag haar witte vacht door het bos schieten, met een of ander klein dier achter haar aan.

'Cinnamon!' riep ik streng. Alsof dat iets zou helpen. Ik volgde het geritsel door het bos tot ik het niet meer hoorde en me stil moest houden om te luisteren. Niets dan de wind, die als een waterval door de sparren en de zwiepende bomen ruiste.

'Cin-na-mon!' riep ik met de zangerige klank die ze zo goed kende. Ik liep roepend door het bos, stopte om te luisteren en liep luid roepend weer verder. Er was niets anders te horen dan de wind.

Wat was ik een idioot geweest om zo ver vooruit te lopen. Hoe kon ik zo stom zijn?

Ik geloof dat ik pas na een uur of twee zoeken begon te huilen. Ik wist me geen raad. Ze kon alle kanten uit gevlucht zijn. Papa zei altijd tegen me dat je niet moest huilen als je verdwaald was. En als je de tranen toch niet kon tegenhouden, dat je dan op een steen moest gaan zitten tot het over was, om vervolgens je ogen te drogen, je neus af te vegen en tien keer diep adem te halen om tot bedaren te komen. Van huilen kon je in paniek raken en dat kon je niet gebruiken. Ik ging op een boomstronk zitten en riep haar nog een paar maal, toen veegde ik mijn neus af aan mijn T-shirt met het besluit dat ik het beste terug kon gaan naar de plek waar ik haar het laatste had gezien. Daar zou ik haar nog een paar keer roepen. Als ze dan nog niet kwam, zou ik naar huis gaan en Jenny en mama halen om me te helpen zoeken. Het bleef in elk geval nog heel lang licht.

Bij de gedachte dat ik haar misschien nooit terug zou vinden, huilde ik net zo lang tot ik boos op mezelf werd. Ik droogde mijn ogen, haalde tien keer diep adem en stond op. Het gekraak van de bomen klonk als klaaglijk gemiauw, evenals het zachte gekwetter van de vogels dat zo nu en dan onder het huilen van de wind doorklonk.

Terug op de plek waar ik haar voor het laatst had gezien, ging ik druk in de weer met het bouwen van een kleine tipi, net groot genoeg voor een kat. Niet dat ik dacht dat ze hem echt zou gebruiken, maar ik moest de plek markeren en het hield me bezig tijdens het wachten. Ik ging op zoek naar takken om als stokken te gebruiken en zette ze op hun plaats, waarbij ik om de paar minuten stopte om haar te roepen. Toen hij af was, riep ik nog één keer haar naam en daarna liep ik naar huis.

Jenny stond op de veranda naar me uit te kijken. 'Maggie, waar zat je?' riep ze uit. 'Mama is ongerust over je. Maggie, wat is er?'

'Cinnamon is weg,' jammerde ik en Jenny holde naar me toe en sloeg haar armen om me heen.

'Niet bang zijn,' zei ze. 'We vinden haar wel.' Ze klopte me op mijn rug. 'We vinden haar wel, Maggie. Ze komt wel naar huis. Die kat houdt zielsveel van je. Ze komt wel naar huis.'

Ze hadden al gegeten, dus toen ik in de aardappelsalade met ham prikte die Jenny voor me had klaargezet, repte mama zich door het huis om de spullen te verzamelen die we nodig hadden bij het zoeken. 'We nemen een zaklamp mee omdat het in het bos sneller donker wordt. Jenny, pak de doos kattenvoer. Daar kunnen we mee schudden als we haar roepen. We hebben jacks nodig, het begint frisjes te worden.' Mama legde haar hand in het holletje van mijn nek. 'Weet je, het zou me niets verbazen als ze al terug is voordat we klaar zijn om te vertrekken.'

Maar dat was niet zo. Toen we opnieuw het bos in gingen, was ik zo ongerust dat ik er misselijk van werd en bijna moest overgeven.

'Die kleine kat weet waar ze woont,' zei mama met een zijdelingse blik op mij.

Zelf was ik daar niet zo zeker van. Als dat zo was, waarom volgde ze me dan altijd zo dicht op de hielen? Misschien was ze zo vroeg bij haar moeder weggehaald dat ze niet alle katteninstincten had meegekregen.

Die avond, toen we met de tipi als uitgangspunt in cirkels rondliepen en onze paden elkaar telkens kruisten, Jenny met de kattenbrokjes rammelde en onze drie stemmen eentonig door het bos schalden, geloofde ik er heilig in dat hun liefde me beschermde en dat dit niet mijn tweede nare gebeurtenis zou worden. Toen het donker werd, ging ik op een houtstronk zitten en staarde het dichte woud in, ervan overtuigd dat ze elk moment dartelend op me af zou komen. Na een tijdje kwam mama naar me toe; ze pakte me bij mijn arm en hielp me overeind. 'Ik wed dat ze vannacht thuiskomt. Misschien is ze er al, dat kan maar zo.' Maar ze was er niet.

Ik geloof niet dat ik heb geslapen. Volgens mij lag ik voor het eerst van mijn leven de hele nacht wakker, met mijn oren gespitst op gekrabbel aan de deur, om dan weg te soezen en weer wakker te schieten, luisterend naar het kreunende huis en de zoemende wind in de tv-antenne. Zodra het licht door het dakraam viel stond ik op, griste een appel en een van de zoete broodjes die mama op het aanrecht had klaargezet mee en ging naar buiten. De ochtend was stil en koud, met een grijs oplichtende hemel. Er lag een dikke laag dauw op de bomen en het gras. Onderweg naar de tipi hoorde ik kleine dieren scharrelen in het kreupelhout. Ik ging op een hout-stronk zitten, tot ik het koud kreeg en mijn handen in mijn zakken stopte. Mijn stem klonk potsierlijk toen ik haar riep. Ik luisterde. Toen meende ik een licht gemiauw te horen. Ik stond op en riep haar opnieuw. Daar hoorde ik het weer, een heel zacht miauwge-luidje. Ik liep misschien honderdvijftig meter het bos in, in de rich-ting van het geluid. Het klonk al wat luider. 'Cin-na-mon!'

Toen hoorde ik het opnieuw, heel dichtbij. Ik keek omhoog. Helemaal boven in een reusachtige pijnboom zat ze te jammeren, met haar ogen op mij gericht. 'Hemeltjelief, Cinnamon, stom beest dat je bent.' Ik lachte uitgelaten, dol van opluchting.

De boom waarin ze zat was een hoge, slanke den zonder lage takken en de eerste uitsteeksels op de stam zaten pas op een kleine meter hoogte. Ik dacht niet dat ik erin kon klimmen. Ik probeerde het een paar keer door mijn armen om de stam te slaan en steun te zoeken in de schors, maar het was zinloos. Een andere spar, hooguit een meter ernaast, had meer dan genoeg stevige zijtakken. Ik trok mezelf eraan op en klom erin, zachtjes roepend: 'Niet bang zijn, Cinnamon. Ik haal je er wel uit. Brave poes.'

Maar toen ik op drie meter hoogte zat, kon ik niet verder. De takken waren te zwak en zelfs als ze me hadden kunnen houden, was de stam te ver van de boom waar Cinnamon in zat. Ik over-woog om terug naar huis te gaan om mama te halen. Ik kon de gedachte om haar alleen te laten echter niet verdragen en bleef in de boom zitten. 'Mama komt me wel zoeken,' zei ik tegen haar. 'Niet bang zijn. Ze weet waar ik ben en zij haalt je wel naar bene-den.'

Na ongeveer een uur kwam in de verte de zon op en kreeg ik het wat warmer. Niet lang daarna hoorde ik de hordeur slaan en met-een daarop, heel in de verte, mama's stem: 'Mag-gie!' Ik wist dat we niet lang meer hoefden te wachten. Ik hoorde de hordeur opnieuw slaan. Dat was mama die terugging of Jenny die naar buiten kwam.

Ik ging rechtop op een dikke tak op de uitkijk staan.

Hooguit tien minuten later verscheen er een streepje kleur tussen de bomen. 'Ik zei het toch, ik zei het toch,' zong ik Cinnamon toe. 'Mama! Jenny! Ik zit hier, helemaal bovenin.'

We vertelden het verhaal van Cinnamons redding steeds opnieuw, aan elkaar en aan wie er maar op bezoek kwam. Mama had haar jasje om de boomstam gebonden en gebruikte het als een slinger om tegen de kale stam omhoog te kruipen, steun zoekend bij de minste knoesten en groeven. Toen ze de eerste takken had bereikt, klom ze vliegensvlug naar de plek waar Cinnamon afwachtend toekeek en met haar rug tegen de boom wreef. Ik had weleens gehoord dat moeders halsbrekende toeren kunnen uithalen als hun kinderen in gevaar zijn; dan kunnen ze een auto optillen om een been te bevrijden of gaan ze een poema te lijf. Het kunststuk dat mijn moeder die ochtend verrichtte toen ze een onbeklimbare boom in klom en naar beneden kwam met een doodsbange kat tegen haar schouder geklemd, bewees dat ze alles voor me overhad.

HOOFDSTUK 9

Tegen het einde van augustus moesten we afscheid nemen van het huis met alles erop en eraan aan Dultso Lake, van de platen en de spelletjes en de vreemde geur van andermans leven. Ik vond het niet erg om er weg te gaan, maar naarmate het moment van vertrek dichterbij kwam, werd Jenny steeds onrustiger.

'Waar gaan we naartoe?' vroeg ze minstens driemaal per dag, soms aan mij, soms aan mama.

'Eerst gaan we kamperen,' zei mama. 'We hebben deze zomer nog geen echte vakantie gehad. We gaan een mooi plekje zoeken waar we het een paar weken kunnen uithouden.'

'Ik wil niet kamperen,' zei Jenny. 'Het wordt al veel te koud. Ik wil naar huis.'

'Tja,' zei mama met een krampachtig lachje. Ze sprak niet uit wat we allemaal wisten, dat we geen huis meer hadden. Ze had de huur van het huis in Duchess Creek opgezegd omdat we de hele zomer weg zouden zijn en al onze spullen lagen opgeslagen in een van Rita's schuren. Er was hoe dan ook geen werk voor haar in Duchess Creek en ze had een baan nodig.

'Kan ik wel weer naar mijn oude school?' wilde Jenny weten.

'We zien wel,' zei mama.

'We zien wel betekent nee,' mopperde Jenny.

Ik denk dat ik Jenny op een bepaalde manier de schuld gaf van wat er daarna gebeurde. Al die heldere frisse dagen in die nazomerse periode van ons zigeunerleven – kamperen, op forellen vissen in de rivier om ze spetterend te bakken in een gietijzeren pan boven het vuur, zelfs leren schieten met papa's 30.30 en een keertje helpen hooien voor geld – werden bedorven door Jenny's constante vragen over school. Mama werd het beu om haar gerust te stellen en het bedierf het plezier van ons avontuur. We reden zwijgend over de stoffige achterafwegen, alle drie verzonken in onze eigen zorgelijke gedachten.

Toen in september de scholen weer waren begonnen, werd Jenny nukkig en bleef ze de hele dag bij Cinnamon in de stationwagen zitten. Ze las steeds dezelfde oude *Archie*-stripboeken, beet op haar nagels tot er niets meer van over was en staarde uit het raampje als mama en ik gingen vissen of het kamp opzetten. Zo rond de tweede week van september reed mama Nakenitses Road op, op weg naar Rita. Rita kwam de veranda op, omhelsde ons alle drie stevig en maakte een hoop drukte over hoe groot Cinnamon wel niet was geworden.

Er was een school in Nakenitses Lake, maar daar wilde Jenny niet naartoe. 'Ik wil naar mijn eigen school,' bedong Jenny. 'Waarom moet ik hier naar school en het stomme nieuwe meisje uithangen als we hier toch niet blijven? Dan kan ik ergens anders wéér opnieuw beginnen.'

Ik wilde helemaal niet naar school en in het begin was mama zo uit het lood geslagen, in de war en geïrriteerd dat ze ons liet begaan. Soms reed ze 's morgens zomaar weg; dan liet ze ons bij Rita achter en kwam ze pas laat in de avond terug. Ik keek naar haar uit tot de koplampen van de stationwagen de oprit op draaiden en over de wand van de kamer gleden. Rita vond het niet prettig als mama weg was, dat merkte ik. Dan werd ze kribbig en ging ze de ouder uithangen, wat ze anders nooit deed. 'Wordt het niet eens tijd dat je de kattenbak verschoont?' of 'Doe het licht aan, zo bederf je je ogen.' Op een avond toen mama al de hele dag weg was en ik de afwas deed, brak ik een glas omdat ik probeerde om de melkrand van de bodem te schrapen. Ik sneed me, een klein beetje maar,

maar het bloed sijpelde in het warme water. Het leek heel wat en Rita, die afdroogde, viel tegen me uit: 'Christus nog aan toe, wat nu weer?'

'Het valt wel mee,' zei ik. 'Gewoon een sneetje.' Ik wierp de twee stukken van het glas in de vuilnisbak en voelde mijn gezicht rood worden van schaamte. Ik wist niet wat ik moest doen en bleef bij de gootsteen staan.

'Ik maak het wel af,' zei Jenny, die naast me kwam staan. De tranen sprongen me in de ogen van dankbaarheid. Ik droogde mijn handen en liep naar de badkamer om een stukje wc-papier te pakken. Daarna ging ik op de bank zitten, vechtend tegen de tranen, en staarde uit het raam. In de ongemakkelijke stilte klonken de rammelende borden luid op.

'Het is maar een glas, jongens,' zei Rita. 'Dat overleven we wel, toch? Overleven we dat?' Ze keek over haar schouder naar mij en ik glimlachte moeizaam en knikte.

Die avond lagen we al in bed toen mama thuiskwam. Ik weet niet hoe laat het was, maar ik had alle tijd gehad om me de afschuwelijkste ongelukken voor te stellen. Ze kwam de slaapkamer in en gaf Jenny en mij een kus op ons voorhoofd. 'Slaap lekker, lieverds van me,' zei ze en de opluchting stroomde door me heen.

Ik moet in slaap gesukkeld zijn en schrok wakker van de stemmen van Rita en mama.

'Ik vind dat ze naar school moeten,' zei Rita. 'Jennifer zeker. Ze is dertien. Op die leeftijd wil je er gewoon bij horen. Op je dertiende ben je een conformist.'

'Toen ik zo oud was als zij was mijn moeder al gestorven en drie jaar later was ik zwanger van haar.'

'Wat heeft dat ermee te maken?'

Stilte.

'Heb je gedronken?' vroeg Rita.

'Heb je gedronken? Ben jij mijn moeder of zo?'

'Zo te zien kun je wel een moeder gebruiken.'

'Ha. Ik red me uitstekend, al jaren. Als er iemand weet hoe het is om dertien te zijn, ben ik het wel.'

'Ik zeg je alleen maar hoe ik erover denk, als je vriendin.'

'Rita, ik ben moe.'

'Ja, hoe zou dat nu komen? Kom dan wat eerder thuis. Ik maak me ook ongerust, hoor.'

'Ik waardeer het echt wat je voor ons doet, heus waar.'

'Ik vrees dat je het niet helemaal begrijpt, Irene.'

De maandag daarop gingen Jenny en ik voor het eerst naar school in Nakenitses Lake. Ik zat in groep acht en deelde het lokaal met de kinderen uit groep zeven en zes, en Jenny zat samen met de leerlingen uit de eerste en de derde klas in de tweede. Omdat het een warme najaarsdag was, nam de leraar ons mee naar buiten om bladeren te zoeken voor een werkstuk. Na school zwierf ik een heel eind langs de kreek en het meer, op zoek naar nog meer bladeren. Bij Rita thuis pakte ik de strijkbout om de gele espenbladeren, de rode esdoornbladeren en de hartvormige bladeren van de Amerikaanse populier en de papierberk tussen twee vellen vetvrij papier te persen. Ik zette hun namen en habitat erbij. De vrijdag daarop kreeg ik het werkstuk terug met een negen.

Mama was er niet toen ik thuiskwam. Ik wachtte op de veranda met het werkstuk op mijn schoot, tot Rita me binnenriep en zwijgend borden spaghetti uit blik op tafel zette. Jenny zat tijdens het eten te lezen en Rita zei er niets van.

Ik liet het werkstuk de hele nacht naast mijn bed liggen, werd wakker om het aan te raken en controleerde met gespitste oren de kleur van het licht dat door het raam viel.

Toen mama op zaterdagmiddag kwam aanrijden, zat ik op de veranda te wachten. Maar toen ze me nonchalant een kusje gaf, was ik zo opgelucht dat ik vergat om haar mijn werkstuk te laten zien.

'Heb je me gemist?' vroeg ze toen ze naar binnen liep, alsof het de gewoonste zaak van de wereld was dat ze de hele nacht was weggebleven.

Even later kwam Jenny naar buiten en luisterden we samen naar de ruzie die binnen was losgebarsten.

'Ben ik je kinderoppas soms?' krijste Rita.

'Je bent mijn vriendin.' Mama's stem, kalmer, maar koppig.

'En wat betekent dat voor jou?

'Wat betekent dat voor jóú?' Nu verhief ook zij haar stem. 'Jij hebt een of andere starre formule over debet en credit en telkens wanneer je iets voor me doet, heb ik het gevoel dat je zit te wachten totdat mijn aandeel in het kasboek is bijgeschreven. Ik sta net altijd een beetje bij je in het krijt.'

'Een beetje?'

'Zie je wel? Dit is zinloos.' Mama kwam naar buiten en liet de hordeur met een klap achter zich dichtvallen. We zaten gedrieën somber bij elkaar. Achter de bomen wierp de middagzon schaduwen op de bergen. We konden nergens naartoe, de veranda en de auto, dat was het, meer veilige havens hadden we niet. Ik pakte Cinnamon op en ging in de auto zitten. De geur en de warmte hulden me in een cocon van vertrouwdheid. Ik zou er best in willen slapen als het mocht van mama. Dan hoefde ik niet bang te zijn dat ze me zou ontglippen.

In het holst van de nacht vloog het portier open en waaide er een stroom koude lucht de auto in. Mama wierp dekens en kussens naar binnen en Jenny kroop erbovenop, slaapdronken en met haar ogen nog halfdicht. Zij en ik zaten lodderig in de auto en zagen mama geagiteerd heen en weer lopen tussen het huis en de auto; ze gooide onze spullen met armenvol tegelijk achter in de stationwagen. Ze smeet het achterportier dicht en ging nog steeds zonder een woord te zeggen achter het stuur zitten. Toen startte ze de auto, liet de motor even draaien en reed Nakenitses Road op, die zich als een lint voor ons uitstrekte in het maanlicht. Ik weet niet hoe lang het duurde – misschien twintig minuten, een halfuur – voordat Jenny iets zei: 'Waarom huilde Rita?'

'Doet er niet toe, lieverd,' zei ze, op een toon die aangaf dat ze haar mond moest houden.

Dat Rita huilde was zo bizar en onwaarschijnlijk dat ik me niet eens kon voorstellen hoe dat eruitzag. Heel lang daarna heb ik Jenny ernaar gevraagd. Ze vertelde me dat Rita op een keukenstoel had gezeten en met haar gezicht in haar handen had gehuild alsof haar hart zou breken.

We reden de hele nacht door. Ik werd één keertje wakker omdat de auto stilstond; mama stond buiten tegen de auto geleund een sigaret roken. Het noorderlicht liet smalle banen groen licht over ons heen glijden, om dan omhoog te schieten, terug de nachtelijke hemel in. Cinnamon rekte zich geeuwend uit in haar holletje in de dekens en sliep verder. Mama stapte weer in de auto en legde haar handen op het stuur. Dat maakte me heel even zielsgelukkig. Alles wat ik liefhad zat veilig in deze auto.

HOOFDSTUK 10

Het huis van de Edwards in Williams Lake rook naar verschaald hamburgervet en een zweempje mottenballen. Dit was niet de geur van een gelukkig huis. Ik snoof de bedompte lucht op van een tragedie; groot of klein, dat wist ik niet. Ik vroeg me af wat het was. Waarschijnlijk had het iets te maken met de echtgenoot, Ted, die in de keuken in zijn rolstoel zat en met een kromgetrokken lepel zijn theezakje in een vlekkerige witte beker dompelde. Hij schonk ons een scheve glimlach toen we binnenkwamen.

Ik had op slag een hekel aan mevrouw Edwards, met haar stroblonde haar en haar loopoog. Ze was anders dan mijn moeder of Rita, vrouwen die van aanpakken wisten en deden wat er gedaan moest worden met een doortastendheid die voldoening schonk. Mevrouw Edwards wekte een hulpeloze indruk, alsof ze in de val zat. Ze was een vrouw die haar handen wrong en huilde en jammerde, dat zag ik meteen. Ik maakte het op uit het sjofele huis, dat verlicht werd door lampen vol dode insecten in de doffe glazen bollen; uit de televisie die aanstond in de hoek, de stoffige gordijnen die dichtgetrokken waren tegen het heldere licht van de najaarsochtend.

Mijn moeder moet wel heel wanhopig op zoek zijn geweest naar een oplossing voor wat het probleem ook was waar ze mee kampte, want ze sloot haar ogen voor datgene wat zelfs voor een elfjarig kind duidelijk was: mevrouw Edwards was geen gelukkige vrouw en twee ongelukkige meisjes zouden niets aan haar hebben.

Ze bracht ons naar een slaapkamer waar twee eenpersoonsbedden stonden met blauwe beddenspreien waar een synthetische glans overheen lag. Ik verwachtte dat er stof zou opdwarrelen als ik erop ging zitten. Later, toen ik alle tijd had gehad om stil te staan bij elk voorwerp in huis, elk plastic zogenaamd gehaakte kleedje en elke met nepbloemen versierde toiletrolhouder met een geurtje, dacht ik dat zelfs de beddenspreien de mistroostigheid en hulpeloosheid van mevrouw Edwards uitschreeuwden. Alleen iemand die er geen notie van had hoe je het jezelf zo comfortabel en prettig mogelijk kon maken zou zo'n glibberige, statische, ongemakkelijke stof uitkiezen om over een logeerbed te leggen.

'Jullie gaan een poosje bij de Edwards bivakkeren,' zei mama. Jenny en ik kropen naast elkaar op een van de bedden, geschrokken van de blik op haar gezicht.

'Wat betekent bivakkeren?' vroeg Jenny.

'Jullie blijven hier logeren,' zei mama. 'De Edwards zijn oude vrienden van je vader. Het zijn beste mensen. Ze zullen voor jullie zorgen als ik in de houthakkerskampen ga werken als kokkin.'

'Ik wil hier niet blijven,' zei Jenny.

'Ik ook niet,' zei ik. 'We kunnen best met jou mee. We zullen niet lastig zijn. Ik kan heel goed voor mezelf zorgen.'

'Dat weet ik,' zei mama. 'Maar kinderen mogen niet mee. Dat zijn de regels. We hebben geld nodig.'

'Waarom kun je geen baan zoeken hier in de stad? Waarom word je geen secretaresse of zoiets? Waarom kunnen we niet terug naar Duchess Creek? Glenna regelt wel een baantje voor je bij de dokterspost.'

'Ophouden nu,' zei mama. 'Dit is het beste wat ik kan krijgen. Laten we hopen dat het niet te lang duurt.'

'Hoe lang?' vroeg ik.

'Hopelijk niet zo lang.'

'Hoe lang?' vroeg Jenny. Haar stem brak en ze begon te huilen.

'Hou op,' zei mama bits. 'Ik kan er niets aan doen. De Edwards zijn beste mensen. Jullie kunnen hier naar school.'

Beste mensen. Vertrouw nooit iemand die als een best mens wordt afgeschilderd. Ik weet nu dat beste mensen je niet zullen vermoorden, je niet de deur uitzetten als het sneeuwt en je niet laten verhongeren. Maar ook dat ze zonneklaar tekortschieten op allerlei punten en dat je er verdomd snel achter komt wat die zijn. Dat was het soort mensen bij wie onze moeder ons achterliet.

Jenny trok haar knieën op tot aan haar kin en huilde zachtjes in de cirkel van haar armen. Ze zat als een eiland op de glibberige beddensprei. Ik wist dat ze zo de kluts kwijt was, dat ze me niet meer kon helpen om mama net zo lang te bewerken tot ze vol wroeging bezweek en naar de eerste de beste kampeerplek reed om koffie te zetten en achterovergeleund in haar kampeerstoel omhoog te staren, en dan konden Jenny en ik om lepels vragen om bij de rivier naar Chiwids schat te zoeken.

Mama nam me bij de hand mee naar de auto. Ik herinner me het gevoel van mijn kleine hand in de hare. Die dag was ze nog steeds mijn beschermster. Als ik haar hand bleef vasthouden, zou ze me niet laten gaan, dacht ik. Ik kon me niet voorstellen dat ze ertoe in staat zou zijn. Maar bij de auto liet ze me los en was er niets wat ik daaraan kon doen.

'Maggie,' zei ze. 'Ik weet dat Jenny de oudste is, maar nu reken ik op jou. Je had gelijk toen je zei dat je goed op jezelf kunt passen. Ik hoef me over jou geen zorgen te maken.'

Ze moet het bedoeld hebben als een compliment, een manier om te zorgen dat ik mezelf niet meer alleen zag als een hulpeloos kind. Maar toen ze het zei, met een zachte glimlach op haar open, smekende gezicht, voelde het eerder als de onderkenning van een zwakke eigenschap die ik bezat, iets waarmee ik moest leren leven, zoals een hazenlip.

'Oké,' zei ik, omdat er weinig anders te zeggen viel. Mama begon de auto uit te laden. Ik pakte Cinnamon van de achterbank en nam haar mee naar binnen, het huis met de geur van hamburgers in. Mama volgde me met onze kussens en koffers.

'Wat is dat?' vroeg mevrouw Edwards.

'Wat?' vroeg mama.

'Is dat een kat?'

Ik glipte haastig de slaapkamer in en liet Cinnamon op de vloer zakken, alsof ik haar kon verbergen.

'Nee, nee,' zei mevrouw Edwards. 'Geen katten. Ik ben allergisch voor katten.'

'Beatrice, alsjeblieft,' zei mama. Ze trok de slaapkamerdeur dicht en ik hoorde hun stemmen tegen elkaar ingaan.

Jenny tilde haar hoofd op om me aan te kijken. Aan de wand achter haar boven het bed hing een geborduurde afbeelding van twee in elkaar gevouwen handen, in gebed. Ik pakte Cinnamon op en ze klemde zich met haar zachte witte pootjes over mijn schouder gekruld als een baby aan me vast. Ik begroef mijn neus in haar vacht die geurde naar deken. Ze begon te spinnen, diepe, tevreden trillers. Cinnamon kon overal gelukkig zijn, als ze maar bij mij was.

Toen mama de kamer binnenkwam, zag ik aan haar gezicht dat ze verloren had.

'Het spijt me, Maggie,' zei ze. 'Ik beloof je dat ik goed op haar zal passen.'

Dat was de tweede keer dat ik mama zag huilen. De tranen sprongen in haar ogen en ze liepen over haar wangen en biggelden over de bruine sproeten. Er flitste een sprankje begrip voor haar situatie door mijn hoofd, heel even maar, en ik wilde iets zeggen om haar te troosten, dat Cinnamon toch niet zo'n stadskat was of zoiets, maar er zat een brok in mijn keel die me bijna deed stikken en ik kon niets uitbrengen.

Jenny en ik zeiden geen van beiden een woord over dat dit onze tweede nare gebeurtenis was. Als we dat openlijk toegaven, zou dat betekenen dat de derde nog moest komen.

Ik had een keer gezien dat er een huis werd afgebroken, een krakkemikkig huisje in Duchess Creek waar een oude man tot aan zijn dood had gewoond. Het huisje werd met de grond gelijkgemaakt om plaats te maken voor een grote, stevige blokhut, zo'n huis dat er rustiek uitziet, al is het gloednieuw. Jenny en ik hadden vanaf de weg staan kijken toen de sloopmachine een hap uit het dak nam en de muren sloopte alsof ze van karton waren. Verbleekte bloemgordijnen bleven met gordijnrails en al in de tanden van de grijper steken en toen hij terugzwaaide voor de volgende ronde, werden de gordijnen en de roede verpulverd tussen het puin van het huis en waren ze verdwenen. Met mijn onuitgepakte koffer op het andere bed voelde ik me zoals dat huis, een en al tumult en stof en chaos, waar niets was zoals het hoorde en niets meer overeind stond.

HOOFDSTUK 11

Ik kan niet zeggen dat mama het mis had toen ze zei dat ik goed voor mezelf kon zorgen. Ik had algauw door wat een tikkende tijdbom Beatrice Edwards was. We waren er nog geen drie weken of ik wist al dat ze zomaar zonder reden kon ontploffen. Het was mijn taak om 's avonds de tafel te dekken. Soms kwam Ted pas na het avondeten aanzetten, thuisgebracht door een van zijn drinkebroers die hem de multiplex helling naar de voordeur op duwde. Meestal kon hij dat zelf, maar niet als hij een slok op had.

Op een avond dacht ik dat ik mezelf enige moeite kon besparen door uit te vinden of hij zou thuiskomen of niet. 'Moet ik ook voor Ted dekken?' vroeg ik Bea toen ik de borden pakte.

'Hoe moet ik dat weten?' bitste ze.

Dat was nog niets. Dat was gewoon Bea's kortaangebondenheid. Pas later, toen we de afwas deden en ik Teds schone, ongebruikte bord samen met onze drie vuile borden in het teiltje dompelde, explodeerde Bea. Haar zeephanden schoten het warme sop uit en rukten de bewasemde bril van haar neus. Ze smeet de bril door de keuken, waar hij tegen de grille van de koelkast aan kletterde, en krijste: 'Kom ik soms werk tekort? Dacht je dat? Dacht je dat?' Haar lichte ogen puilden vochtig uit de rode vlek die haar gezicht vormde. 'Nu moet ik schone borden afwassen. Ik was borden af die niet eens zijn gebruikt. Doen jullie dat thuis soms ook zo? Vooruit dan maar.' Ze rukte stuntelig de schone borden, kommen, schalen en kopjes uit de kasten en stapelde ze lukraak op naast de gootsteen. Ze hield pas op toen ze het hele servies van de planken had getrokken.

Ik was achteruit gedeinsd, met mijn handen stevig in elkaar gestrengeld voor mijn borst. Ik zag haar gezicht opzwellen en steeds roder aanlopen, met kloppende aderen bij haar slapen. Straks ontploft ze echt, dacht ik. Maar in plaats daarvan werd ze ineens zo slap als een natte vaatdoek en siste ze met een verstikte snik: 'Afwassen.' Ze liep de keuken uit en sloeg de deur achter zich dicht. Ik deed wat ze zei.

Niet lang na Bea's uitbarsting zwierf ik op een dag na school door de stad om de tijd te doden tot Jenny klaar was met de volleybaltraining. Jenny genoot van alles wat wonen in een stad met zich meebracht. Ze had bij Stedmans een portemonnee met een paisleypatroon gekocht voor het geld dat ze van mama had gekregen. Na school ging ze als ze niet hoefde te volleyballen met haar vriendinnen naar de Tastee-Freez. Ze bezat een ongedwongen charme die ik niet had en trad op als buffer tussen Bea en mij. Iets verderop zwaaiden de deuren van het Maple Leaf Hotel open en zag ik Ted het zonlicht in rollen. Ted reed in zijn rolstoel op een manier die je niet zou verwachten bij een man die niet kon lopen. Er sprak vitaliteit uit de kracht waarmee zijn handen de wielen vastgrepen en zich stevig afzetten. Hij was geen slapjanus, Ted, en dat zou iedereen weten die hem zag. Hij had brede schouders, een rechte rug en grote, soepele handen. Hij had zilvergrijs haar, een dikke bos voor een man van zijn leeftijd, vond ik, hoewel ik niet precies wist hoe oud hij was. Hij ging elke week naar de kapper om het te laten bijknippen. Ted droeg net zulke flanellen hemden en spijkerbroeken als mijn vader vroeger deed, daarom mocht ik hem wel een beetje.

Hij stopte toen hij me zag en wachtte tot ik hem had ingehaald. 'Hallo, Maggie.'

Ik bedacht dat ik een goede daad kon verrichten, niet voor hem, maar voor Bea, door hem voor het eten thuis te brengen. Of misschien was het meer een goede daad voor mezelf.

'Hoe was het op school?' vroeg Ted.

'Goed,' zei ik. Hij zette zich weer in beweging en rolde de weg op. Ik bleef naast hem lopen.

'Heb je het naar je zin in Williams Lake?'

'Ja, hoor,' zei ik.

Hij lachte. 'Volgens mij hou je meer van de bossen, is het niet? Je bent precies je vader.'

Ik vond het zo fijn dat iemand zei dat ik precies mijn vader was, dat ik met een brede grijns op mijn gezicht verderliep.

'Als je me wilt duwen, kan ik je een mooi plekje laten zien,' zei Ted.

Het huis van de Edwards was niet ver van het hotel, maar we reden hun straat voorbij. 'We kunnen het spoor niet over met dit ding, daarom moeten we omrijden. Je hebt toch geen haast?'

Ik dacht aan Bea. 'Nee,' zei ik.

Aan het einde van Oliver Street hielp ik hem de grote weg op. Heel even sloeg de angst me om het hart. Stel dat hij helemaal de grote weg af reed naar Vancouver? Maar Ted zei: 'Vooruit met de geit. Rechts aanhouden. Heb je een rijbewijs voor dit ding, Maggie?' Ik lachte en fleurde weer op, met het luchthartige gevoel dat we op avontuur gingen.

Ik duwde Ted moeizaam over een smal pad met hobbelige boomwortels, bezaaid met dennennaalden. Ze gaven krakend hun geur af toen we er overheen reden. Geen wind, maar een warmere lucht, een andere lucht, viel teder om me heen. In de lange schaduwen zetelde iets onzichtbaars, dat vanuit de zilveren spinnenwebben tussen de wilde rozen en berken naar me knipoogde. De zorgelijke knoop die sinds mama weg was in mijn maag zat, werd losser. Mijn schouders ontspanden zich.

'Mooi plekje, hè?' zei Ted. 'Als je langs de rivier die kant uit loopt, kom je bij de rivier de Fraser.' Veel verder konden we niet met de rolstoel, dus parkeerde ik hem en ging ik met mijn rug tegen een boom zitten.

Hij haalde zijn tabak tevoorschijn en begon zijn pijp te stoppen. Ik denk dat ik Ted een beetje vreemd heb aangekeken, want hij zei: 'Ik wil je wel vertellen hoe ik in deze stoel ben beland. Iedereen is er altijd nieuwsgierig naar en mij maakt het niet uit.' Op een hoge tak boven ons hoofd liet een kraai met een hoop drukte de berkenbladeren zwiepen. Een zwaluw bleef hangen en dook naar de krijsende kraai, wat Ted en mij aan het lachen maakte. Hij streek een lucifer af en stak zijn pijp aan, tot er een wolk licht geurende rook opkringelde.

'Ik werkte met een eenheid houthakkers op een steile bergflank ten noorden van hier. We sliepen in tenten, primitief, maar handig. Zulke kleine houthakkerseenheden werden "*gyppo shows*" genoemd, zigeunertroepen. Een prima manier van werken als iedereen weet wat hij doet. Als iedereen voorzichtig is en goed met elkaar kan opschieten. Maar hier beviel de manier van aanpak van de voorman me vanaf het begin al niet. Hij was de baas, maar hij had een kort lontje en was pas gelukkig als iedereen alle kanten tegelijk op vloog. Ik had me voorgenomen om zo snel mogelijk op te stappen.

Die dag had ik een slecht voorgevoel. Het was heet, stikheet. Toen we opstonden was het al niet te harden en tegen het einde van de ochtend leek het wel een oven, de zon brandde op de bergflank. Iedereen was prikkelbaar, maar die joker van een voorman liep te schreeuwen en de boel op te ruien, stampvoetend en wel. Ik vroeg me serieus af of hij ze wel allemaal op een rijtje had.

Ik had die dag dienst met twee andere kettingleggers, de ouwe Jim en een groentje dat we Dewey noemden, omdat hij een zacht, bleek gezicht had dat hij 's morgens met speciale zeep waste. We stonden beneden in een ravijn om de ketting vast te sjorren en klommen in die hel weer naar boven om de weg vrij te maken. Het was een uitputtingsslag. We besloten om elkaar af te wisselen en elkaar wat rust te gunnen. Dewey was aan de beurt en hij liep over een steile boomstam naar beneden. Zijn kurkzolen raakten bekneld in de schors en hij verloor zijn grip. Hij donderde ondersteboven naar beneden, kwam op zijn hoofd terecht en raakte buiten westen. Jim en ik klauterden naar beneden, hesen hem overeind, gaven hem een slok water en hij ging weer aan de slag. Zo ging dat.

De dag daarvoor had een stel mannen op een boomstronk staan kijken hoe de stammen bijeengedreven werden. Niemand merkte dat de terugtreklijn achter de wortels van een grote, oude stronk bleef haken. De stronk schoot los en kwam met donderend geraas de helling af, recht op die kerels af die daar met open mond bleven staan. Hij kwam ongeveer een halve meter voor hun voeten neer, stuiterde op en vloog rakelings over hun hoofden. Het scheelde niks of ze waren meegesleurd. We plaagden hen dat ze zo goed ge-schoren waren die dag. Maar dat soort dingen kan altijd gebeuren, ook met een goede voorman.'

Ted hield nogmaals een lucifer bij zijn pijp en de geur van rijpe kersen zweefde omhoog. 'Tijdens de lunch zat ik op een stronk. Ik was kletsnat van het zweet, geen droge draad meer aan mijn lijf, zelfs mijn sokken sopten. Het wemelde van de insecten, ik had jeuk van het stof en de schors die aan mijn huid kleefden. Ik overwoog om de klus ter plekke voor gezien te houden, zo zeker wist ik dat er iets mis zou gaan. Het was toch vrijdag; ik zou dat weekend naar huis gaan en ik had al besloten dat ik niet terug zou komen. Die ouwe Jim, een houtkapper van de oude stempel, was praktisch doof. Hij liep al de hele ochtend te mopperen dat hij nog nooit op zo'n rotklus had gezeten en dat hij zijn plicht wel had gedaan. Een grappige vent, die Jim. Hij had geen voortanden meer. Hij had wel een bitje, maar dat droeg hij niet tijdens het werk. Ik denk dat hij bang was dat het zou breken of dat hij het zou doorslikken als hij aan het werk was of zo. Hij was broodmager, maar gespierd als een renpaard. Tijdens de lunch gooide hij zijn koffie om. Dat was de laatste druppel voor hem. Er kwam een stroom scheldwoorden uit zijn tandeloze oude mond. Ik zei: "Jimbo, wat vind je ervan als jij en ik ervandoor gaan, regelrecht naar huis?"'

'Hebt u dat gedaan?' vroeg ik.

Ted staarde in de verte door het kantwerk van bladeren en zonlicht en bleef zo lang stil dat ik bang was dat ik iets verkeerds had gezegd.

Ten slotte zei hij: 'Nee, we zijn niet weggegaan. We deden simpelweg wat er gebeuren moest: de klus klaren. Grappig als je erover nadenkt, hoe de goede opvoeding die je hebt genoten je soms naar de afgrond kan helpen.

Het zat er bijna op voor die dag. Ik bleef maar denken aan dat ijskoude biertje dat ik zou nemen zodra ik in de stad was. Jim stond boven aan het ravijn. Dewey was beneden en ik stond vrij. Het fluitsignaal klonk en plotseling hoorde ik een knappend geluid, alsof er een reusachtige gitaarsnaar brak. Er klonk geschreeuw, een vloek die ik niet wil herhalen en ik zag kerels links en rechts dekking zoeken. Jim stak zijn hoofd omhoog als een oude hond die zijn snuit in de lucht steekt. "Jim," brulde ik zo hard ik kon, "Jim!" en hij keek naar me en ik zag de blik in zijn ogen veranderen toen hij het begreep; hij kwam in beweging, zette zich schrap alsof hij het op een lopen wilde zetten en toen zwaaide de kabel door de lucht en zwiepte hem zo de helling af.'

'O, nee,' zei ik. 'Was hij dood?'

'Nou en of hij dood was.' Teds pijp was uitgegaan; hij zoog er een paar keer stevig aan en hield hem toen in zijn grote hand op zijn schoot. De zon was achter de heuvels gezakt en het was frisjes geworden, het matte licht glansde eenzaam tussen de bomen. Maar ik had nog niet gehoord hoe Ted in die rolstoel terecht was gekomen.

'Die arme oude Jim had beter verdiend,' zei hij. 'We pakten hem in om hem thuis te brengen. Maar toen we terugkwamen in het kamp, met al die chaos, moesten we op onze cheques wachten. Ik kon er niet tegen. Ik wilde weg. Uiteindelijk verzon ik een smoes, kreeg mijn geld contant en ik maakte dat ik wegkwam. Ik kreeg een lift naar de stad waar mijn truck geparkeerd stond en nam een koud biertje en iets te eten. Toen voelde ik me, tja, Maggie, ik schaam me om het te zeggen, maar ik was blij dat ik leefde. Dolblij. En ik wilde naar huis.

Ik ging op weg. Het schemerde, maar in die tijd van het jaar wordt het nooit echt donker. De maan kwam tevoorschijn en de weg strekte zich glanzend als een rivier voor me uit. God wat was ik gelukkig. Wat een mooie avond. Ineens dacht ik dat ik dat krakende geluid weer hoorde, die knappende kabel, zomaar in mijn truck. Dat vond ik eigenaardig. Ik schudde mijn hoofd en opende het raampje voor wat frisse lucht. De insecten vlogen tegen de voorruit en ik zag ze als motregen in de koplampen dwarrelen. Toen hoorde ik het opnieuw, dat vreemde, knappende klikgeluid. In het licht van de koplichten zag ik plotseling iemand voor me uit rennen, midden op de weg. Ik nam gas terug en de hardloper kwam bij mijn open raampje lopen en riep iets. Ik zag zijn gezicht en het was Jim met zijn grote tandeloze mond. "Wat?" riep ik terug en toen hoorde ik hem luid en duidelijk zeggen: "Wakker worden!"

Ik deed mijn ogen open. Pal voor mijn neus doemde de grille op van een truck met gedoofde koplampen. In de fractie van een seconde die het me kostte om uit te vogelen dat hij langs de kant van de weg geparkeerd stond, trapte ik de rem in en toen klapte ik erbovenop.

Ouwe Jim heeft mijn leven gered door naar me te schreeuwen, net zoals ik naar hem had geschreeuwd op de flank van de berg. De truck waar ik bovenop knalde was volgeladen met boomstammen en de chauffeur was langs de weg gaan staan voor een dutje. Volgens de politie toonden de sporen aan dat ik bijna anderhalve kilometer door de berm had gereden. De motorkap van mijn truck schoof onder de zijne en door het gewicht van de boomstammen kantelden beide trucks langzaam opzij. De mijne kwam in de lucht te hangen, vastgehaakt aan zijn grille. Daar herinner ik me niets van. Ik heb een week in coma gelegen en toen ik bijkwam lag ik in een ziekenhuisbed in Williams Lake en hoefde ik nooit meer als houthakker aan de slag.' Ted lachte zachtjes. 'Dat was het. Dat is het verhaal.'

Ik duwde Teds rolstoel door de kille avondlucht terug over het pad, de grote weg over en de straat van de Edwards in, al had Ted zichzelf kunnen rijden. Bea en Jenny waren de borden aan het afruimen toen we met een vlaag herfstlucht het dampende huis in kwamen. Jenny keek ons met een mengeling van verbazing en opluchting aan. Toen zette ze haar lippen strak op elkaar in een poging om niet te glimlachen. Bea zei niets en verdween zonder ons zelfs maar aan te kijken naar de keuken. Ted hing zijn jas op en rolde naar de tafel, waar zijn lege bord hem aanstaarde, netjes tussen een vork en een mes.

'Ik zal jullie eten halen,' zei Jenny. Ik had haar eigenlijk moeten helpen, maar ik wilde die keuken niet in. Ik ging naar de badkamer om mijn handen te wassen. Toen ging ik op mijn plaats aan tafel zitten en ik begon te eten. Jenny kwam erbij zitten en keek toe, nu wel met een lichte glimlach.

Ik wachtte tot Bea's woede met veel gerammel en geratel tegen de keukenwanden zou opklinken en door het huis zou razen. Maar ik hoorde alleen het ruisende water in de gootsteen stromen, het zuigende geluid van de fles afwasmiddel en het gerinkel van bestek tegen glas.

Jenny schoof een envelop naar me toe over de tafel. 'Dit is vandaag gekomen.' *Jenny & Maggie* stond er in mama's handschrift met potlood op de envelop. Ik haalde de brief eruit, een dik velletje papier dat uit een schetsboek was gescheurd.

Lieve meiden,

Ik hoop dat jullie het naar je zin hebben in Williams Lake en dat jullie het leuk vinden om voor de verandering in de stad te wonen. Ik heb wat geld naar de Edwards gestuurd voor jullie onkosten, dus als je iets nodig hebt, moet je het aan mevrouw

Edwards vragen. Je mag best af en toe iets leuks voor jezelf ko-
pen, als je het maar niet te dol maakt. Alles goed hier. Tot gauw,

Liefs, mama

Er stond niets in de brief, niet wanneer ze terugkwam of waar ze
was of hoe het met Cinnamon ging. De tranen sprongen me in de
ogen, maar ik bleef dooreten. Ik wilde niet huilen waar Ted bij was.
In plaats daarvan dacht ik aan hem, helemaal alleen op een verlaten
weg met de ouwe Jim die naast hem rende.

'Ik denk dat ik een baantje ga zoeken,' zei Jenny. 'Er hing een
bordje bij Frank. Ik kan serveerster worden of kokkin. Mag dat?'

'Natuurlijk mag dat,' zei Ted.

'Ik moet het wel regelen met de volleybaltrainingen. Het team
van Duchess Creek komt naar onze school voor een wedstrijd.
Gaaf, hè?'

Ik hoorde haar wel, maar ik zat op die weg, met de nachtelijke
insecten dansend in de koplampen van een truck die pardoes van
de grond werd getild.

HOOFDSTUK 12

Als ik Yorston Street, de straat waarin het huis van de Edwards lag, helemaal uitliep, dan kon ik het meer en de achterliggende rook-blauwe bergen zien liggen. Soms ging ik daar zitten kijken hoe de maan opkwam. Dan hield ik me vast aan het idee dat mama naar dezelfde maan keek, waar ze ook was.

Van het einde van de straat tot aan het jaarmarktterrein liep een kronkelend pad. Dat nam ik meestal om naar school te gaan, al was het om. Als ik 's morgens het huis van de Edwards uit stapte, voelde de frisse lucht aan als balsem, het niemandsland tussen thuis en school een heiligdom van zand, onkruid en wind. Ik nam alle tijd. Het woord vluchten speelde als een wijsje door mijn geest. Schijnbaar terloops registreerde ik kleine brokjes informatie. Als ik tegen een klont ingedroogde mest schopte, bedacht ik dat paarden volmaakt zouden zijn om met bepakking een flink eind door dit gebied te reizen. Ik dacht nooit aan een bestemming, al-leen dat ik terug moest. Ik kon me haar glimlach voorstellen als ze ons zou zien, al deed ze nog zo haar best om te verbergen dat ze er trots op was dat het ons was gelukt, dat we haar hadden gevon-den.

Als ik probeerde om Cinnamon een plaatsje te geven in het beeld van mama die in een houthakkerskamp werkte, golfde de ongerustheid die constant op de loer lag zo krachtig door mijn lijf dat ik bang was dat ik moest overgeven of dat mijn knieën het zou-den begeven. Een kat was geen lang leven beschoren in een hout-hakkerskamp. Ze zou te grazen genomen worden door een coyote, of anders zou ze met haar witte vacht 's nachts door een uil of een havik worden gegrepen.

Op school had mevrouw Wallace, de juf van de samengevoegde groepen zes en zeven, besloten dat ik een voorbeeldige leerling was; ze las mijn opstellen voor aan de rest van de klas en gaf me speciale taakjes op, zoals op het schoolbord schrijven. Ik denk niet dat het ook maar een seconde bij haar opkwam dat dit me hooguit extra verdacht maakte in de ogen van mijn klasgenoten, die dat nieuwe meisje met haar schoolboeken in een papieren zak en haar bemodderde gympen vol grasvlekken toch al argwanend bekeken.

De andere leerling die ze er vaak uitpikte was Vern George, een Carrier-indiaan. Hij zat een klas hoger dan ik. Vern hield zijn hoofd omlaag. Hij droeg witte gympen met blauwe strepen van het merk North Star, maar een van de veters was vervangen door een touwtje. Dit intrigeerde me. Mevrouw Wallace vroeg regelmatig: 'Houden we je wakker, Vern?' maar dan lachte niemand, wat ze wel deden als ze dezelfde vraag stelde aan Marv Dressler, de clown van de klas. Vern glimlachte toegeeflijk naar haar. Toen ze de klas anders indeelde en mij naast hem zette, ontdekte ik dat er achter zijn schoolboek een leesboek verborgen zat. Hij hield zijn hoofd omlaag omdat hij zat te lezen, niet omdat hij bang was, zoals ik had gedacht.

Op een dag zat ik nadat de bel was gegaan op de schooltrap een tak te bewerken met papa's mes. Ik moest wachten tot Jenny uit de klas kwam, want we hadden afgesproken om samen naar Stedmans te gaan. Ik had de schors eraf geschraapt en was net bezig om mijn initialen in het gladde, naakte hout te kerven, toen Vern met een stapel bibliotheekboeken naar buiten kwam. Ik keek even op en wijdde me toen weer aan mijn tak.

'Wat ben je aan het doen?' vroeg hij.

Ik schrok op.

Hij lachte, iets wat ik hem nooit eerder had zien doen. 'Ik heb je aan het schrikken gemaakt.'

'Helemaal niet.'

'Mag ik eens kijken?'

Ik reikte hem de stok aan. 'Ik ben er net aan begonnen.'

Hij draaide hem om en om in zijn handen. 'Gaaf.' Hij gaf hem terug en liep de trap af en het schoolplein over. Ik ging verder met mijn stok, maar sloeg mijn ogen zo nu en dan op om hem na te kijken, tot hij met zijn arm om de bibliotheekboeken geslagen de hoek om was.

Toen Jenny kwam gingen we naar Stedmans, waar zij donkerblauwe kniekousen kocht en ik een paar dikke sokken van grijze wol. Daarna bracht ik haar naar haar nieuwe baantje bij Franks kip- en pizzatent.

Ik liet mezelf binnen in het huis van de Edwards en stelde verbaasd vast dat Bea niet thuis was, al stond de televisie aan. De herkenningsmelodie van *The Flintstones* klonk op vanuit de woonkamer. In de twee maanden dat we daar nu ongeveer woonden had ik nog nooit gezien dat Bea het huis uit ging, hoewel ik wist dat ze boodschappen deed als wij op school zaten. De deur van haar slaapkamer stond op een kier. Er stond een sierlijk rolbureau dat zij haar 'secretaire' noemde. Als Ted vroeg of ze misschien een velletje papier voor hem had, antwoordde ze vrijwel altijd 'in de secretaire'. Daar ging ze zitten om de rekeningen te betalen en als mama de Edwards een brief had geschreven, zou hij daarin zitten. Misschien was ze tegen hen wat duidelijker geweest.

Ik vroeg me af of ik voldoende tijd had om Bea's bureau te doorzoeken voordat ze terugkwam. Hun slaapkamer lag aan de achterkant, dus ik kon haar niet door het raam zien aankomen, maar ik dacht dat ik haar wel zou horen als ze de trap op liep. Ik pakte een glas melk en een koekje, nam er een hap uit en legde het naast het glas op de salontafel voor de tv. Als ik haar hoorde aankomen, zou ik naar de bank rennen en dan zou ze nergens iets van merken.

De slaapkamer van de Edwards rook naar lavendelpoeder van Yardley en de mentholzalf die Ted gebruikte. Het bed was opgemaakt, de knobbelige witte beddensprei zat er strak overheen en was netjes ingestopt bij de kussens. Waarom zou je al die moeite doen als je er straks toch weer in moest? Het bureau zat dicht en mijn oog viel op het sleutelgaatje. Hopelijk zat het niet op slot. Maar nee, Bea Edwards had geen geheimen die de moeite waard waren om achter slot en grendel te bewaren. Ik luisterde even, maar ik hoorde alleen Fred Flintstones 'yabba dabba do!' en Barneys gegrinnik. In een van de vakjes lag een stapeltje rekeningen. Ik bladerde ze snel door. In een ander vakje zaten wat enveloppen en op een daarvan stond het adres van de Edwards in mama's handschrift. Het briefje dat erin zat was echter nog korter dan dat aan ons. *Bijgaand het bedrag dat we hebben afgesproken. Dank voor jullie hulp, Irene.*

Ik bekeek de voorkant van de envelop. Geen retouradres, maar op de postzegel zat een rood poststempel waar Kleena Kleene op stond. Ik legde de envelop terug, sloot het bureau en ging op de bank zitten om de *Flintstones* af te kijken.

Door het raam zag ik dat het was gaan sneeuwen, niet meer dan wat dwarrelende sneeuwvlokken, en daar kwam Bea aan over het trottoir, met haar korte laarsjes met de zwarte bontrand en de geelwollen baret met een pompon erop. Ik voelde een tikje medelijden met haar om het saaie leven dat ze leidde.

Tegen de tijd dat Jenny thuiskwam, lag er zoveel sneeuw dat haar linnen gympen doorweekt waren. Er was een scherpe wind opgestoken, die de sneeuwvlokken liet dwarrelen in het gele licht bij de voordeur. Jenny stormde het huis binnen en verzuchtte: 'Mijn voeten zijn bevroren!' Ze schopte haar schoenen uit en stond rillend in haar kniekousen boven het verwarmingsrooster.

'Misschien hebben we morgen wel ijsvrij,' zei ik.

'Hoop doet leven.'

Bea riep vanuit de keuken: 'Morgen is alles weg.'

'Er valt bijna een meter sneeuw in twee uur en zij denkt dat het morgen weg is,' zei Jenny tegen Ted.

'Er ligt geen meter sneeuw,' riep Bea.

'Kom dan kijken.' Jenny schoof het gordijn wijd open toen Bea de keuken uit kwam; ze snoof verbaasd toen ze zag dat het trapje vrijwel begraven lag onder de sneeuw. Jenny prikte haar met haar vinger in haar zij: 'Zie je wel!'

Bea lachte zelfs. 'Dat is geen meter sneeuw, dat is opgewaaide sneeuw, meer niet.'

Maar de gierende wind stoof de sneeuw de hele nacht tegen de hordeuren op en de volgende ochtend waren de straten in Williams Lake onbegaanbaar; het sneeuwde nog steeds en niemand kon de deur uit.

Ik probeerde een van Jenny's boeken uit de Nancy Drew-serie te lezen, *Het geheim van de 99 treden*, maar ik doezelde steeds weg. Ik wilde naar buiten.

Jenny zat met vijf flesjes nagellak op een rijtje op de beddensprei. Ze begon met bruin parelmoer, lakte zorgvuldig haar nagels, blies ze droog en bekeek ze aandachtig. 'Past precies bij mijn haar, vind je niet?' Ze vond alles best, zolang ik maar iets instemmends bromde. Ze pakte de nagellakremover en dompelde er een wattenstokje in.

'Jenny, ik krijg zowat geen lucht meer,' protesteerde ik.

'Ik heb je toch niet gevraagd om bij me te komen zitten?'

Ik liet het boek op het bed liggen en ging naar de kelder. Er was een plekje tussen de droger en de ketel waar een verwarmingsbuis uitkwam op een ventilatieluik dat open kon. Ik zette het open en ging met een deken om mijn schouders op een oud stuk tapijt zitten. Ik zat precies onder een stroom warme lucht. Het raampje boven de droger was overdekt met sneeuw en ik luisterde naar de wind die door de kieren floot en de sneeuw in een hoge berg tegen het venster joeg.

Ik vroeg me af of de schuilhut die papa en ik hadden gebouwd er nog zou staan. Papa zei dat je bij extreem weer het beste een schuilplaats kon zoeken om het uit te zitten. Mensen kunnen sterven van angst, had papa me verteld. Op een keer, toen hij in het noorden werkte, reed iemand die hij kende over een afgelegen weg in een sneeuwstorm en kwam hij vast te zitten in een sneeuwgreppel. Hij kon geen kant meer op en het was zulk slecht weer, dat er weinig kans was dat er iemand langs zou komen die hem kon helpen. In elkaar gekropen in de cabine van de truck en uit de wind omdat hij in een greppel vol sneeuw zat, was hij redelijk veilig. De man vertelde papa later dat hij bang was geweest dat hij van de honger zou omkomen. Hij kreeg visioenen van warme maaltijden met kalkoen, jus en warme appeltaart. Na een uurtje of drie in de truck, koud, maar niet ijskoud, verliet hij de veilige cabine van zijn wagen en ging hij aan de wandel, in een absurde zoektocht naar voedsel. Hij verloor al zijn tenen en vingers, zijn gezicht vertoonde littekens van bevriezing en het scheelde weinig of hij had het niet overleefd.

'Het laatste waar je bang voor moet zijn is dat je omkomt van de honger,' had papa gezegd. 'Honger is geen pretje, maar het duurt heel lang voor je eraan dood gaat. Je hebt allereerst een schuilplaats nodig, en dan pas water, vuur en voedsel.'

De sneeuwstorm raasde voort en in de beslotenheid van het huis begon Beatrice' irritatie te knagen en te borrelen. Ze dwaalde door de kamers en raapte mopperend hier en daar wat op, mompelend over het feit dat mama's maandelijkse toelage te laat was. Ik probeerde me voor te stellen hoe ze de dag doorbracht als wij op school zaten en vroeg me af hoe ze hem doorkwam. Ik kon haar alleen maar zien in een duistere spelonk van stinkende stofzuiger, smerig blauw tapijt, wit uitgeslagen vlees uit de vriezer, mokken Nescafé-koffie en een stapel *National Geographics*.

Vroeger liet mama alle klusjes voor wat ze waren als we het huis niet uit konden omdat het stormde, en dan speelden we rummikub, dronken thee met veel suiker en roosterden stukjes vlees bij het open deurtje van het houtfornuis. We staken de lantaarn vroeg in de middag aan; het was wij samen tegen de elementen en ik hield van het geluid van de wind die rond het huis gierde.

Beatrice was aan het ontbijt al begonnen met vitten: 'De rekeningen kunnen niet langer blijven liggen. Ik hoop dat ze niet is vergeten het te sturen.'

Ted zei: 'Dat vergeet ze niet. Maak je er niet zo druk over.' Hij gaf me een knipoog.

'Bea,' zei Jenny, die zijn knipoog opving. 'Altijd ergens over aan het brommen.' Bea keek haar streng aan, maar er speelde een glimlach rond haar lippen. Ik lepelde mijn cornflakes naar binnen en bedacht hoe verbluffend het was waar Jenny allemaal mee wegkwam.

Ik kwam om een uur of één uit de kelder naar boven, het tijdstip waarop de post meestal kwam. Ik was mijn laarzen en mijn jas bij de deur aan het aantrekken, toen Bea me opzijschoof, de deur opendeed en haar hand naar buiten stak en in de postbus graaide.

'Hij is vandaag weer niet gekomen,' kondigde ze aan.

'Natuurlijk is hij vandaag niet gekomen. De post is niet geweest,' zei ik. Maar het lukte me niet om het op de nonchalante, plagerige toon van Jenny te zeggen.

Bea keerde zich tegen mij. 'Niet zo bijdehand, Margaret Dillon. Als je denkt dat ik dit puur voor de lol doe, heb je nog veel te leren.'

Jenny keek op van haar boek. Ik kon zien dat ze aftastte of haar charme zou werken. Ze keek van mij naar Bea en zei: 'Bea, toch. Wel eerlijk zijn, hè. Je zou ons gratis en voor niets houden, puur voor de gezelligheid.'

'Een van jullie, misschien,' zei Bea en ze beende bij de deur vandaan.

Jenny keek me aan met een uitdrukking waar zowel een waarschuwing als een verontschuldiging uit sprak. Ze had het geprobeerd; dat zou ik ook moeten doen. Ik kon het niet. Hoe kreeg Jenny het voor elkaar om zo rustig te blijven zitten? Had ik die gave maar. Ik trok mijn wanten aan en ging naar buiten.

Ik droeg een paar sneeuwschoenen die ik een paar dagen eerder in de kelder had gevonden. Ze waren legergroen en met stevig vilt gevoerd. Ik had ze gepast bij de verwarmingsketel. Ze waren te groot, maar met twee paar wollen sokken ging het best.

'Mag ik deze lenen?' had ik Ted gevraagd, toen ik ze voor zijn voeten op de vloer van de woonkamer liet vallen.

'Lenen? Je mag ze hebben. Ik heb er toch niets meer aan.'

Ik kloste midden op de weg door de diepe poedersneeuw, blij met mijn warme voeten. Een van de buren reed rond op zijn sneeuwscooter en produceerde een hoge sneeuwfontein in zijn kielzog, midden in de stad. De storm had de normale gang van zaken tot stilstand gebracht. Als er iemand met spoed naar het ziekenhuis zou moeten of als je geen brood meer had of zo, was er niets aan te doen.

Ik had mijn zakken volgepropt met koekjes, lucifers, een stompje kaars en een rolletje toiletpapier. Ik had geen water bij me, omdat ik niets had om het in te doen. Papa had me verteld dat mensen hun gezonde verstand kunnen verliezen in de wildernis. In hun angst volgen ze stomme adviezen op die ze ooit ergens hebben gehoord, zoals bevroren huid inwrijven met sneeuw of het gif uit een slangenbeet zuigen. Op de verlaten hoofdweg, waar de wind me de adem benam, liep ik pal tegen de storm in. Ik dacht dat papa wel zou begrijpen dat ik de schuilplaats niet verliet, maar er juist eentje zocht.

Ik stak het spoor over en volgde de rivier naar het noorden. In het begin had ik koude handen, maar toen ik met mijn armen begon te zwaaien werden ze weer lekker warm. Mijn gezicht gloeide in de bijtende wind en de sneeuwvlokken smolten op mijn huid. Mijn voeten zakten diep weg in de verse sneeuw en ik moest mijn benen hoog optillen om vooruit te komen. Ik hield van de geur van sneeuw, droog en metaalachtig als de smaak van een gladde, grijze steen.

In de open velden beukte de wind op me in. Bij een groepje

hoge Amerikaanse populieren verliet ik het pad en liep ik het bos in. De bomen waren aan één kant bedekt met een laagje sneeuw. Het bos was intens wit, zacht en stil, afgezien van het geluid van mijn eigen hijgende ademhaling en mijn broekspijpen die tegen elkaar aan schuurden tijdens het lopen. Toen ik een paar meter het woud in was gelopen, stopte ik. Ik bleef roerloos stilstaan, hield mijn adem in en luisterde. Niets. Geen wind, geen vogels, geen verkeer. Het sneeuwde nog steeds en ik keek naar de neerdwarrelende vlokken, samengeklonterd soms, en ik meende dat ik ze heel zachtjes en gedempt kon horen tinkelen.

Verderop zag ik sporen die al ietwat bedekt waren door de sneeuw. Een omgevallen boom leunde tegen een enorme sparrenstronk en ik klom erop en ging op de stronk zitten. Ik had het helemaal niet koud; als ik eten had, zou ik dagen kunnen lopen. Dat doen mensen, mensen die de bush kennen. Ik zou het ook kunnen, als ik wist hoe ik vallen moest zetten.

Ik klauterde omlaag en liep zelfverzekerd verder. Het kreupelhout onder de sneeuw was dichter geworden en ik moest ploeteren om erdoorheen te komen op mijn zware laarzen. De twijfel sloeg toe en plotseling wist ik niet meer welke kant ik uit moest. Ik tuurde omhoog naar de lucht, maar alles was wit, de zon was nergens te bekennen. Het leek me beter om in mijn voetsporen terug te lopen, nu ik ze nog kon zien. Het was harder gaan waaien en de wind blies al een laagje sneeuw over het spoor dat ik had gemaakt. Op dat moment besefte ik met een schok dat mijn handen zo koud waren geworden omdat ik amper was opgeschoten. Ik draaide me om en liep terug over wat ik dacht dat mijn spoor was, maar de voetstappen vervaagden voor mijn ogen. De holletjes en verzakkingen die mijn voeten in de sneeuw hadden achtergelaten waren verdwenen en er restte niets anders dan een stille witte ruimte, zacht rijzend en dalend op de takken en bladeren op de bosgrond.

Ik bleef staan om mijn armen rond te zwaaien als de propellers van een helikopter en schudde mijn handen los om er weer gevoel in te krijgen. Ik wist dat ik niet ver van het rivierpad was geweken en als ik kalm bleef, kon ik de weg wel terugvinden. Ik had de wind steeds in mijn rug gehad, dus nu liep ik ertegenin. Ik probeerde sneller te lopen om warm te blijven, struikelend over verborgen takken en struiken.

Toen draaide de wind en leek hij plotseling van alle kanten te komen; de bomen leken dikker dan eerst en het terrein kwam me onbekend voor, met overal afgebroken takken die op kniehoogte door de sneeuw staken en waar ik amper doorheen kwam. Ik bleef opnieuw staan om te luisteren en ditmaal hoorde ik onder het geluid van de suizende wind iets kraken, alsof er een dier aan het graven was. Ik draaide me langzaam om in de richting van het geluid en net toen ik dat deed, dook er achter een berg sneeuw een hoofd op.

'Hallo!' riep ik, net toen hij mij zag.

Vern George zat geknield in een dik pak sneeuw bij de ingang van een grot die hij uitgroef met zijn in wanten gestoken handen.

'Hoi,' zei ik.

'Hoi,' antwoordde hij. Hij groef door en ik bleef even staan om naar hem te kijken.

'Mooie grot,' zei ik. Ik ploeterde naar hem toe en bukte me om naar binnen te kunnen kijken.

'Vorig jaar heb ik een betere gebouwd,' zei hij zonder op te kijken. 'De sneeuw was beter.'

'Deze sneeuw is droog,' zei ik.

Hij gaf geen antwoord.

'Weet jij hoe ver het is naar het pad?' vroeg ik.

Vern stond op en sloeg de sneeuw van zijn knieën. 'Ben je verdwaald?' Hij glimlachte zo lief dat ik opnieuw van hem schrok.

'Niet echt. Nou ja, een beetje. Ik ben pas een paar keer het bos in geweest en toen lag er geen sneeuw.'

'Een beetje verdwaald.' Hij glimlachte en ik lachte onwillekeurig mee.

'Tja, 't is best een eindje weg,' zei hij.

Ik sloeg met mijn armen tegen mijn flanken om het bloed naar mijn handen te laten stromen. 'Welke kant uit? Ik heb ijskoude handen.'

'Het is dertig graden onder nul,' zei hij en hij keek me aan om mijn reactie te peilen. Ik hield mijn ogen op de zijne gericht. 'Dan kunnen we beter een vuurtje stoken.'

'Ik heb lucifers bij me.'

'Als jij wat hout sprokkelt, zal ik een vuurkuil graven.'

Ik ging ervandoor, met zwaaiende armen tegen de kou, en brak dode twijgen en droge sparrentakken van de bomen. Toen ik terugkwam met een armlading hout, had Vern een mooie vuurkuil gegraven in de sneeuw, vlak voor de ingang van zijn grot. Ik brak wat twijgjes af en bouwde een tipi. Vern hield er een aangestreken lucifer bij, we legden het sparrenhout erop en daarna de grotere stukken, tot het vuur hoog oplaaide en ik mijn wanten kon uittrekken om mijn handen boven de vlammen te houden.

Vern stond bij het vuur en trok om beurten zijn laarzen uit om zijn voeten bij het vuur te houden.

'Waar woon je?' vroeg hij.

'In de stad,' zei ik. 'En jij?'

'Bij mijn oom in het woonwagenkamp aan het eind van de weg.'

'Waar zijn je ouders dan?'

Hij schokschouderde en ik dacht dat dat betekende dat hij het niet wilde zeggen of het niet wist.

'Mijn zus en ik bivakkeren bij mensen hier in de stad. Mijn moeder werkt in de houthakkerskampen.'

'Echt waar?'

'Als kokkin,' zei ik met het gevoel dat ik loog. 'Weet jij waar Kleena Kleene ligt?'

'Ja, dat ligt aan de weg naar Bella Coola. Werkt ze daar?'

Ik haalde mijn schouders op.

'Waar is je vader?'

'Hij is vorig jaar overleden.'

'Ik zal je wanten wel even drogen,' zei Vern en hij plukte een lange, gevorkte tak uit de restanten van onze houtstapel. Ik trok ze uit en hij zette op elke tand van de tak een want en hield ze boven de vlammen. Even later sloeg de damp eraf.

'Ik ga de grot proberen,' zei hij. Hij plantte de tak met mijn wanten in de grond zodat ze bij het vuur hingen. Ik zag hem naar binnen kruipen, met zijn voeten eerst.

'Hoe is het?' vroeg ik.

'Super,' grijnsde hij. 'Warm. Kom er maar in als je wilt. Er is plek genoeg.'

Ik schoof erin. Er was niet veel ruimte, maar we raakten de wanden niet.

'Als we hier blijven slapen, moeten we de ingang beter afsluiten,' zei Vern.

'De wanden kunnen ook wel wat dikker,' zei ik. 'Voor het geval het nog kouder wordt.'

'We moeten iets zoeken waar we sneeuw in kunnen smelten. Dan zetten we dennennaaldenthee.'

'En we hebben voedsel nodig,' zei ik. 'Voor als we een paar dagen moeten blijven.'

'Als ons vliegtuig neergestort is, midden in de wildernis. Kilometers in de omtrek geen stad te vinden.'

'Dan zouden we een betere schuilhut moeten bouwen, want dan kunnen we pas in het voorjaar op zoek naar de bewoonde wereld. We kunnen brokstukken van het vliegtuig gebruiken om spullen van te maken. Een kachel, bijvoorbeeld.'

De tak met mijn wanten erop schoof opzij en boog iets te ver door naar het vuur.

'Ik moet mijn wanten redden,' zei ik tegen Vern en ik kroop naar buiten. Hij volgde me.

'Zal ik je terugbrengen?' vroeg hij.

'Graag.'

We doofden het vuur met sneeuw en Vern markeerde zijn grot met een lange tak. Toen we in de stad arriveerden, was het bijna donker.

'Dag,' zei ik.

'Dag,' antwoordde hij.

Toen ik thuiskwam waren mijn wangen verstijfd van de kou en mijn dijen prikten op de plek waar mijn jas eindigde en mijn laarzen begonnen.

'Halleluja, een wandelende sneeuwpop!' riep Jenny uit toen ik naar binnen stapte. 'Dertig graden onder nul en zij gaat een eindje wandelen.'

Bea kwam haastig naar de deur en hielp me om mijn laarzen uit te trekken. 'Je had wel kunnen doodvriezen, zowaar ik hier sta!' zei ze. 'Ik zal thee voor je inschenken.' Ik knielde neer bij het verwarmingsrooster. Bea's vriendelijkheid was even onvoorspelbaar als haar woede. Ik onderging het altijd met enige argwaan.

'Waar ben je naartoe gelopen?' vroeg Ted.

'Langs de rivier, waar ik met jou ben geweest.'

'Kom een spelletje canasta met me doen. Ik word gek van verveling.'

We gingen aan tafel zitten en Ted schudde de kaarten. Bea kwam binnen met de theepot en de kopjes.

'Je vader zwierf ook graag door de bossen,' zei Ted. 'Hij ging in alle weersomstandigheden op pad. Ik leerde hem kennen voordat hij je moeder had ontmoet. Ik werkte met een eenheid in de buurt van Bella Coola als houthakker en hij was de lader. Ik wist meteen dat hij een goeie was. Je ziet heel wat mooiweerhouthakkers komen en gaan. Ze komen met grootse plannen en een grote bek, werken in het begin harder dan nodig is om zichzelf te bewijzen en dan zakken ze af. Het hoeft maar even tegen te zitten of ze gaan mopperen en klagen. Jouw vader was betrouwbaar. Een harde werker, rustig, geen aandachttrekker. Hij hiield van de wildernis. Je kon zien dat hij zich er op zijn gemak voelde.'

Ted versloeg me tweemaal; toen liet hij zich dieper in zijn stoel zakken en viel in slaap.

Die avond, toen Jenny en ik in het donker in bed lagen en de wind nog steeds om het huis raasde, vroeg ik: 'Denk je heus dat mama in houthakkerskampen werkt als kokkin?'

Het duurde even voordat Jenny reageerde. 'Ik weet het niet.'

'Ze heeft koken nooit leuk gevonden. En het is winter. Zijn er wel houthakkerskampen in de winter?'

Jenny gaf geen antwoord en ik draaide mijn gezicht naar de muur en trok de dekens op.

Even later hoorde ik Jenny zachtjes huilen, al deed ze nog zo haar best om haar snikken te smoren in het kussen.

HOOFDSTUK 13

Drie dagen later, toen de sneeuwruimers de wegen begaanbaar hadden gemaakt, de trottoirs weer schoon waren en iedereen zijn auto met startkabels aan de praat had gekregen en de ruiten had gekrabd, lag er toen ik thuiskwam uit school een brief op het dressoir, met in mama's handschrift onze namen erop. Ik hield hem tegen het licht, rook eraan en ving een flauwe, bedompte lucht op. Misschien was dit de brief waarin ze schreef wanneer ze ons kwam halen en waar we naartoe zouden gaan. Jenny hoopte dat mama een huis voor ons zou huren in Williams Lake of zelfs maar een appartement in het gebouw bij de Safeway. Ik wilde ergens anders naartoe, hier heel ver vandaan. Ik kon niet wachten tot Jenny uit haar werk kwam, dus maakte ik de brief open. Er viel een biljet van twintig dollar uit. Ook de brief hield ik bij mijn neus. Niets vertrouwds.

Lieve meiden,

De twintig dollar is voor Maggies verjaardag. Niet te geloven dat je al twaalf bent! Ik hoop dat je er iets praktisch voor koopt, een nieuwe spijkerbroek, bijvoorbeeld. Die had je van de zomer al nodig. Je zou het hier fijn vinden. Laatst toen het vollemaan was, zat er op een heuvel boven het meer de hele nacht een roedel wolven te huilen. Ik heb zelfs een keer een wolf gezien bij het meer. Hij stak het ijs over, net als ik. Jenny, ik zal jou wat geld sturen voor Kerstmis. Ik hoop dat jullie het

Je hebt ervaring nodig om met teleurstellingen om te kunnen gaan en daar ontbrak het mij nog aan. Ik ging op mijn bed liggen en probeerde over de verpletterende zwaarte rond mijn hart heen te ademen. Om de een of andere reden dacht ik aan Vern, zag ik zijn smalle bruine hand voor me, met de brandende lucifer bij onze tipi van takjes. Diep in mijn borstkas flakkerde een sprankje troost op, om even snel weer te verdwijnen.

Het duurde ongeveer een kwartier voordat de teleurstelling omsloeg in boosheid.

'Heb je misschien wat restjes spijkerstof?' vroeg ik Bea. Ze lag op de bank, met haar bril wankel op haar voorhoofd. Er lag een geopende *National Geographic* op haar borst. Het kon me niet schelen of ze sliep. Vandaag mocht ze zo kwaad op me worden als ze wilde.

Ze deed haar ogen open. 'Spijkerstof? Waarvoor?'

'Om mijn spijkerbroek te repareren.'

'Ik denk dat ik nog wel wat heb.' Ze hees zich kreunend overeind. Ik zou nooit op die manier oud worden, dacht ik. 'Wil je ook borduurgaren?'

Bea ging op zoek naar spijkerstof en gaf me er een doosje met twaalf kleuren borduurgaren bij, nog in de verpakking.

'Hier staan allerlei soorten steken in,' zei ze, en ze overhandigde me een oud boekje.

Ik knipte ovale stukken denim uit voor de knieën van mijn spijkerbroek, en in de dagen daarna borduurde ik er mijn eigen ontwerp op: een kampvuur met oranje en gele vlammen, bruine houtblokken en witte sterren als sneeuwvlokken erboven. Bea kwam zo nu en dan over mijn schouder kijken en zei zelfs een keer: 'Dat heb je snel onder de knie gekregen!' Tijdens het naaien laaide mijn woede op, kwam tot bedaren en laaide weer op, om uiteindelijk uit te monden in een plan. Als zij niet terugkwam, moesten we haar gaan zoeken.

Ditmaal vond ik de buitenste envelop van mama's brief bij toeval. Hij zat in de afvalbak in de keuken en ik zag hem toevallig toen ik er sinaasappelschillen in gooide. Ik streek hem glad en bekeek hem aandachtig. Ook hier stond een stempel op van Kleena Kleene, maar verder niets.

De eerste dag dat ik mijn spijkerbroek met de stukken erop naar school aanhad, ging ik in de pauze naast Vern op de schommel zitten.

'Ga je ergens naartoe met Kerstmis?' vroeg hij.

'Nee. Jij wel?'

'Misschien ga ik wel naar mijn moeder.'

'Gaaf. Waar woont ze?'

'Nistsun Lake. Weet je waar dat is?'

Ik knikte. We schommelden in lome halve cirkels, met onze voeten op de bevroren grond.

'Wat heb je op je knie?' vroeg hij vooroverbuigend. Hij zei niets, tikte alleen tweemaal met zijn wijsvinger op mijn knie en toen de bel ging, slenterde hij terug naar school.

Na school had ik twee dingen te doen. Ik ging naar de bank en opende een rekening. Mijn eerste storting bedroeg twintig dollar. Daarna ging ik naar het Esso-station aan de hoofdweg. Binnen zat een man op zijn knieën een schap met kwartliterflessen olie bij te vullen.

'Bent u de manager?' vroeg ik.

'Wie wil dat weten?'

'Ik. Ik zoek werk. Ik kan tanken en afrekenen, en ik weet hoe ik olie moet controleren en water moet bijvullen.'

'Geef me die doos eens aan, als je wilt.' Hij gebaarde naar een doos op de toonbank en ik pakte hem op en zette hem naast hem neer.

Hij haalde een zakmes uit de zak van zijn overhemd en sneed de bovenkant open. 'Ben je te vertrouwen?'

'Ik bivakkeer hier in de stad en ik ben heel verantwoordelijk,' zei ik.

'Hoe oud ben je?'

'Dertien,' jokte ik.

Hij hees zich overeind. Hij had een dikke buik onder zijn Esso-shirt. Hij stak zijn hand uit. 'Bob,' zei hij en we schudden elkaar de hand. 'Ik kan wel wat hulp gebruiken in de kerstperiode. Ik zal het even met je aankijken. Je krijgt twee weken proeftijd om te laten zien wat je kunt.'

'Twee weken is prima,' knikte ik. 'Ik kan vandaag beginnen als u wilt.'

Bob keek de winkel rond. Het rook er naar motorolie en chocoladerepen. 'Moet je niet iemand laten weten waar je bent?'

'Ik zou kunnen bellen.'

Toen rinkelde het belletje van de benzinepomp. Bob keek naar buiten, waar met ronkende motor een grote Chrysler stond.

'Oké,' zei hij. 'Je kunt met hem beginnen. Hij tankt maar voor een paar dollar, maar hij wil dat je zijn oliepeil controleert, dat zijn voor- en achterruit worden gezeemd en soms vraagt hij zelfs of je zijn bandenspanning controleert.'

Verns oom werkte voor de hoofdwegen en kwam ongeveer twee-maal per week langs om te tanken. De eerste keer dat ik hem zag, vulde ik zijn tank bij en gluurde ik over de rand van de achterbak. Er zaten zakken zand in, een groot stuk opgevouwen zeil, touw, een stel bijlen in een emmer, een schop, een reserveband en een grote houten kist, vergrendeld met een hangslot.

'Jij bent Maggie, is het niet?' vroeg hij toen hij uit de cabine stapte. Twee lange vlechten met dunne kwasten bungelden over de voorkant van zijn geruite jack.

'Ja.'

'Ik ben Leslie. Oom Leslie, Verns oom. Hij heeft me over je verteld.'

Ik glimlachte, hing de slang terug en draaide de benzinedop vast.

'Zal ik uw olie controleren?'

'Goed idee,' zei hij. 'Ik hoorde dat je uit Duchess Creek komt.'

Ik knikte.

'Kom maar een keertje eten, als je wilt. Ik kan lekker koken.'

'Oké,' zei ik. Ik controleerde de peilstok. 'Er kan wel een kwart-litertje bij.'

Nu ik mijn eigen geld verdiende, kocht ik zo nu en dan etenswaren, onder het mom dat ik Bea niet tot last wilde zijn als ik na etenstijd thuiskwam van mijn werk. Ik ging langs de Safeway en kocht stoof-pot in blik, instant aardappelpuree, blikjes gekruide ham en sinaas-appels. Als ik mijn mandje vulde met etenswaren, stelde ik me graag voor dat ik insloeg voor een tocht door de wildernis. Ik zou pakjes instant havermout nodig hebben en suiker en thee. Maar die kocht ik nog niet, omdat Bea dan vragen zou gaan stellen.

Op een dag zei iemand achter me bij de kassa: 'Echte aardappels zijn praktisch net zo snel klaar.' Het was oom Leslie. Hij had een karlading vol: een gezinspak meel, havermout, aardappels, uien, wortels en tomaten.

'Je zou een keertje komen eten. Misschien kunnen we beter een dag afspreken. Wat dacht je van morgen?'

'Oké,' zei ik.

'Kom na school maar met Vern mee. Wel eerst aan mevrouw Edwards vragen, hoor.'

Het sneeuwde toen Vern en ik de volgende dag de heuvel op liepen naar het woonwagenpark. Er dwarrelden grote vlokken sneeuw in de lucht die door de wind werden opgenomen en nooit leken te vallen.

'Volgens oom Leslie heb je vast heimwee,' zei Vern. 'Hij maakt reepeper.'

'Echt?' zei ik, zo geestdriftig dat ik me schaamde. Ik probeerde een nonchalantere toon te vinden. 'Ja, reepeper, dat aten we vaak.'

'Ben je weleens op jacht geweest?'

'Niet echt, niet met een geweer, bedoel ik. Jij wel?'

'Ja. Maar ik vind het niet zo leuk. Ik bedoel, ik vind alles leuk, behalve het doden. En daar gaat het juist om bij de jacht, hè?'

Ze woonden in een mooie witte caravan met een erkerraam aan de zijkant. Er lag een cederhouten veranda voor met twee houten ligstoelen erop, bedekt met een dun laagje sneeuw.

'Kom erin,' zei oom Leslie toen Vern de deur opendeed. 'Trek je laarzen maar uit, dan pak ik een paar mocassins voor je. De vloer kan wat koud aanvoelen.'

De caravan rook naar stoofpot en een vleugje rook van het houtvuur. Naast een zwart houtfornuis lag het brandhout netjes opgestapeld.

'Denk je dat deze je passen?' Oom Leslie hield een mocassin bij mijn voet. 'Zo te zien is dit de goede maat.'

Ik trok ze aan. 'Precies goed,' zei ik. 'Dank u wel.'

Ik was nog nooit in een caravan geweest, behalve in zo'n kleine die je achter een auto haakt. Deze was volgens mij groter dan het huis van de Edwards.

Oom Leslie maakte drie bekers warme chocolademelk uit een pakje, met water uit een ketel die stond te dampen op het kleine houtfornuis. Daarna spoelde hij de lepel om, droogde hem af en borg hem op. Ik ving een glimp op van de binnenkant van het kastje, keurig ingeruimd met pakjes en dozen op de ene plank, blikken op de andere en potten ingemaakte vruchten en zalm op de derde. Er hing een paar ovenhandschoenen aan een rekje bij het fornuis, naast een soeplepel, een schuimspaan, een bakspaan, een vork met een lange steel en een rijtje steelpannen in verschillende maten. De messen zaten veilig opgeborgen in een houten blok op het aanrecht, van groot naar klein, naast een serie grote potten met etiketten waarop met keurige letters MEEL, RIJST, SUIKER, THEE en KOFFIE stond. Op een uitgespreide vaatdoek op het aanrecht lagen andere, schone potten en deksels te drogen, zonder etiketten. Op de vensterbank boven de gootsteen stonden vier plantjes. Een ervan herkende ik als peterselie. Mijn ogen gleden over de laden naast de koelkast. Ik had veel zin om er een kijkje in te nemen. De ordelijke netheid die bij de Edwards zo verstikkend werkte, was hier juist prettig en gezellig.

Oom Leslie kwam bij ons zitten om de chocolademelk op te drinken. Hij stond eenmaal op om het fornuis op te porren.

'Het hert dat we vanavond eten heb ik in het najaar in de buurt van Duchess Creek geschoten,' zei hij.

Ik knikte en nam een slokje.

'Oké, werk aan de winkel.' Hij stond op en zette zijn vuile beker op het aanrecht.

Vern en ik zaten te kaarten terwijl de geur van gebakken broodjes de woonwagen begon te vullen. Telkens wanneer oom Leslie het deksel van de pan nam, wasemde de doordringende geur van de reepeper op. Ik wierp steelse blikken op hem zoals hij daar stond te koken, gehuld in een schort en met zijn vlechten in zijn shirt gestoken. Hij floot een deuntje en rammelde met de potten en de pannen. Naast de kruidige aroma's rook ik nog iets zoetigs.

Toen het eten bijna klaar was, riep hij Vern om de tafel te dekken.

'Ik help je wel,' zei ik.

'Graag, want het is heel veel werk,' zei Vern glimlachend.

Oom Leslie zette de pot reepeper op tafel, met een dampende schotel spinazie, gebakken aardappels, een mandje verse broodjes en een schaaltje boter ernaast.

'Oom Leslie denkt dat je te veel junkfood eet,' zei Vern.

'Meisjes van jouw leeftijd hebben ijzer nodig,' zei oom Leslie. 'Spinazie, bijvoorbeeld. Daar zit heel veel ijzer in.'

'Mijn moeder kookte weleens brandnetels,' zei ik.

'Goed zo, dat is nog beter. Alleen wel veel werk om te plukken.'

'Ik deed het met mijn vaders werkhandschoenen.'

'Je moet ze tweemaal koken om de prik eruit te halen.'

'Mevrouw Edwards wil dat soort dingen niet eten. "Onkruid," zegt ze. "Straks is het giftig."'

Oom Leslie moest lachen toen ik haar stem nadeed.

'Tuurlijk,' zei Vern. 'Stel dat je dood neervalt, wie moet dan het vuilnis buiten zetten?'

Toen we klaar waren met de reepeper, zette oom Leslie schaaltjes appelkruimeltaart met vanille-ijs voor ons neer. 'Ik zou best eens willen weten hoe het klinkt als jullie tweeën mij nadoen,' zei hij.

HOOFDSTUK 14

We kwamen pas na drie maanden te weten dat mama ons geen geld meer stuurde. Om de een of andere reden had Bea besloten dat voor zichzelf te houden. Ik kan er niet de vinger achter krijgen waarom dat was, of ze eraan gewend was geraakt om ons in huis te hebben, of dat het geld van minder belang was geworden nu Jenny en ik allebei een baantje hadden gevonden. Misschien was het medelijden, wie weet. Er gebeuren wel vreemdere dingen.

De laatste brief was kort voor Jenny's veertiende verjaardag gekomen, in mei. Mama schreef dat ze ziek was geweest. Ze zei niet waar ze was of wat ze deed. Op de envelop, die ik zelf uit de postbus had gehaald, stond het adres in andermans handschrift: kleine, strakke letters waarvan ik aannam dat ze van een man waren. Ik kon het stempel op de postzegel niet lezen, maar het zag er niet uit als Kleena Kleene.

Ik kan niet zeggen dat het ons zorgen baarde dat mama ziek was. Het drong amper tot ons door. We vatten het op als iets wat je in een brief schrijft om hem persoonlijker te maken, maar waarmee je eigenlijk iets achterhoudt. In dit geval dat ze voorlopig niet terugkwam en niet wilde zeggen waarom.

Jenny stak de twintig dollar die mama had gestuurd in haar zak. Om haar verjaardag te vieren ging ze met haar vriendinnen Tracy en Lila en Tracy's broer naar *The Poseidon Adventure* in de Starlight drive-inbioscoop.

Ted en ik zaten aan tafel een spelletje canasta te doen toen ze opgewonden thuiskwamen. Ze hadden afgesproken dat ze alleen iets mochten zeggen als het een tekst uit de film was.

'Extreem links,' zei Jenny en ze duwde Lila onze slaapkamer in.

'Je gaat de verkeerde kant uit, verdomme,' zei Tracy.

'Dat is onze enige kans!'

'Zet koers naar de keuken en pak een stuk taart,' riep Bea.

'Ze heeft gelijk. Daar is de uitgang.'

Ze kwamen aan tafel zitten met een stuk taart, deden uitgebreid verslag van de film en verdwenen even later met flesjes oranje priklimonade naar onze slaapkamer. Toen ik later die avond ging slapen en Jenny onbeheerst zat te giechelen, hoorde ik dat Tracy's broer een scheutje lemon gin in hun limonade had gedaan.

Tegen de zomer had Bea andere dingen aan haar hoofd dan geld. Op een avond kwam ik ongeveer een uurtje na etenstijd thuis van het benzinestation. Een stel buurjongens sprong joelend in en uit de sproeier die over het droge, zonovergoten gazonnetje voor hun huis zwenkte. De sproeier wierp een regenboog op in de lucht en erachter zat een man rokend op zijn stoepje naar de jongens te kijken. Hij stak zijn hand naar me op en ik zwaaide terug. Het was een warme avond en Bea had de verandadeur opengelaten en de ventilator in de woonkamer aangezet, waardoor de bedompte hamburgerlucht naar buiten zweefde. Ik had geen zin om dat hete huis binnen te gaan. Ik zou snel iets eten en dan een eind langs de rivier gaan lopen voordat het donker werd.

'Daar ben je eindelijk!' zei Bea zodra ik een voet binnen zette.

De borden stonden nog schoon op tafel.

'Ik was op mijn werk,' zei ik. 'Ik ben niet te laat thuis.'

'Zei ik soms dat je te laat thuis was?' Ze kwam woest met haar theedoek zwaaiend op me af. Ik deinsde achteruit; ik kende Bea's driftbuien intussen wel. Ze kon elk moment gaan schreeuwen en dat gebeurde dan ook. 'Ga Ted zoeken! Wat bezielt die man in godsnaam? Ik heb verdorie elke dag op tijd het eten op tafel staan. Het zal jullie wel ontgaan, maar ik probeer enige regelmaat in dit huishouden te brengen. Niet dat het jullie wat uitmaakt. Jullie komen en gaan verdomme naar believen…'

Bea hoefde me niet te vertellen waar ik hem moest zoeken. Ik ging naar het Maple Leaf Hotel, waar Ted zijn dagen doorbracht in het spelonkachtige schemerduister van de stinkende, raamloze pub. Ik passeerde Francie's Famous Bakery, waar altijd de geur van versgebakken brood hing, die me deed denken aan de zomer in de blokhut aan het Dultso Lake. En ik passeerde de drie dronken mannen die op de stoep voor de drankwinkel rondhingen en me liefje noemden als ze om geld bedelden.

Ik was nog een half blok van de pub verwijderd toen ik hem zag, onderuitgezakt in zijn rolstoel aan de kant van de weg. Ik nam aan dat hij dronken was, hoewel hij zelden zichtbare tekenen van dronkenschap vertoonde. Zo nu en dan viel hij in de pub in slaap en dan belde de eigenaar, meneer MacNeil, naar huis om te vragen of ik hem kon komen halen.

'Ted!' riep ik.

Hij reageerde niet. Toen ik dichterbij kwam, zag ik dat hij baadde in het zweet. Er hing een druppel aan zijn neus die elk moment kon vallen. Zijn ogen waren half gesloten.

'Ted!' zei ik en ik schudde hem bij de schouder. Hij kromp ineen. De druppel zweet belandde op zijn overhemd.

'Mag,' fluisterde hij. 'Je kunt me beter naar huis brengen.'

Ted had maagkanker.

'Ik heb hem gezegd waar het op uit zou draaien,' hoorde ik Bea door de telefoon tegen haar zus zeggen. 'Je kunt niet ongestraft zoveel alcohol in je lijf pompen.' Toen begon ze te huilen, probeerde een Kleenex onder haar bril te proppen, maar moest hem afzetten. 'Ze geven hem morfine, tegen de pijn.' Ze zei het meelevend en hield het woord morfine wat langer aan.

Bea liet zich echter niet kisten door haar ellende; ze kreeg er energie van. Ze prakte appels tot moes voor Ted. Ze kookte runderschenkels, voegde er wat kool en wortelen aan toe en bracht de bouillon in een thermosfles mee naar het ziekenhuis. 'Hij krijgt daar bouillon uit een pakje,' zei ze minachtend. 'Hoe kun je daar nu beter van worden?'

Ze nam schone pyjama's en een stapel *National Geographic*s voor hem mee, liet ze daar een paar dagen achter en wisselde ze dan om voor nieuwe. We wisten niet of Ted ze las. Hij zat meestal naar het tv'tje te kijken, met zijn neus bijna in het scherm, doezelde weg en kwam weer bij op de eb en vloed van de morfine. Maar het ging er niet om of Ted ze las of niet; Bea wilde het bedroefde model-vrouwtje uithangen. Haar inspanningen leverden haar vriendelijke klopjes op de arm op van de verpleegkundigen in het ziekenhuis, troostende woordjes van de kruidenier en late telefoontjes van haar zus. Eindelijk had haar leven zin gekregen.

Ik wist zeker dat al die bezorgdheid van mij ongeluk bracht. Ik had er nog nooit iemand mee gered. Integendeel zelfs, het leek wel of iedereen om wie ik gaf een voor een onder de vloek van mijn be-zorgdheid bezweek en werd weggenomen. Daarom nam ik me hei-lig voor om me niet langer ongerust te maken om Ted.

Na school ging ik bij hem op bezoek. Hij was wakker en speelde patience op het tafeltje dat onder zijn kin geschoven zat.

'Mag!' zei hij. 'Kom zitten. Ik heb hier geen ene moer te doen.'

'Wil je een spelletje canasta doen?'

'Pak het andere kaartspel maar uit de la.'

Ted schudde de kaarten en begon te delen. Hij zag er anders uit in het ziekenhuisbed, kleiner en ouder. In het lichtblauwe zieken-huishemd dat losjes om zijn hals hing staken zijn sleutelbeenderen uit en tekenden de blauwe aderen in zijn hals en de bijna doorzich-tige huid in het holletje van zijn keel zich duidelijk af. Hij was on-geveer vijftien kilo afgevallen volgens Bea's telefonische verslagen en leed continu pijn. Maar vandaag was hij in elk geval wakker.

We speelden, de kaarten ritselden zachtjes op het tafelblad. Ted ging om de paar minuten verzitten en ik zag zijn gezicht vertrekken van pijn. Hij probeerde het te verhullen.

Na een poosje zei hij: 'Als je wilt, vertel ik je wat ik nog weet van je vader.'

Ik knikte.

'Ik leerde Patrick kennen in 1957, geloof ik dat het was. Hij vertelde me dat hij op zijn twintigste vanuit Noord-Ierland naar de Verenigde Staten was gekomen. Het boterde niet tussen zijn vader en hem. Zijn vader dronk, begreep ik, en die man kon aardig doorslaan als hij er eentje te veel op had. Werken deed hij ook niet vaak. Het klonk alsof ze amper hun hoofd boven water wisten te houden. Toen Patrick oud genoeg was, sloot hij zich aan bij de RUC. Weet je wat dat is?'

'Papa zei dat hij vroeger politieagent was geweest.'

'Dat klopt. De Royal Ulster Constabulary. Een soort kruising tussen een politiekorps en de grensbewaking. Het was een goedbetaalde baan, maar er zaten weinig katholieken in het korps. Patricks vader werd woest toen hij erachter kwam. Zij waren katholiek, natuurlijk.' Ted zweeg en legde twee achten neer om zijn eerste canasta te maken. 'Dat was mazzel,' zei hij.

'Mijn moeder is ook van Ierse afkomst,' vervolgde hij. 'Wij Ieren hebben een geheugen als een ijzeren pot en we koesteren onze wrok als geen ander. Ik weet niet precies waar je vader woonde, maar zijn ouweheer vond het een rotstreek dat hij zich aansloot bij de RUC. Zei dat ze Patrick nooit zouden accepteren omdat hij katholiek was. Patrick kon hem heel grappig imiteren, met zijn Ierse accent. "Je bent een overloper geworden, mijn eigen zoon. Wie had dat ooit kunnen denken? Onder één hoedje spelen met die vuile protestanten." Nou ja, ik kan het niet nadoen.

Maar het probleem was, zei Patrick, dat zijn vader gelijk had. Eerst kwam het gejouw, toen de beschimpingen. Een van zijn collega's begon elke shift met de groet: "Voor God en voor Ulster." Op een dag stond er iets lelijks op Patricks kluisje gekalkt. Hij wilde niet dat iemand het te weten kwam, vooral zijn vader niet, en dus inde hij zijn laatste looncheque en kocht hij een ticket naar de Verenigde Staten. Hij vertrok zonder van iemand afscheid te nemen. Hij kon het niet opbrengen om het zijn moeder te vertellen. Ik kan me voorstellen dat hij zich daar schuldig over heeft gevoeld tot op de dag van zijn dood. Ik denk dat je moeder dat verhaal wel kent. Toen hij je moeder leerde kennen, zei hij dat ze dat met elkaar gemeen hadden: ze waren allebei wees.'

Ted kondigde een serie vrouwen aan, dus ik legde een klaverdrie om te voorkomen dat hij de stock afgegooide kaarten inpikte. Ik wist dat papa uit Ierland kwam; hij had een zangerige stem waarmee de anderen hem plaagden. Maar hij sprak er zelden over.

'In een zinnig land als dit kun je je de bitterheid die daar heerst moeilijk voorstellen. Familieleden die slaags met elkaar raken. En dat was in de betere tijden. Tegenwoordig... maar ja, je vader was er al niet meer op Bloody Sunday. Wat moet ik nu afgooien? Wat levert de minste schade op?' Hij legde een hartennegen neer en pakte de stapel.

Hij nam de draad van papa's verhaal weer op. 'In New York kwam hij een vent tegen die naar Oregon ging. Patrick ging met hem mee. Daar heeft hij leren houthakken.'

Ted liet een diepe zucht ontsnappen en ik dacht dat hij me iets ging vertellen wat ik niet zou willen horen. Mijn maag kromp ineen en ik zette me schrap. Maar hij pakte de zoemer om de verpleegster te roepen, liet zich in de kussens zakken en sloot zijn ogen. Hij liet zijn kaarten open en bloot op het tafeltje glijden. Ik schoof mijn stoel naar achteren en schoot naar de deur, maar de verpleegster was al in aantocht.

Ted fluisterde dat het hem speet en ik bleef nog een halfuurtje bij hem zitten, totdat hij wegzonk in de verlichting van de morfine. Toen borg ik de kaartspellen weg in de la en glipte ik naar buiten.

HOOFDSTUK 15

Dat najaar, toen Ted aan allerlei slangetjes en buisjes in het ziekenhuis op sterven lag, bouwden Vern en ik een boomhut in het bos. Vern verzamelde restjes timmerhout op het woonwagenterrein en ik nam hamers, spijkers en een zaag mee uit de kelder van de Edwards. We bouwden een platform tussen drie espen. Elke keer als we er naartoe gingen en in het citroengele licht van de geurende bomen zaten uit te rusten na het werk, bedachten we iets nieuws om eraan toe te voegen: een wand om tegenaan te leunen, een raam, een touwladder, toen een echte ladder. We hadden geen dak nodig, want het bladerdek van de espen vormde een gouden baldakijn dat om ons heen wapperde als vlaggetjes in de wind. De wiegende bladeren wierpen schaduwpatronen in het zonlicht op de ruwhouten vloer van ons fort. Zelfs in de natte sneeuwbuien van de herfst waren we beschermd; de natte vlokken tikten een zacht wijsje op de bladeren. Als we lang genoeg bleven, werden we uiteindelijk toch nat, maar het was het waard in het centrum van dat geluid te zitten.

'Als je blind bent,' zei Vern, 'denk ik dat je de namen van de bomen kunt leren door goed naar ze te luisteren in de wind.'

Er zweefde een arend boven de bomen, die landde op een sparrentak vlak bij ons fort. Hij was een vaste bezoeker. Vern en ik hadden hem al vaker gezien.

'Volgens mijn oma moet je iemands naam noemen als je een arend ziet, want dan hoort diegene je stem, waar hij ook is.'

'Ted!' riep ik uit.

Vern deed mee. 'Ted! Ted! Ted!'

De arend sloeg zijn enorme vleugels uit en steeg ruisend op. We keken hem na in de richting van de heuvel, waar het ziekenhuis lag. Vern en ik keken elkaar grijnzend aan.

Toen alle bladeren boven ons fort waren afgevallen, timmerden we een afdakje om uit de wind te kunnen zitten. We gingen er nog steeds na school naartoe als ik niet hoefde te werken, om met onze rug tegen de wand van de laatste zonnestralen te genieten.

'Hoe gaat het met Ted?' vroeg Vern op een vrijdag.

'Hij houdt maar vol. Dat zegt Beatrice tenminste.' Ik sprak haar naam lijzig uit. Ik had geen idee hoe het met Ted ging. Hij was meestal volledig gedrogeerd als ik op bezoek kwam, omdat ze, aldus Bea, de dosis morfine hadden verhoogd.

'Kun jij vlechten?'

'Ja, hoor. Ik vlecht Jenny's haar weleens.'

'Ik wil mijn haar vlechten.'

'Het is bijna lang genoeg. We kunnen oefenen met twijgjes.' Ik pakte mijn zakmes. 'We hebben drie dunne takjes nodig.'

'Kunnen we niet met jouw haar oefenen?'

Mijn ogen ontmoetten die van Vern. Hij glimlachte. 'Mijn haar is niet lang genoeg,' zei ik, ook met een glimlach.

Hij liet zich omlaag glijden langs de touwladder die we nog steeds gebruikten, al hadden we een stevige houten ladder gebouwd, en ging op zoek naar drie smalle groene scheuten. Hij klauterde weer naar het fort.

'Oké, het is heel gemakkelijk.' Ik legde de twijgjes voor me neer op de planken. 'Je legt deze kruiselings over de middelste. Dan deze daar overheen en zo ga je verder.' Mijn vingers bewogen langs de twijgjes omlaag tot ze in een rommelige vlecht zaten.

'We hebben iets dunners nodig.'

We haalden de veters uit Verns gymschoenen en uit een van de mijne en ik liet Vern zien hoe je een mooie, regelmatige vlecht maakt. Ik haalde hem los en hij oefende met de schoenveters tot hij het kon.

'Dit is een eitje,' zei hij. 'Maar kan het ook met mijn haar?'

'Amper,' zei ik. 'Het moet echt nog een beetje groeien.'

Vern stak zijn hand in de zak van zijn spijkerbroek en viste er een smalle, zwarte kam uit. Hij stak hem mij toe. Ik ging achter hem zitten en stak de kam voorzichtig in zijn haar. De raven krasten rumoerig in de bossen en schoten in een wirwar van zwarte vleugels vechtend uit de bomen.

Ik stak de kam zachtjes wat hoger in zijn haar en begon bij zijn voorhoofd.

'Je hebt dik haar.'

'Weet ik.'

Toen ik Verns haar uitkamde, verwarmde zijn rug mijn benen op de plek waar hij tegen me aan leunde. Ik snoof de geur van shampoo op.

'Niet bewegen,' zei ik en ik hield hem bij zijn schouder vast. Hij voelde warm en stevig aan.

'Denk je er weleens aan om je moeder op te zoeken?'

'Mijn moeder? Daar denk ik weleens aan,' zei ik, 'maar ik weet niet waar ze is.'

'Ik dacht dat ze als kokkin in een houthakkerskamp bij Kleena Kleene werkte.'

'Ik geloof niet dat ze daar nog is. Ze zal binnenkort wel schrijven om ons te laten weten waar ze zit.'

'Ik denk dat ik mijn moeder ga opzoeken,' zei Vern. 'Ik kan gaan wanneer ik maar wil.'

Ik verdeelde zijn zachte haar in drieën en begon te vlechten, stevig trekkend om het zo strak mogelijk te doen.

'Lukt het?' vroeg hij.

Ik lachte. 'Het wordt een echte vlecht, maar wel kort.'

We hoorden een hoge fluittoon boven ons hoofd en Vern wees op de arend, die in een wijde boog op ons afvloog. Hij landde in de top van de zilverspar en keek uit over de bomen, alsof hij ons met opzet negeerde. Vern keek over zijn schouder om me aan te kijken. Hij glimlachte.

'Hé, niet bewegen. Ik ben nog niet klaar,' zei ik.

'Dat is een goed teken, weet je,' zei hij. 'Ik denk dat het betekent dat het goed is dat ik mijn haar vlecht als een indiaan.'

'Geef je schoenveter eens aan,' zei ik.

'Mijn schoenveter?'

'Ik moet hem vastzetten.'

Hij reikte hem me aan en ik zette zijn vlecht vast.

'Gaaf.' Hij wiebelde met zijn hoofd en raakte de vlecht zachtjes aan. 'Ik hoop dat hij blijft zitten.'

'Je moet je haar vlechten als het nat is. Dat doet Jenny ook.'

We keken naar de arend toen hij opsteeg en zich hoog boven de bomen liet meevoeren op de thermiek. Ik dacht dat de arend ook een teken was voor mij, maar dat zei ik niet tegen Vern. Misschien was het een teken dat Ted beter zou worden. Of misschien had mijn moeder me horen roepen. Misschien was ze uien aan het snijden in de een of andere tijdelijk opgeworpen blokhut of noodkeuken en waren de tranen haar in de ogen gesprongen. Misschien had ze op dat moment haar mes op de snijplank laten rusten en had ze opgekeken, met gespitste oren om mijn stem te horen. Maar toen herinnerde ik me weer dat mama niet haar echte naam was. Als ik haar wilde roepen, moest ik haar Irene noemen.

'Ik ga vanavond liftend op weg naar mijn moeder,' zei Vern plotseling. 'Wil je mee?'

'Vanavond? Dat mag niet van Bea, dat weet ik nu al.'

'Vraag het dan niet. Ik zeg ook niets tegen oom Leslie. Ik ga gewoon.'

'Ik weet het niet,' zei ik. Ik wilde Ted liever niet alleen laten, maar ik wilde me geen zorgen maken. Ik mocht me geen zorgen maken. 'Niet de beste tijd van het jaar om te gaan liften.'

'Dat is waar. Nou ja, misschien ga ik toch,' zei hij. 'Ik kijk wel.'

Op maandag was Vern op school. Hij was nergens heen gegaan. Maar het was belangrijk om het van plan te zijn, dat wist ik. Een paar dagen later was ik jarig. Ik had op een brief van mama gehoopt, maar er kwam niets en zelfs Bea maakte er geen enkele opmerking over. Jenny bakte een chocoladetaart en spoot er met geel suikerglazuur een grote 13 op. Ze versierde de taart met dertien gele kaarsjes. Ik blies de kaarsjes uit in de keuken met het licht uit en Bea knipte de tl-buis boven de gootsteen aan, zette haar handen in haar zij en verzuchtte: 'Tja!'

Jenny klapte in haar handen en zei: 'Maak je cadeautje open!'

Tijdens het uitpakken trok er een golf van misselijkheid door me heen: dit klopte niet, het kon niet kloppen zonder mama en dat wisten we allemaal.

'Mocassins,' zei ik. 'Dank je wel.' Het waren met bont gevoerde pantoffels met een glinsterend geborduurde bloem op de voorkant. Ik hield ze tegen mijn neus om de rokerige bruine huid te ruiken.

'Ben je er blij mee? Verns oom heeft ze voor ons gekocht bij een mevrouw in het reservaat,' zei Jenny.

'Ze zijn schitterend,' zei ik. Dat meende ik ook, maar ik kon niet verhelpen dat mijn stem teleurgesteld klonk.

'Taart!' zei Jenny. 'Wie heeft er zin in ijs?'

Twee dagen later was ik bij het benzinestation, met de capuchon van mijn parka strak dichtgetrokken om mijn gezicht te beschermen tegen de gure wind. Ik tankte de truck van mevrouw Gustafson vol en gluurde zoals gewoonlijk over de rand van de bak: twee zakken zand, een reservewiel, een stuk ketting. Ik zag Jenny haastig over de weg naar me toe komen, met haar nylonkousen in witte gympen gestoken en haar jas los over haar uniform van Franks kip- en pizzatent.

Haar gezicht was rood van de kou. 'Ted is dood,' zei ze en toen moesten we allebei gek genoeg een beetje grijnzen. 'Nee, echt, Mag, hij is een uurtje geleden gestorven. Bea wil dat we thuiskomen.'

Ik draaide de benzinedop van mevrouw Gustafsons truck stevig vast. Jenny en ik bleven elkaar voor mijn gevoel een hele poos aankijken. 'Ik kom na mijn werk,' zei ik ten slotte.

'Zeker weten?'

Ik knikte.

'Goed dan. Ik ga nu meteen naar huis.' Ze trok haar jas dichter om zich heen en draaide zich om om weg te lopen. Ze aarzelde. 'Hé… je weet wel. Kijk uit en zo.'

'Wat bedoel je?'

'Ik weet het niet.' Ze keek om zich heen naar het benzinestation. 'Geen lucifers aanstrijken of zo.' Toen rende ze weg en het waaide zo hard dat de wind een scheiding in haar dikke, donkere krullen blies.

Ik nam het briefje van twintig van mevrouw Gustafson aan, stopte het in de kassa en ging terug met het wisselgeld. Ik bleef op het pompeiland staan, liet de wind aan mijn kleren rukken en tuurde naar de wielen van de truck toen ze wegreed.

Na de begrafenis zei Jenny: 'Dat was onze derde nare gebeurtenis. En het valt wel mee. Ik bedoel, ik vind het erg dat hij dood is, maar niet zo heel erg. Ik kende hem niet goed genoeg om het heel erg te vinden. Jij wel, geloof ik, dus voor jou is het erger. Maar het punt is dat onze derde gebeurtenis niet zo heel verschrikkelijk is. En nu hebben we het achter de rug en zijn we veilig.'

Ze wachtte tot ik iets terug zou zeggen. We waren in onze kamer om onze nette kleren uit te trekken. Beatrice had voor ons allebei een zwarte rok met een zwarte trui en een maillot gekocht. Ze waren nog nooit gewassen en de geur van nieuwe kleren vermengde zich met die van het zweet dat ons was uitgebroken in die volle kerk, omringd door vreemden die kennelijk dachten dat we hun troost nodig hadden.

'We moeten haar eigenlijk gaan zoeken,' zei Jenny.

'Zij is de moeder. Zij zou óns moeten zoeken.' Ik zei het zonder

nadenken, maar later dacht ik dat ik er al heel lang mee had rond-
gelopen, anders was het er niet zomaar uitgefloept.

Jenny zei: 'Wat ben jij toch een rotzak, zeker voor een meisje.'

HOOFDSTUK 16

Dat voorjaar, toen het smeltwater van de dakranden sijpelde en de geur van natte, kale grond opsteeg in de avondlucht, zat ik op mijn bed mijn huiswerk te maken voor maatschappijleer. Bea hing in de keuken met haar zus aan de telefoon.

'Het gaat me niet om het geld,' hoorde ik haar zeggen. 'Ik heb voldoende aan Teds pensioen. Maar we hebben al maanden niets gehoord. Het is alsof ze van de aardbodem is verdwenen.'

Stilte.

'Ik ken niemand die haar kent. Ted kende alleen Patrick. Ik ben geen moeder, maar...' Ze liet haar stem dalen tot een zacht gemompel, dat gevolgd werd door een lange stilte.

Het smeltwater stroomde van de dakranden met één aanhoudende toon. Mijn blauwe potlood krabbelde er zachte achtergrondmuziek bij toen ik de Hudson Bay inkleurde op mijn kaart van Canada. Uiteindelijk zou alle sneeuw gesmolten zijn en dan zou de toon veranderen en wegsterven.

Bea's stem klonk luider. 'Dat zou kunnen, ja. Er kan van alles gebeurd zijn, natuurlijk.' Ze liet haar stem weer dalen, te zacht om hem te kunnen horen. Dan: 'Zo is het hier niet. Niet als je niet gevonden wilt worden.'

Bea kon uren doorkletsen. Ze kon oeverloos ergens op doorgaan en weer van voren af aan beginnen zodra er een ander onzinnig idee bij haar opkwam. Ik zette de radio aan die Jenny zichzelf cadeau had gedaan. Elton John zong *Crocodile Rock* en ik zette hem harder. Een paar minuten later hoorde ik het bonken van Jenny's schoenen toen ze ze een voor een uitschopte bij de voordeur. Ze gooide de slaapkamerdeur open en bracht de frisse lentegeur mee naar binnen. En iets anders. De scherpe geur van wiet.

Ze smeet haar boeken op het bed, wierp haar hoofd in haar nek en zong luidkeels mee met de la-la-la's.

'Waar zat je?' vroeg ik.

Na een klopje op de deur kwam Bea binnen. Dat deed ze altijd, even kloppen zonder ons de tijd te geven om te reageren en dan binnenkomen.

'Waar zat je?' Haar stem klonk speelser dan de mijne.

'Ik was met Brian op stap. We zijn naar de Rudy Johnson Bridge gegaan om naar de drijvende ijsschotsen op de rivier te kijken.' Ze gloeide, haar wangen waren vuurrood.

'Malloten,' zei Bea, wrijvend in haar tranende oog. 'Om te gaan kijken hoe het ijs smelt. Niet mijn idee van een leuk afspraakje.'

'Ik zei toch niet dat we keken hoe het smolt,' lachte Jenny. 'Maar ik ben wel half bevroren. Ik heb zin in een warm bad.'

'Jeetje, toch. Bevroren omwille van de liefde,' zei Bea en ze knipperde overdreven met haar wimpers en keek smachtend op naar de hemel. 'Ik zal het bad voor je laten vollopen.'

Het verbaasde me dat ze niets over de lucht in de kamer zei. Zou ze het echt niet geroken hebben?

'Ik hoop niet dat je vergeet dat je je huiswerk nog moet doen,' zei ik toen Bea weg was. 'Het is halftien.'

'Ben jij mijn moeder of zo?'

Ik haatte de klank van mijn eigen stem, de toegeknepen, behoeftige bezorgdheid. Maar Brian was een sta-in-de-weg voor me, voor mijn plan. Als ik er toen over had nagedacht zoals ik nu doe, zou ik geweten hebben dat Jenny's geluk me niet van pas kwam. Het kwam me niet uit dat zij net deed of ons leven doodnormaal was, alsof wij geen kinderen waren met wie volwassenen medelijden hadden, over wie ze klakkend met hun tong achter hun rug kletsten. Ik wilde hun mededogen niet, maar ik zou wel willen dat

Jenny wist dat ze zielig was. Zelfmedelijden is iets wat bij vijftien-jarigen vanzelf hoort te komen. Dat gold echter niet voor Jenny. Jenny was vrolijk, ze was lief en ze was gelukkig.

Vern en ik liepen in westelijke richting over de hoofdweg. De maan vormde een bleke kring, die in de schemerige avondlucht geleide-lijk helderder werd. De weg strekte zich voor ons uit als een vlak, smal lint dat dwars door de dorre velden liep, helemaal tot aan de horizon. Het was voorjaar in Chilcotin, en alles was nog bruin, af-wachtend. Er zat regen in de lucht. De wolken stapelden zich op, paars tegen grijs op donkerblauw.

We liepen naast elkaar, Vern als een zwerver met een kleine plunjezak over zijn schouder. Ik had niets bij me, alleen mijn zach-te blauw-zwarte flanellen jack, de zakken volgepropt met Kleenex, papa's knipmes met het paarlemoeren heft, vier vijgenkoeken en een doosje lucifers. De kikkers kwaakten dat het een lust was, in golven van geluid. Hun koor galmde overal langs de weg op, maar viel stil als onze voetstappen knersten in het grind. Zodra we voor-bij waren begonnen ze weer, met hoge, vrolijke trillers.

Het maakte me niet uit dat er maar twee auto's langsgekomen waren in een uur. Het maakte me niet uit dat we aarzelden toen de eerste auto naderde, ons afvragend wie zijn duim moest opsteken, of we dat allebei zouden doen en of we onze duim werkelijk krom moesten houden alsof we de auto probeerden te vangen in plaats van de chauffeur te laten zien dat we aan het liften waren. We scho-ten allebei in de lach en ik plaste bijna in mijn broek en moest snel de bosjes in rennen. De volgende, een pick-up volgeladen met hooi, nam al gas terug voordat we bijgekomen waren van de eerste. De chauffeur zat met drie passagiers in de cabine gepropt, hief met een verontschuldigend gebaar zijn handen en reed door.

Ik had een licht gevoel in mijn borst, luchtig als het lied van de kikkers. Ik was gelukkig. Blij dat mijn gymschoenen naast die van Vern over deze brede weg knerpten, blij met mijn warme jack, met de opkomende dauw op het veld en de scherpe voorjaarsgeur in de avondlucht.

Mijn schouder botste tegen die van Vern. 'Sorry,' zei ik.

'Kijk een beetje uit waar je loopt, ja!' zei hij. 'Wil je me soms dood hebben? Moet je al dat voorbijrazende verkeer hier zien. Ze rijden hier als gekken.'

Toen verscheen er een paar koplampen achter een heuvel en schoten we opnieuw in de lach.

'Toe nou, Maggie, even serieus,' zei Vern. Hij haalde zijn zaklamp tevoorschijn, ging rechtop staan en keek naar de naderende auto. 'We hebben een lift nodig, anders halen we Nistsun vanavond niet.' Ik ging achter hem staan en we staken allebei onze arm uit; hij keek even over zijn schouder om te zien hoe ik het deed, knikte goedkeurend en keerde zich toen weer naar de naderende koplampen. We staken tegelijkertijd onze duim op.

De auto reed in volle vaart op ons af, met opspattend steengruis. 'Zien ze ons wel?' vroeg ik. Vern schudde met zijn zaklamp. Het licht viel steeds uit. We stonden in het laatste restje troebel daglicht. Ik stapte de berm in, bang dat ik overreden zou worden. De auto week abrupt uit naar de kant van de weg om even verderop met opspattend grind tot stilstand te komen. Led Zeppelins *Rock and Roll* blèrde uit de open ramen. Toen het stof neerdaalde stak een bleke jongen met warrig blond haar zijn bovenlijf uit het raampje aan de passagierskant. Hij liet zijn armen voor het vuile portier bungelen. 'Hé, hebben jullie een lift nodig, man?'

'Ja,' zei Vern. Hij deed een stapje naar voren.

'Waar moet je naartoe?'

'Nistsun Lake.'

'Nistsun?' De jongen grinnikte luid. 'Verdorie, dan moet je nog een eindje.'

De chauffeur leunde over hem heen en riep: 'Je kunt mee tot Duchess Creek.' Vern en ik bukten ons om hem te kunnen zien. Hij nam een flinke teug uit een drankfles, liet zich achterover in zijn stoel zakken en veegde zijn mond af. 'Geloof ik,' voegde hij eraan toe. Ze barstten allebei weer in lachen uit. Mijn hart maakte een sprongetje bij het horen van de naam Duchess Creek. Maar ik dacht er niet over om bij deze twee kerels in te stappen.

'Maak maar een plekje vrij op de achterbank,' zei de chauffeur toen hij uitgelachen was. Het was een zwarte Mustang fastback, waarvan de achterbank bezaaid lag met achtsporenbandjes, opgerolde kleren en dekens en verfrommelde chipszakken.

Vern keek me aan.

'Ik ga nog liever lopen,' zei ik en ik fluisterde niet.

Dat werkte opnieuw op de lachspieren van dat bleke joch. Zijn geschater eindigde in een hoest- en proestbui en hij sloeg met zijn hand op het dashboard. De chauffeur aarzelde, niet wetende of hij beledigd moest zijn of niet, en toen begon ook hij te lachen. Hij had een hoge, meisjesachtige lach en Vern en ik lachten onwillekeurig mee.

'Zij is eerlijk,' brulde de bleke jongen. 'Dat moet je haar nageven. Ze is eerlijk!'

'Weet je het zeker?' vroeg de chauffeur, die de auto alweer in de eerste versnelling zette. 'Het is een eind lopen…'

Vern wuifde hen weg.

'Zeker weten? Laatste kans!' riep de bleekscheet ons nog toe toen de auto de weg weer op schoot.

Vern zette de zaklamp onder zijn kin. Hij verlichtte zijn gezicht. 'Margaret, Margaret,' zei hij in een volmaakte imitatie van Bea. 'Wat ben je toch onbeleefd. En het was ook nog eens een supergave wagen.'

We hoorden een laag gerommel en dachten dat er opnieuw een auto aankwam. Het stierf even weg en toen hoorden we het opnieuw, luider nu en dichterbij.

'Onweer,' zeiden we allebei tegelijk. Ik keek omhoog en zag dat het witte gezicht van de maan deels schuilging achter een kolkende wolkenmassa.

'We krijgen een nat pak,' zong Vern zachtjes.

Een hevige donderslag brak door de avondlucht. In een witte bliksemschicht werden Vern en ik en een stukje van de weg in een flits van licht gezet. Hij greep me bij de arm.

'Kom op, sneller lopen,' zei hij.

Ik lachte. 'Hoezo helpt dat?'

'Hoe sneller we lopen, hoe minder druppels ons raken.'

'Dat is niet waar. Het is eerder het tegenovergestelde.'

'Laten we nu maar opschieten,' zei hij.

'Je bent bang.'

Het rommelde opnieuw en daarop barstte het onweer vlak boven ons los, zo luid dat de grond onder onze voeten trilde. Vern slaakte een gil en zette het op een lopen. Ik moest zo lachen dat ik hem amper kon bijhouden. Zijn schreeuw echode achter hem aan en toen het dikke druppels begon te regenen, spreidde hij theatraal zijn armen uit.

'Wiens idee was dit ook alweer?' riep ik.

'Wie was er zo slim om onze enige lift te weigeren?'

'Van een beetje regen ga je niet dood.'

'Misschien niet. Maar ik ben bang dat ik door de bliksem word getroffen.' Vern beende nu met grote passen langs de berm. 'Als we in die auto zaten, hoefden we ons daar geen zorgen over te maken. Rubber banden.'

'We zouden ons geen zorgen hoeven maken omdat we in een greppel lagen. Lekker laag.'

Ik haalde Vern in en we gingen langzamer lopen. De regen kletterde op ons neer en verkilde ons tot op het bot. Langs de weg was niets anders te zien dan de zwarte, ondoordringbare duisternis. We hadden geen idee hoe ver we uit de buurt waren van een schuilplek. Als we een zilverspar met lage, afhangende takken konden vinden zou het eronder droog genoeg zijn. En dan konden we wat takken op de grond leggen om op te zitten, voor het geval het zou inregenen. Maar dan moesten we ons nog steeds zorgen maken over de bliksem. Ik zag ons ook niet zo snel een vuurtje aanleggen in deze stortbui. Een benzinestation of een restaurant klonk op dit moment een stuk aanlokkelijker. Vern en ik gingen steeds dichter naast elkaar lopen, totdat onze ellebogen tegen elkaar stootten en we steeds sorry moesten zeggen.

Het onweer dreef langzaam over en ik hoorde een ander gerommel.

'Ik geloof dat het nu wel een auto is,' zei ik.

En inderdaad, heel in de verte zagen we een streepje licht, trillend in de regen.

'Ze zien ons vast niet,' zei Vern, maar hij klikte zijn zaklamp aan en stuurde de lichtbundel die kant uit. De lamp viel uit, floepte weer aan toen hij ermee schudde en flikkerde flauwtjes aan en uit. De auto kwam langzaam onze kant uit. Ronde koplampen. Hoog. Een truck. Hij reed voorzichtig. De zaklamp viel weer uit en toen Vern ermee schudde, ging hij niet meer aan.

'Geweldig,' zei hij.

'Het is een truck,' riep ik hard. We zwaaiden met onze armen toen hij dichterbij kwam.

'Een Ford,' zei Vern. 'Oom Leslies truck.'

'O.' Toen hij naast ons tot stilstand kwam, vroeg ik: 'Betekent dat problemen?'

Vern lachte.

Oom Leslie leunde naar opzij en draaide het beslagen passagiersraampje open. 'Kijk eens aan, twee verzopen katten.'

Ik keek naar Vern. Ik was stiekem dolblij om oom Leslie te zien. Vern rukte het portier open.

'Wil jij in het midden zitten?' vroeg hij.

'Ja, tuurlijk,' zei ik, en ik deed mijn best om niet al te enthousiast te klinken.

'Zal ik de verwarming maar aanzetten?' vroeg oom Leslie. 'Jullie zijn drijfnat. Ik moet morgen mijn truck uitwringen.'

Vern sloeg de deur dicht en we zaten binnen. De radiator loeide en de radio speelde *Heartaches by the Number*. Ik zat onbedwingbaar te rillen.

Oom Leslie zat hoofdschuddend achter het stuur en nam een grote bocht om rechtsomkeert te maken.

'Als je naar Nistsun Lake wilt, breng ik je ernaartoe. Maar vanavond niet.' Toen zei hij tegen mij: 'Beatrice belde. Of eigenlijk belde je zus eerst en daarna kreeg ik Bea aan de lijn. Ze is niet al te blij met je.' Hij lachte. 'Dat is wat je noemt zachtjes uitgedrukt.'

Ik knikte, maar ik zei niets. Het enige wat ik wilde was voor eeuwig doorrijden in die truck, met de ruitenwissers op de voorruit in de regen, op de maat van de klaaglijke vioolmuziek op de radio.

In de stromende regen reden we oostwaarts, terug naar Williams Lake. Oom Leslie parkeerde de auto voor de caravan. Buiten brandde een gele insectenlamp. Hij zei tegen mij: 'Ik heb een tip voor je. Ontwikkeld dankzij jaren ervaring. Bel Bea op, zeg dat alles goed met je is en dat je vannacht hier op de bank blijft slapen. Dan breng ik je morgenochtend naar huis. Ze zal morgen nog steeds kwaad zijn, maar niet zo kwaad als vanavond.'

Hij hield zijn hand op de sleutel in het contact en keek me aan.

'Graag,' zei ik en hij glimlachte. Hij zette de motor af en deed het licht uit.

'Oké, dan gaan we op zoek naar een paar handdoeken.'

Ik stond druipend op het linoleum in de keuken en pleegde het noodzakelijke telefoontje. Jenny nam op.

'Maggie, dit overleef je niet,' zei ze enkel.

'Niet overdrijven,' zei ik.

'Nee, Bea, wat heb ik je nu gezegd? Leg dat vleesmes weg! Wat zei je, Maggie?'

'Jenny, wil je tegen haar zeggen dat ik bij Vern blijf slapen? Zijn oom brengt me morgenochtend thuis.'

'Zal ik haar even geven?' vroeg Jenny poeslief.

'Nee.'

'Nou, ze wil jou ook niet spreken. Ze heeft het veel te druk met het slijpen van haar bijl.' Ik hoorde Bea mompelen op de achtergrond. Ik moest onwillekeurig lachen. Ik wist dat dit Jenny's manier was om me te vertellen dat alles in orde was.

'Jij bent gek,' zei ik tegen haar. Dat was mijn manier om haar te bedanken.

Het was schemerig in de caravan, met niets dan de oranje gloed van de gekleurde bollen van de lamp bij de bank. Ik pakte de dweil uit het gootsteenkastje en droogde de plas die ik op de vloer had gemaakt. Oom Leslie gaf me een donzige gele handdoek, een spijkerbroek van Vern, een zacht flanellen shirt en een paar sokken.

'Neem de badkamer maar,' zei hij.

In de badkamer stroopte ik mijn kleren af en wreef mijn verkleumde lijf droog met de handdoek. De warmte stroomde weldadig terug in mijn lichaam, intenser dan ooit, zoals altijd nadat je nat en koud bent geweest. Ik droogde mijn haar en trok de warme droge kleren aan. Vern zat in de woonkamer zijn dunne vlechtje uit te wringen. Oom Leslie bracht ons warme chocolademelk met minimarshmallows erin. We staarden alle drie door het ruitje van het fornuis naar het knapperende houtvuur. In feite was onze avond bedorven, ons avontuur was mislukt en misschien was Vern wel boos, maar daar leek het niet op. Hij blies in zijn warme chocola en nam een slokje. Ik bedacht dat ik het geheim moest houden dat dit het volmaakte einde was van een volmaakte dag en dat ik me in tijden niet zo gelukkig had gevoeld.

Oom Leslie sprak kalm. 'Het is moeilijk als je moeder niet bij je kan zijn. In sommige gezinnen is dat zo. Om allerlei verschillende redenen. Het is niet gemakkelijk voor jullie. Als je vader er niet is, is dat anders. Daar leren we mee te leven. Maar je moeder, dat is het soort verdriet dat nooit verdwijnt. Ik weet wat het is.'

Hij nam een slok chocolademelk. 'Je moet sterk zijn. Stilletjes met haar praten in jezelf. Haar vertellen hoe je je voelt. En denk niet dat het jouw schuld is dat ze weg is. Dat is nooit zo.'

Vern en ik staarden allebei in het vuur en dronken onze warme chocolademelk. De stilte was niet ongemakkelijk. Na een poosje vroeg oom Leslie: 'Veel liften gekregen?'

'De enige auto die stopte, werd door Maggie afgekeurd.'

'Waarom?'

'Die vent was dronken,' zei ik. 'Ik dacht er niet over om in die auto te stappen.'

'Goed zo. Goed zo.'

'Ze zei: "Ik ga nog liever lopen." Zo beleefd ook, midden in zijn gezicht.' Vern gooide zijn hoofd in zijn nek en lachte.

'Jij komt er wel, Maggie,' zei oom Leslie. Hij nam zijn laatste slok chocolademelk en stond op. Ik wist niet precies wat hij bedoelde, maar zijn woorden bleven me bij en ik kon ze altijd oproepen, wanneer ik ze maar nodig had.

Toch gingen we Verns moeder, Jolene, opzoeken. Dat was in mei, ongeveer een maand na ons liftfiasco. Vern nodigde me uit om mee te gaan, op een avond toen ik bij hem was blijven eten en we samen stonden af te wassen.

'We gaan volgend weekend naar Nistsun Lake,' zei hij. 'Wil je mee?'

'Om je moeder op te zoeken?'

'Ik denk dat je haar wel mag. Ze is leuk.'

'Dan moet ik mijn dienst met iemand ruilen.'

'En Bea moet het goedvinden,' zei oom Leslie, die de keuken in kwam.

We vertrokken op een zonnige zaterdagochtend. Bij Duchess Creek zei oom Leslie: 'Je oude jachtgronden, hè Maggie? We zullen hier stoppen om wat frisdrank te halen.'

'Maggie Dillon,' zei oom Leslie tegen de man achter de toonbank toen hij me mijn sinas gaf. 'Ze heeft hier vroeger gewoond.'

'O ja?' zei de man. 'We hebben deze tent net gekocht, mijn vrouw en ik. We komen uit Quesnel.'

We stapten weer in de truck en reden vlak langs de oprit van ons oude huis. De tuin lag er overwoekerd en verlaten bij.

'Weet jij waar Kleena Kleene ligt?' vroeg ik.

'Dat ligt ongeveer twee uur rijden verderop. Maar het stelt weinig voor. Ik zal het je wel wijzen.'

Later, toen oom Leslie gas terugnam en zei: 'Dat is Kleena Kleene,' zag ik niets anders dan een oude blokhut langs de weg met een uithangbord van de posterijen aan de zijwand. Meer huizen waren er niet, alleen een houten hek langs de steengruisweg, met daarachter het bos en dan de bergen. Ik wilde iets tegen oom Leslie zeggen, maar ik voelde me beschaamd. Hoe kon het bestaan dat ik niet wist waar mijn moeder was? Ik had het idee dat de volwassenen die we kenden erover zwegen, omdat zij iets begrepen wat Jenny en ik niet onder ogen wilden zien: dat mama niet gevonden wilde worden.

Zodra we bij het huis van Verns moeder in het reservaat aankwamen, deed ze de deur open en trok ze Vern naar zich toe.

'Hoi,' zei ze en ze wiegde hem in haar armen. Ze keek mij en oom Leslie over zijn schouder glimlachend aan, maar ik zag de tranen in haar ogen staan. 'Je hebt een vlecht,' zei ze, en ze raakte hem zachtjes aan. 'Wat word je al groot. Je bent al even groot als ik.'

Om eerlijk te zijn, was hij zelfs groter. Jolene was een kleine, tengere vrouw en heel jong, jonger dan mijn moeder. Alles was slank en compact aan haar, als een pop. Toen ze Vern omhelsde, zag ik haar smalle vingers en haar volmaakte vingernagels, roze gelakt. Toen ze hem losliet, zag ik haar gezicht: klein en hartvormig, met een roomzachte huid. Haar zwarte haar was kortgeknipt als dat van een elfje en haar smalle wenkbrauwen vormden een volmaakte boog. Ze droeg glanzende roze lipstick die bij haar nagels paste en een wit geruit bloesje met een knoop in de taille op een strakke witte spijkerbroek.

Jenny zou Jolenes uiterlijk geweldig hebben gevonden. Zelfs

haar voeten. Snoezige blote voetjes in roze schoentjes met open teen. Ik droeg mijn donkerblauw met zwarte flanellen jack, opgelapte Lee-spijkerbroek en vuile gympen.

Jolene nam ons mee naar binnen. Ik wilde mijn gympen uittrekken.

'Nee, niet doen. Dat hoeft hier niet,' zei ze. 'Dan krijg je pikzwarte voeten. Het is hier net Grand Central Station.'

Vern en ik gingen op de bank zitten en Jolene schonk koffie in voor oom Leslie. Er kwam een man uit een van de slaapkamers. Het was een grote, blanke man, ruim één meter tachtig lang; hij droeg een strak zwart hemd met op de voorkant de tekst JIM'S TOWERING boven een verwassen cartoon van een vrouw in bikini.

'Lester!' baste hij.

'Jim,' knikte oom Leslie. Ik wist meteen dat hij deze man niet mocht.

'Koffie?' spotte Jim. 'Het is verdomme vier uur 's middags. De hoogste tijd voor een biertje.'

'Let op je woorden,' zei Jolene opgewekt, en ze gebaarde naar Vern en mij.

'Zei ik iets verkeerds? Christus! Moet ik nu in mijn eigen huis op mijn woorden letten?'

Jolene haalde een dienblad en zette het voor Vern en mij op tafel; er lagen augurken en broodjes pekelvlees op. Vern wipte ongeduldig met zijn been. Even later kwamen zijn neven en nichtjes binnen en ze verdrongen zich rondom de bank.

'Wil je mijn auto zien?' vroeg een van hen.

We liepen met z'n allen het reservaat door naar de rand van de bush, waar op een stel stevige houtblokken een auto stond. Er sloten zich drie meisjes bij ons aan, eentje van ongeveer mijn leeftijd, de andere twee iets jonger. Sharman, de autobezitter, trok de canvas hoes eraf. Het was een gestroomlijnde, goudkleurige Beaumont. Hij had geen wielen en geen dak, wat hem de illusie gaf van een boot die wachtte tot het vloed zou worden. Sharman ging achter het stuur zitten. 'Jullie mogen voorin,' zei hij tegen Vern en mij. De anderen klauterden achterin of vonden een plaatsje op de kap.

'Als hij af is, is hij puntgaaf. Moet je die bekleding zien. Of hij zo uit de fabriek komt,' zei Sharman.

'Gaaf,' zei Vern. 'Waar heb je hem vandaan?'

'Van een vent in Redstone.'

We lieten ons lui achterover zakken in de warmte van de middagzon. Ik liet mijn hoofd op de rugleuning rusten en sloot mijn ogen. Een hond blafte, ergens joelde een stel kinderen en in de auto klonken mompelende stemmen. Ik vroeg me af waarom Vern hier niet woonde. Hij had me nooit verteld wat de reden daarvoor was. Zijn moeder leek heel aardig en ze woonde in een huis met twee of drie slaapkamers.

Een jongen die Lawrence heette, Sharmans jongere broer, zei: 'We moeten vanavond terugkomen als het donker is, misschien zien we het spook dan wel.'

'Welk spook?' vroeg Vern.

'Heb je nooit van het spook gehoord?' vroeg Lawrence. 'Dan ben je echt al veel te lang weg, man.'

'Vertel hem van het spook,' zei Sharman, en enkele kinderen riepen: 'Ja, vertel hem het verhaal.'

'Ik vind het geen leuk verhaal,' zei de kleinste, waarop een van de meisjes hem suste: 'Niet bang zijn, Normie. Ik bescherm je wel.'

'Ik heb het verhaal van mijn oom gehoord,' begon Lawrence. 'Het is gebeurd voordat ik was geboren, maar niet heel lang daarvoor. Veel mensen in het reservaat weten het nog. Het ging om twee broers. De ene was heel knap, lang, slank en gespierd. Hij droeg een witte zijden sjaal om zijn hals en had altijd een cowboyhoed op zijn hoofd. Hij had jukbeenderen als van een vrouw. Hij was een charmeur, iemand die moppen kon vertellen zodat iedereen zijn zorgen en ellende even kon vergeten. Alle vrouwen waren dol op hem. Hij heette Louis.

Zijn broer, Henry, was praktisch het tegenovergestelde van Louis.

Hij was een beetje dik, maar goedhartig en heel erg verlegen. Hij kon gitaarspelen als een soort Spaanse engel. De mensen zeggen dat als Henry speelde, alle dieren stil bleven staan en hun kop hieven om te luisteren; de uilen stopten met krassen, de arenden verloren de veldmuizen waar ze op loerden uit het oog en alles kwam tot stilstand. Wat natuurlijk prachtig was, maar verder kon hij niet veel. Hij was geen jager en ook geen cowboy. Louis was allebei. En houthakken kon hij ook. Louis blonk uit in lichamelijk werk, wat het ook was. Hij kon paardrijden als de beste, brak nooit zijn botten en was een prima schutter. Hij kon een hert neerleggen met een .22; het volmaakte schot en paf, daar lag hij. Louis was het soort man waar iedere vrouw mee wilde trouwen.'

'Hierna vind ik het niet meer leuk,' piepte de kleine Normie.

'Ssst!'

'Stilzitten. Hou op met de auto te laten wiebelen.'

'Louis had een vriendin,' vervolgde Lawrence. 'Het mooiste meisje aan deze oever van Williams Lake en misschien ook wel aan alle andere oevers. Ik heb haar nooit gezien, maar ze zeggen dat ze ravenzwart haar had, helemaal tot aan haar kont.' Iedereen lachte. 'Haar ogen twinkelden als zomersterren en ze liep zo soepel als een ree. Ze heette Etoile, wat voor het geval je dat niet wist 'Ster' betekent in het Frans. Ze zeggen dat haar moeder een Métis was uit de Prairiën en dat ze haar die mooie naam had gegeven zodra ze die twinkelende ogen zag. Etoile en Louis waren niet getrouwd, maar ze leefden samen als man en vrouw in Louis' huisje in het bos. Het was hier vlakbij, die kant uit. Als je een eindje het bos in loopt, zie je de funderingen nog in het gras. De stenen zijn zwartgeblakerd door de brand, maar dat komt straks.'

'Nee! Dat gedeelte mag je niet vertellen,' jammerde Normie.

'Dat komt straks pas, Normie. Dan kun je je oren dichthouden.'

'Waarschuw je me dan als het komt?'

'Ssst.'

'Louis liet Etoile soms lange tijd alleen voor zijn werk. Hij hield van Etoile, dat lijdt geen twijfel, maar hij hield het nooit lang op één plek uit. Hij ging graag op pad, genoot ervan om bewonderd te worden omdat hij in de hoogste spar kon klimmen, de wildste paarden kon vangen of toeristen de beste berenjacht bezorgde. Zo was Louis. Etoile bleef alleen thuis en soms, als Henry nergens anders naartoe hoefde, ging hij haar opzoeken en speelde hij op die hemelse Spaanse gitaar. Dat vond Louis helemaal niet erg. Hij was blij dat Etoile gezelschap had.

Op een winterse dag, toen de sneeuw hoger lag dan zijn auto, hoger dan het dak van het huis dat je daar ziet, en Louis op pad was om een stel paarden terug te brengen naar een ranch, bond Henry zijn sneeuwschoenen onder, hing zijn gitaar om zijn schouder en liep het bos in om te zien hoe het met Etoile ging. Dat was een zware tocht omdat hij een beetje dik was, zoals ik al zei. Maar hij maakte zich zorgen om haar, misschien wel op de manier zoals Louis dat had moeten doen. Ze zeggen dat Henry de sneeuw moest uitgraven om bij de deur te komen, maar binnen was alles in orde. Etoile had een hert geschoten en er stond een stoofpot te pruttelen op het fornuis, al was ze bijna door haar hout heen.

Er zijn mensen die zeggen dat Etoile verliefd werd op Henry, zo simpel als dat, al was hij dan een beetje dik en kon hij voor geen meter jagen. Anderen zeggen dat die nacht, toen hij gitaar speelde, het noorderlicht over dat huisje streek en hen allebei betoverde. Het was maar een klein huisje. Ze aten de reepeper op en Henry speelde gitaar bij het vuur terwijl buiten de wind door het bos loeide en de struikdennen spleten als donderslagen in die koude winternacht. Je kunt zelf wel invullen wat er toen is gebeurd,' zei Lawrence en opnieuw moesten ze allemaal lachen.

'De volgende dag kwam Louis door de diepe sneeuw op een half wilde indiaanse pony naar huis. Hij moest een pad graven om bij de deur te komen en was wel een beetje ongerust, omdat hij in drie weken niet thuis was geweest. Henry en Etoile hoorden niets. Ze lagen uit te slapen na die nacht en toen Louis de deur open duwde, trof hij hen aan in bed, in elkaars armen.

Niemand weet precies wat er is gezegd en wie het heeft gezegd, maar Etoile pakte haar spullen en reed weg op die half wilde indiaanse pony en niemand heeft haar of het paard ooit nog teruggezien. Wat de broers betreft – Louis trok de eerste fles open van de kist whisky die hij had meegebracht. Tegen de tijd dat ze die tot de bodem hadden leeggedronken, lachte Louis een beetje. En halverwege de tweede fles zei hij: "Wat zal het me ook een zorg wezen." Maar na de derde huilden Louis en Henry allebei en jankten ze tranen met tuiten om het verlies van de beste vrouw aan deze oever van Williams Lake.

Ze sliepen een paar dagen, zonder ook maar een hap te eten. En daarna zetten ze het opnieuw op een drinken. Buiten heerste een doodse stilte, de storm was geluwd en er lag een dik pak sneeuw in het bos. Er kroop iets kwaadaardigs het huisje binnen. Toen Henry buiten westen raakte, liet Louis zijn ogen over hem dwalen, streek over zijn jachtmes en bedacht hoe hij het zou doen, hoe hij door die vetlaag heen zou steken, op zoek naar een ader die hij open kon halen. Maar hij schudde die gedachte van zich af en nam nog een borrel, en toen hij buiten westen raakte, werd Henry wakker en keek naar zijn broer en haatte elke soepele spier van hem, elke lange, zwarte wimperhaar, elke sterke vinger. Hij keek naar Louis' jachtgeweer en bedacht waar hij hem zou begraven. Die nacht, toen ze stomdronken waren en de haat door het huisje dreef, zo dik als de rook van jong hout, sloten de broers een pact.'

'Stop je vingers in je oren, Normie,' zei het meisje naast hem.

'O, nee!' jammerde Normie en hij legde zijn handen over zijn oren.

'Ze sloten een zelfmoordpact. Ze zouden allebei hun geweer op de hals van de ander richten en elkaar doodschieten. Ze konden amper rechtop staan. Ze stonden hooguit een meter van elkaar af, zwaaiend op hun benen en steun zoekend bij elkaar. Ze richtten en begonnen te tellen. Bij vier zei Henry: "Wacht even, de veiligheids-pal zit er nog op." Toen moesten ze opnieuw beginnen.

Ze telden tot drie, maar Louis riep: "Wacht even. Schieten we bij tien of meteen erna?"

"Wat maakt het uit?" vroeg Henry.

"Dat maakt alles uit," zei Louis. "Dan is een van ons dood en staat de ander voor paal met zijn geweer in zijn handen."

"Oké, we schieten bij tien. Meteen bij tien. Tien zeggen en páf!"

"Eerst tien zeggen en dan páf?"

"Ja, tien zeggen en schieten."

"Tien en schieten."

"Tien en schieten. Zo doen we het. Begrepen?"

Ze begonnen opnieuw te tellen. Ditmaal ging het goed, maar bij de laatste tel bedacht Louis zich en sloeg hij de loop van het geweer van zijn broer weg. Zijn eigen geweer ging af. Hij schoot Henry dood. Henry's kogel raakte Louis in zijn linkerscheenbeen. Louis verloor het bewustzijn. Toen hij de volgende ochtend wakker werd, was zijn broer nog steeds dood. Hij stopte hem in bed, dekte hem toe en stak vervolgens het huisje in brand. Het brandde tot de grond toe af.'

Iedereen in de Beaumont was stil. 'Halleluja,' zei ik. 'Is dat echt gebeurd?'

'Kan ik weer luisteren?' riep Normie uit. Het meisje pakte zijn handen en haalde ze van zijn oren.

'Het is echt gebeurd,' zei Sharman en iedereen knikte.

'Louis trok diep het woud in en leefde een tijdlang als een kluize-naar. Tot die winter waarin iemand op zijn kamp stuitte en hem aantrof, stijf bevroren in een strop aan een boomtak. Sindsdien spookt hij hier in het bos rond. Soms horen we gekreun en rinke-lende whiskyflessen en zo nu en dan ruiken we het vuur. En als het noorderlicht schijnt, hoor je muziek, de hemelse muziek die Henry speelde op zijn gitaar.'

'Ik weet hoe het met het meisje is afgelopen,' zei het oudste meisje. 'Mijn tante was met haar neef getrouwd. Ze zei dat Etoile helemaal langs de kust naar Mexico is getrokken. Ze is in een stad beland, in het alleruiterste zuidelijke puntje van Mexico. Een Duitse familie kreeg met haar te doen en nam haar in huis. Hun dochter was onlangs in het kraambed gestorven en daarom gaven ze de baby aan Etoile om groot te brengen. Uiteindelijk werd ze als een moeder voor dat kind.'

De avondschemering was gevallen en het was kil geworden. 'Ik heb trek,' zei Vern.

'Kom vanavond maar terug,' zei Lawrence. 'Wie weet horen we het spook.'

Voor het avondeten had Jolene rosbief gebraden, met gegratineerde aardappelen en erwten. Ze zette het eten op tafel met vaatdoeken om haar handen niet te branden. Ik keek naar haar en toen ze mijn starende blik opving, glimlachte ze naar me. Jolene praatte, vooral tegen oom Leslie, over mensen die ze kenden. Toen wendde ze zich tot Vern. 'Vertel eens hoe jullie, een jongen en een meisje, bevriend zijn geraakt?'

'Moet je dat nog vragen?' grijnsde Jim met een wellustige blik. 'Ik kan twee bij twee optellen en dan krijg ik vier, al kun jij dat niet. Een tienerjongen, een mooi meisje…'

Ik werd vuurrood en ik haatte Jim.

'Zo zit het niet,' zei Vern scherp. 'We zijn bevriend om dezelfde redenen waarom willekeurig twee mensen bevriend kunnen zijn.'

'Welja,' begon Jim.

'Leslie vertelde dat je uit Duchess Creek komt,' zei Jolene voordat Jim verder kon gaan.

Ik knikte.

'Ik heb vrienden in Duchess Creek.' Jolene begon een verhaal over een stel mensen met een hond die ze hadden moeten laten inslapen.

'Dat willen ze niet horen,' zei Jim.

'Jawel, hoor,' zei Vern.

'Wil jij je mond nu even houden?' zei Jolene tegen Jim. 'Dit is mijn zoon en mijn huis. Ga maar ergens anders dronken worden.'

'O, is het nu ineens jouw huis?'

'Ik moet zo maar eens opstappen,' zei oom Leslie. 'Het wordt al donker.'

'Bang dat je in een pompoen verandert?' Jolene ging naar de keuken, haalde een biertje uit de ijskast en kwam ermee aan tafel zitten. Ze liet haar bord eten onaangeraakt staan. Toen we de chocoladetaart aten die ze als toetje had gemaakt, opende ze nog een biertje en rookte ze twee sigaretten, waarvan ze de peuken in haar koud geworden aardappelgratin doofde.

Na het eten gingen we buiten zitten met een heel stel andere mensen. Vern en ik wierpen een frisbee op voor de hond.

'Waar slapen de kinderen vannacht?' vroeg oom Leslie aan Jolene.

'Vern kan als een heer zijn kamer aan Maggie afstaan en op de bank slapen,' zei Jolene.

'Nee,' zei oom Leslie en ik kon zien dat hij boos was. 'Dan doet hij geen oog dicht, dat weet je.'

Jolene keek ook kwaad. 'Dan zet ik het veldbed wel op in mijn kamer.'

'Zet maar een veldbed neer bij Maggie,' zei oom Leslie. 'Vind je dat goed, Maggie?'

'Ja, best,' zei ik snel.

'Ze zijn veertien,' begon Jolene.

'Het is best,' onderbrak Vern haar. 'We zetten het veldbed neer, niks aan de hand.'

'Dat is een jongen die weet wat hij wil,' zei Jim.

'Hou verdomme je grote bek,' zei oom Leslie. Ik had hem nog nooit eerder horen vloeken.

'Goed dan,' zei Jolene. Ze sloot haar ogen en nam een flinke teug bier.

'Kom,' zei Vern en hij nam me bij de arm. 'Laten we op zoek gaan naar het spook.'

We liepen met Sharman, Lawrence en de kleine Normie terug naar de rand van het woud.

'Jim is een godvergeten hufter,' zei Lawrence. 'Ik zou nooit toestaan dat mijn moeder zo behandeld werd.'

Vern tuurde naar de grond en zei niets.

'Dit is ver genoeg,' zei Lawrence. 'Dichterbij is niet nodig. Nu hoeven we alleen maar te wachten.'

In de lichte bries tuurden we naar de bomen, waarachter de avondlucht diepblauw kleurde.

'Een klaploper is het,' vervolgde Sharman. 'Meneer de grote blanke. Hij heeft in een dronken bui zijn eigen sleepwagen in de prak gereden en nu leeft hij van het bijstandsgeld van een indiaans vrouwtje in haar huis in het reservaat. Als je groter was, zou je hem wel een aframmeling geven, hè?'

'Ja,' zei Vern. En toen: 'Maar zij vindt hem leuk. Ik snap niet wat ze in hem ziet.'

'Ssst. Hoor je dat?' Lawrence hield zijn hoofd scheef.

Er ritselde iets in de bomen. Niet ver weg kraste een uil.

'Dat betekent dat de dood in aantocht is,' fluisterde Lawrence.

We bleven roerloos staan luisteren.

'Kijk,' fluisterde Lawrence plotseling. Tussen de bomen zagen we een witte schim bewegen.

'Zullen we teruggaan?' vroeg Normie.

'Ssst, je laat hem schrikken.'

Het wit verdween en we bleven wachten tot de avonddauw de grond vochtig maakte.

Toen we terugkwamen, was oom Leslie al vertrokken. Verns moeder zat aan het aanrecht met twee helften van een gebroken bord. Haar gezicht was slap, haar trekken vervaagd als op een verbleekte foto. Jim had iets gezegd, maar zweeg toen wij binnenkwamen en zei in plaats daarvan: 'Je kunt het van me aannemen of niet, maar ik zie het grote plaatje.'

'Het grote plaatje!' spotte Jolene en ze barstte in lachen uit.

'Kom eens bij je oude moeder, jongen.'

'Je bent niet oud,' zei Vern.

'Je bent een beste jongen. Je zegt altijd precies de juiste dingen.'

Ik zei welterusten en glipte Verns kamer binnen toen Jolene zei: 'Je blijft altijd mijn zoon, jongen. Je weet dat ik van je hou. Leslie denkt dat hij het beter weet omdat hij mijn grote broer is, maar je hoort bij je moeder.'

'Dat willen jongens niet horen,' zei Jim.

'Ze mag alles zeggen wat ze wil,' zei Vern.

Daar moest Jim luidkeels om lachen. Ik hoorde hem nog toen ik de deur had dichtgedaan. De kamer stond vol dozen met kleren, een strijkplank, een droogrek, planken met stoffen en een oude naaimachine. De dekens op het bed waren teruggeslagen. De kamer baadde in het maanlicht en ik ging op het bed zitten en keek naar het zilveren licht op de handgemaakte quilt. Wie had deze quilt gemaakt? Wie had de tijd genomen om al die gebloemde stukjes uit te knippen en ze in dit patroon te leggen, in vier smalle banen die samen een ruit vormden? Hij was gevoerd met zacht flanel. Ik hield hem bij mijn neus. Een vage herinnering dreef naar boven, iets van toen ik klein was en mijn moeder me haar moeders quilt gaf voor op mijn bed in Duchess Creek.

Ik kroop met mijn flanellen shirt nog aan tussen de lakens en luisterde naar het kabaal in de keuken. Even later kwam Vern de kamer in.

Hij kleedde zich uit en ging in het donker op het veldbed liggen. De stemmen in de keuken werden steeds luider, onderbroken door ruwe lachsalvo's.

'Vind je mijn moeder aardig?' vroeg Vern.

'Ze is heel mooi. En lief.'

'Ik ga die zak tot moes slaan. Ze zou veel liever zijn als hij er niet was. Oom Leslie kan hem niet uitstaan.'

We hoorden een bons in de keuken, gevolgd door een gil. Buiten jankte een troep coyotes naar de maan.

'Geloof je dat verhaal van het spook?' vroeg Vern.

'Jij?'

'Zou kunnen. Maar er zijn ook andere spoken. Geesten. Goede geesten. Je ziet ze misschien niet, maar ze zijn er wel.'

'Zoals engelen?'

'Dat is hetzelfde,' zei Vern. 'We hebben er allemaal eentje op elke schouder.'

'Echt waar?'

'Nou en of. Misschien de geest van een dier of van een verre voorouder die lang geleden gestorven is.'

Het gebons in de keuken nam toe, de stemmen werden luider, er klonk geschreeuw. Het gelach was verstomd. Mijn hart ging tekeer.

'Hoor je dat?' vroeg Vern.

'Ja.'

'Nee, niet dat. Buiten. De trommels.'

Zodra hij het zei, hoorde ik de trommels, als een hartenklop meegevoerd in de lentenacht. Ik huiverde. Het bonzen van mijn hart nam af en volgde het ritme van de trommels. Vanuit de keuken kwam het geluid van brekend glas. In het licht van de maan trok Vern zijn broek aan en ging de kamer uit.

Ik spitste mijn oren, maar ik hoorde niets anders dan het geluid van de trommels. Na een tijdje kwam hij terug en kroop weer in bed.

'Ze gaat weleens met dingen smijten als ze kwaad wordt,' zei hij. Toen grinnikte hij. 'Mijn moeder is klein, maar ze jaagt die hufter de stuipen op het lijf als ze het op haar heupen krijgt.'

's Morgens was er geen glasscherf te bekennen; Jolene bakte eieren met spek voor ons en zette geroosterd brood met zelfgemaakte bramenjam op tafel.

HOOFDSTUK 17

De maanden verstreken en we hoorden nog steeds niets van mama. Ik schaamde me voor haar stilzwijgen, voor wat het betekende. Jenny en ik gingen naar het meer om met de andere kinderen en hun families te gaan zwemmen. Als Lila en Tracy ook kwamen, smeerden ze zich allemaal in met Hawaiian Tropic kokosolie en rookten ze mentholsigaretten, oefenend om de rook zo elegant mogelijk uit te blazen. Ik knabbelde aan Freezies. We zeiden niets over haar.

De kermis kwam naar de stad. Er werden tipi's, tenten en woonwagens opgezet en de hele dag waaide het stof hoog op, speelden de fanfares en hoorden we via de luidsprekers het opzwepende stemgeluid van de omroeper. De scherpe geur van paarden en mest dreef via het raam mijn slaapkamer binnen. 's Nachts waren de muziek en het gejoel uit Squaw Hall, de dansvloer in de openlucht op het jaarmarktterrein, in de hele stad te horen. Aan het einde van de straat van de Edwards was een grasveldje, vanwaar ik uitzicht had op de lichtjes van de dansvloer en waar ik het gerinkel kon horen van bierflesjes die over de muren werden gesmeten. Op een avond, toen een band die de Saddle-ites heette speelde, besloten Jenny en haar vriendinnen om te gaan dansen. Ze waren allemaal minderjarig, maar niemand stelde vragen.

Later slopen ze verbijsterd maar opgewonden het huis weer in.

'Niet te geloven, hij greep me zo bij mijn kont,' zei Tracy steeds. 'De volgende keer zorg ik dat ik van tevoren een slok op heb.'

'Mooi niet,' zei Lila. 'Ik ga echt niet nog een keer terug. Die idioten knijpen je in je borsten. Het scheelde weinig of ik had er eentje een mep verkocht.'

'Het was waanzinnig, Mag,' zei Jenny. 'Er werd gevochten, ze smeten met bierflessen en de dansvloer droop van het bier. De band speelde gewoon door.'

Ik maakte samen met Vern lange wandeltochten door het rivierdal, langs de grillige rotsformaties en de kliffen, totdat Vern voor een poosje westwaarts naar Nistsun vertrok en ik achterbleef om toeristen van benzine te voorzien. In het weekend struinde ik rommelmarkten af en ik kocht een oude canvas tent, die ik opzette in de achtertuin. Op een avond rommelden Jenny en haar vriendinnen in Beatrice' keuken om met hete messen hasj te verwarmen; de ramen stonden open, de sprinkhanen tjirpten en de zomerbries voerde de geur met zich mee. Ze maakten giechelend ingewikkelde zoute hapjes klaar, broodjes gezond met spek en tonijntosti's, en de geur van al dat lekkers lokte me om één uur 's nachts naar de keuken, terwijl Beatrice rustig doorsliep.

Hoe kon het dat mama niet kwam? Hoe kon het dat ze niets van zich liet horen? Ik dacht aan Verns moeder en haar naaikamer. Ooit was Jolene een moeder geweest die patronen zag in kleurige lapjes stof en zich over haar naaimachine boog om quilts te maken voor de mensen van wie ze hield. Wie was ze nu? De vriendin van een hufter die ze bijna leek te haten. Misschien was onze moeder iemand geworden die men alleen kende als Irene, een mooie roodharige vrouw met gespierde dijbenen en sterke handen.

Aan Beatrice hadden we totaal niets. Ze smeet haar bril niet langer door de kamer van frustratie; Teds dood had haar bevrijd en ze leek bijna gelukkig. Maar ze bleef worstjes braden, aardappels koken en de postbus controleren en onthield zich van alle commentaar, luidkeels. Commentaar was hoognodig in dit stadium, maar nu zweeg ze in alle toonaarden. Ik nam het haar kwalijk dat ze niets deed om onze moeder te vinden. Ik haatte haar omdat ze het doodzweeg. Ik wist dat ze het pijnlijk voor ons vond. Daarom haatte ik haar ook. Die ondoordringbare stilte over het allerbelangrijkste werd overal om ons heen opgeworpen.

Soms wilde ik zomaar iemand op straat aanklampen en vragen: 'Waar is mijn moeder?' Of een leraar of een politieagent. 'Weet u waar mijn moeder is? Wilt u me helpen om haar te vinden?' Waarom bleef ik zwijgen?

Toen Vern terugkwam, vertelde ik dat ik van plan was om op zoek te gaan naar mijn moeder. Ik liet hem zweren om het aan niemand te vertellen, zelfs niet aan oom Leslie.

We lagen op onze rug in de boomhut en staarden naar de heen en weer wiegende espenbladeren, als wuivende handjes tegen het turkoois van de lucht.

'Wanneer ga je weg?' vroeg hij.

'Ik moet eerst Jenny nog overhalen.'

Ik wachtte op de juiste gelegenheid om het haar te vertellen. Die deed zich een week later voor, toen ze het eindelijk uitmaakte met Brian. Ik weet niet waarom ze daar zo lang over had gedaan; die jongen was zo stom als het achtereind van een koe. Maar Jenny had een zwakke plek voor sukkels en Brian was een sukkel ten voeten uit. Hij kon niets goed doen: hij dronk te veel, zijn vader was een hufter, hij reed zijn auto in de prak, hij raakte zijn baan kwijt (meerdere malen) en het gerucht ging dat hij een kind had verwekt bij een meisje in de buurt van Lillooet en dat ze geld van hem eiste. Jenny was dol op dat soort tragische verhalen en wierp zich op als zijn redster in nood. Hij was onbezonnen. Hij liet haar alleen achter op feestjes en vertrok zelf dronken in andermans auto, hij flirtte met andere meisjes. En nog steeds hield Jenny hem loyaal de hand boven het hoofd en liet ze zich niet door dit soort kleine ongeregeldheden uit het veld slaan.

Maar op een bloedhete zaterdagavond zat ik buiten op het trapje toen Jenny met grote stappen kwam aanlopen; haar haar kleefde in zweterige slierten aan haar gezicht en haar nek, het zitvlak van haar witte jeans en haar gympen zaten onder de modder en haar gezicht was rood aangelopen.

'Wat is er gebeurd?' vroeg ik.

Ze keek me aan. Ik kende die blik. Haar ogen spuwden vuur. De woede spatte van haar af.

'Ik kan even niet praten,' zei ze en ze ging naar binnen. Even later trof ik haar aan op haar bed, waar ze met een kussen in haar armen geklemd naar het plafond lag te staren. Ze luisterde naar Supertramp op haar platenspeler. *Crime of the Century* was Jenny's lievelingsalbum. Meestal luisterde ze tot vervelens toe naar *Dreamer*, maar vandaag was het *Bloody Well Right*.

Toen het liedje was afgelopen, zette ze het opnieuw op. Ik liet me languit op mijn eigen bed vallen en luisterde met haar mee.

Na een tijdje begon ze te praten. 'Weet je, als mensen dronken zijn, doen ze stomme dingen. Ik hou er niet van, maar ik begrijp het wel. Brian heeft al heel wat stomme dingen gedaan. Maar vandaag is hij te ver gegaan.'

Ik wachtte even. 'Wat heeft hij misdaan?'

'O, Maggie, dat wil je niet weten. Jij zou het nog erger vinden dan ik, omdat je zo dol bent op katten.'

'Katten?'

'Ja, heel erg. Ik ben helemaal niet zo dol op katten, maar er is geen enkel excuus voor wat hij heeft gedaan. Nodeloos wreed.'

'Niet vertellen,' zei ik.

'Doe ik ook niet. Maar ik heb hem gesmeekt om het niet te doen, hen allemaal, maar vooral hem, ik heb het hem gesmeekt. En toen besefte ik dat het hem niets uitmaakt wat ik vind. Helemaal niets. Hij is een egoïstische, domme, arrogante idioot. Een grote gemene klootzak.'

Ik wilde haar in de waan laten dat zij als eerste achter zijn ware aard was gekomen, dus ik hield mijn mond. Maar dit was mijn kans.

'We moeten hier weg. We moeten mama gaan zoeken,' zei ik.

'Zij is de moeder. Dat heb je zelf gezegd. Zij zou ons moeten zoeken.'

'Ik weet dat ik dat heb gezegd, maar misschien had ik het mis. We kunnen hier niet eeuwig blijven wachten. Ik heb een plan.'

'Heb je een plan?' vroeg Jenny. 'En welke rol speel ik in dat plan van jou?'

'Jij rijdt.'

'Klein probleempje. Heb je eraan gedacht dat ik mijn rijbewijs niet heb?'

'Je kunt al lessen nemen. Op je volgende verjaardag mag je rijden.'

'Hoe komen we dan aan een auto?'

'Ik regel de auto. Dat is mijn taak. Ik heb de meeste kampeerspullen die we nodig hebben al bij elkaar.'

'Geweldig plan.'

'Hou je mond. Heb jij soms iets beters bedacht?'

Jenny's gezicht betrok en haar lip begon te trillen. Omdat ik me schuldig voelde, zei ik: 'Zullen we het gaan uitproberen? Volgend weekend?'

'Met wiens auto?'

'Zonder auto. Liftend. We gaan gewoon. Net als Chiwid. De vrijheid tegemoet op Freedom Road.'

Jenny glimlachte. 'Zo nu en dan mag ik jou wel.'

We gingen pas laat in de middag op pad, na ons werk. Ik haalde Jenny op bij Franks kip- en pizzatent. Ze droeg haar witte Wranglers met uitlopende pijpen en een perzikkleurig topje dat aan de voorkant met koordjes sloot.

'Christenezielen, Jenny. Zo kun je niet gaan liften.'

'Ik wilde er leuk uitzien.'

'Hier,' zei ik en ik hielp haar om haar rugzak om te doen.

'Dat meen je niet, Maggie. Dat ding is loodzwaar!'

We kregen al snel een lift, van Jenny's vriend Ron.

'Ik hoef eigenlijk nergens heen,' zei hij, 'maar ik breng jullie wel even de stad uit.' Toen zijn achtsporenbandje van Ted Nugent terugliep naar het begin, zei hij: 'Is dit een goede plek?'

We liepen in het licht van de ondergaande zon. De auto's weken voorzichtig voor ons uit als ze onze uitgestoken duimen zagen en reden door. Het was een zachte avond, heerlijk weer om te wandelen, maar niet met die zware bepakking.

'Ik moet even uitrusten,' zei Jenny. Ze liet haar rugzak en slaapzak op de grond vallen en ging er bovenop zitten. Ik zette mijn rugzak tegen de hare en plofte naast haar neer. We leunden met onze ruggen tegen elkaar en luisterden naar het gezoem van de insecten in de berm.

Telkens wanneer we een auto zagen naderen, sprong Jenny op om met haar duim omhoog langs de weg te gaan staan.

De auto die uiteindelijk voor ons stopte was een vrij nieuwe witte Pinto. Een man van middelbare leeftijd die er heel gewoon uitzag, met kort haar en een zeegroen vrijetijdspak, zat achter het stuur. Hij glimlachte en zei dat we mazzel hadden; hij kon ons zo ver als we wilden meenemen, want hij ging helemaal naar Vancouver. Het leek me een prima lift. We gooiden onze spullen op de achterbank en Jenny kroop ernaast.

Dat betekende dat ik voorin moest zitten. Maar toen ik wilde instappen, lag de hand van de man met zijn handpalm naar boven op de plek waar ik moest gaan zitten. Mijn linkervoet stond al in de auto. Ik raakte een fractie van een seconde in verwarring, maar dat duurde maar heel even, want toen ik hem aankeek zag ik de grijns, de starende blik en wist ik het.

'Jenny,' zei ik beheerst. 'Uitstappen.'

'Wat?' begon ze, maar ik had mijn arm al over de stoel om mijn rugzak te pakken en wierp hem in de berm. Zij tuimelde de auto uit, met haar rugzak achter zich aan. Ik sloeg het portier zo hard dicht dat de Pinto ervan schudde, voordat hij de weg weer op reed.

'Godvergeten smeerlap!' riep ik hem na toen hij wegreed.

'Maggie!' Jenny keek me aan of ik gek geworden was.

Mijn knieën knikten en ik ging weer op mijn rugzak zitten. Mijn handen trilden zo, dat ik ze tussen mijn benen stak.

Jenny staarde me aan, opende haar mond om iets te zeggen en sloot hem weer, tot ze uiteindelijk zei: 'Waarom deed je dat?'

Ze had zo'n malle uitdrukking op haar gezicht dat ik in de lach schoot. 'Ik zal je vertellen waarom ik dat deed,' zei ik. 'Zijn vuile gezicht stond me niet aan.'

Toen ik haar had verteld wat er was gebeurd, zei ze: 'O, Maggie. Dit is geen goed idee. We zijn meisjes. Liften is gevaarlijk voor meisjes. Ik weet dat jij je gedraagt als een jongen, maar hallo, je bent een meisje! Sorry. Je bent al ongesteld geweest, weet je nog?' Ze sloeg haar arm om me heen en trok me naar zich toe. 'Maggie-meid, laten we hier maar ergens gaan slapen.' En voor die ene keer vond ik het fijn dat ze zich als mijn grote zus gedroeg.

Er liep een graspaadje van de hoofdweg af, dat verder doorliep en in het bleke licht van onze zaklamp leek uit te komen op een weiland. We spreidden onze tent uit in het hoge droge gras, legden onze slaapzakken erbovenop en sloegen de hoeken van de tent over onze voeten.

Aan de andere kant van het veld gloeiden de ramen van een huisje oranjekleurig op. Zo nu en dan hoorden we auto's passeren op de grote weg boven ons. We lagen met ons hoofd naast een berg aarde als bescherming tegen de wind en hadden onze rugzakken aan weerszijden van ons gezet.

'Weet je nog dat mama altijd zei dat je nooit op een pad moet gaan liggen, omdat je dan de hele nacht wakker ligt vanwege de geesten die dan over je heen lopen?'

'We liggen niet op een pad.'

'We liggen er vlak naast. Stel dat er drie geesten naast elkaar lopen? Of als er een spookwagen langs moet?'

Ik sloot mijn ogen voor de sterren en kroop dieper in de slaapzak op de harde grond. Op de hoofdweg schakelde een vrachtwagen naar een lagere versnelling en ik dacht aan Chiwid, die een slaapplaats groef in de aarde en zich erin nestelde tot de sneeuw haar bedekte en ze één leek te zijn met het landschap. Hoe moe ik ook was, telkens als ik wegdoezelde voelde ik de druk van voeten die erlangs wilden: zachte mocassins, hertenhoeven, stevige leren laarzen en kriebelpootjes.

Ik werd wakker van de kou. Alles lag bedekt onder een dikke laag dauw, ook onze slaapzakken. Ik probeerde de tent wat verder over ons heen te trekken, maar die was ook nat. Ik had koude voeten en mijn neus leek wel bevroren. Ik viel weer in slaap, schrok opnieuw wakker en speurde de lucht af naar tekenen dat de dageraad aanbrak. Eindelijk trok de duisternis op en zag ik in het melkachtige zilveren licht een grijze nevel over het veld hangen. Ik sloot mijn ogen en toen ik ze weer opendeed, stapte een ruige coyote bedaard uit de mist. Hij ging op het pad zitten om me eens goed te bekijken. Even later kuierde hij weg en verdween in het grauwe licht.

Zodra de zon door de mist brandde, werd het te warm om te slapen. Ik trapte mijn slaapzak weg, legde mijn handen voor mijn ogen tegen de zon en probeerde verder te slapen. Maar in de verte hoorde ik de boeren motoren starten en rammelend aan de slag gaan. Ik kroop overeind. Mijn oogleden voelden aan als schuurpapier. Onder ons reed een truck traag door de velden. Misschien kwam hij wel deze kant uit. Ik schudde Jenny aan haar schouder en ze rekte zich geeuwend uit.

'Ik heb zo heerlijk gedroomd,' zei ze.

Het ontbijt bestond uit brood, kaas die ik in plakjes sneed met mijn zakmes, en voor allebei een appel, weggespoeld met het nu al verschaalde water uit de plastic veldfles.

Jenny balanceerde haar dagboek op een knie en krabbelde erin tijdens het eten. 'Wil je mijn gedicht horen?' vroeg ze toen ik de kaas weer inpakte.

'Oké.'

Ze schraapte haar keel. *'Hier zijn we op de Vrijheidsweg, geen wolkje aan de lucht. Met liften hadden we wat pech, maar wij zijn op de vlucht.'*

'Hm. Best goed. Het rijmt zelfs een beetje.'

'Een beetje? Het rijmt. Daarom heb ik "Freedom Road" veranderd in "Vrijheidsweg". Ik kon geen woord bedenken dat rijmt op "Road".'

Jenny sloot haar dagboek en stak het weer in haar rugzak.

'Niet zo'n beste kampeerplek,' zei ze.

'Dit was maar om te oefenen. De volgende keer vinden we een betere plek.'

'Een kampeerterrein?' vroeg ze. 'Dan kunnen we tenminste zwemmen.'

Een cowboy uit Quesnel gaf ons een lift terug naar Williams Lake, met de brandende zon op de voorruit. Diep in de heuvels zag ik een verlaten blokhut met wit pleisterwerk tussen de verweerde grijze balken. Overal in Chilcotin lagen verlaten blokhutten als deze. Ze waren stevig, gehard door zon en de wind. Ik zag niet in waarom we niet in zo'n blokhut konden trekken. We zouden het dak repareren, glas in de vensters zetten en van het land leven, Jenny, mama, Cinnamon en ik.

HOOFDSTUK 18

'Ik vraag me af of ik zo zou kunnen leven als Chiwid.'

Vern zei niets.

'Je weet toch wie Chiwid is?' vroeg ik.

'Ja, weet ik.' Ik kon zien dat hij erover nadacht. 'Ik denk het niet,' zei hij. 'Ik bedoel, ik zou het ook niet kunnen. Ze is veranderd in een geest. Wat haar is overkomen is te veel geweest. Ze heeft het overleefd, maar ze is buiten haar lichaam getreden. Snap je wat ik bedoel?'

'Ik geloof van wel.'

'Ze is een geest die rondwaart in een menselijk lichaam. Maar dat lichaam heeft ze niet echt nodig. Zo kan ze overleven. Buiten in de winter, zonder vuur als het dertig graden vriest. Sommige mensen zeggen dat ze een dierlijke geest is. Mijn tante heeft een keer geschreeuw gehoord. Ze kampeerden in de buurt van Eagle Lake en hoorden een waanzinnig gejank in de heuvels boven het kamp, ongeveer zoals een poema, maar dan angstaanjagender. Ze grepen allemaal naar hun geweer. Mijn tante zei dat ze de volgende dag op onderzoek zijn uitgegaan en Chiwid aantroffen op haar kampeerplek. Chiwid glimlachte. Zo is ze altijd.'

We strekten ons uit op de zondoorstoofde planken. De espenbladeren wiegden als mollige groene harten in de zomerbries. Als ik mijn ogen sloot, kon ik nog steeds het vlekkerige patroon van zon, blad en bloed tegen mijn oogleden zien. Naast me had Verns huid een vertrouwde, schone geur van zeep en zon. Ik ademde hem in. Ik opende mijn ogen. Hij lag met zijn warme bruine armen gekruist over zijn witte T-shirt. Een holletje boven zijn ribben rees en daalde in het ritme van zijn ademhaling.

'Dus je gaat weg,' zei hij.

'Dat is het plan.'

Hij pakte mijn hand om hem op zijn borst te leggen en zijn hart klopte tegen mijn handpalm alsof ik zijn hartslag kon vangen.

'Mama was er goed in om dingen terug te vinden,' zei ik. 'Grappig, hè? Jenny is een keer haar Barbie kwijtgeraakt toen we aan het kamperen waren. Ze had alleen een badpakje aan.'

'Jenny?'

'Nee, Barbie.'

'Was Jenny bang dat ze dood zou vriezen?'

'Ja, serieus. Ze was nog heel jong. Ik weet niet hoe oud ze was, acht of negen. Mama zei: "Begin bij het begin. Waar ben je geweest? Vertel me stap voor stap wat je met haar hebt gedaan." Mama sloot haar ogen en luisterde goed naar Jenny, die stap voor stap naging wat ze had gedaan. "Ik heb haar na het ontbijt uit de tent gehaald. Ze heeft een berg beklommen en Stickman gered, die zijn been had gebroken omdat zijn paard zo van een beer was geschrokken dat hij hem afgeworpen had. Toen gingen we lunchen en na het eten is ze met Stickman getrouwd. Daarna is ze in het riviertje gaan zwemmen en toen ging ze zonnebaden."'

'Barbie?' vroeg Vern.

'Ja. En mama zei: "Dan ligt ze vast daar." En ja hoor, daar lag ze te zonnebaden in het natte zand bij de kreek. Onder de sterren.'

'Dus jij gaat je stappen na,' zei Vern.

'Dat is het plan.'

Het duurde niet lang voordat Jenny een nieuwe vriend had. Hij heette John. Deze was anders dan de vorige. Ik vond hem aardig, en dat maakte me nerveus. Hij speelde drie instrumenten, drum, piano en saxofoon, niet alleen in de schoolband, maar ook in het land, in coverbands op bruiloften en dorpsfeesten. Jenny zei dat hij vaak de hele nacht opbleef om zijn eigen liedjes te schrijven. Hij had ontstellend blauwe ogen en een doordringende blik. Als hij me aankeek, wist ik me geen raad.

Bovendien maakte Jenny zich zorgen over wat Bea zonder ons moest beginnen. Ik voelde mijn plan in duigen vallen. Toen ze zich op een avond klaarmaakte om met John uit te gaan, zei Jenny: 'Jij zou ook eens wat vaker op stap moeten gaan, Bea. Waarom ga je niet eens naar Elks Hall?' Ze blies voorzichtig over haar pasgelakte nagels.

'Wat heb ik in Elks Hall te zoeken?' vroeg Bea.

'Weet ik het? Dansen? Plezier maken? Ken je dat woord eigenlijk wel, Bea? Plezier maken is niet afwassen, de was doen of zelfs maar tv-kijken, nou ja, afgezien van *Get Smart*.'

Bea lachte en wuifde Jenny met de ene hand weg en veegde met de andere haar tranende oog af. 'Ik hou niet van drank en in die rokerige ruimtes krijg ik last van mijn ogen. Dansen met een stinkende zuiplap is niet mijn idee van plezier maken.'

Jenny glimlachte, met het nagellakkwastje in de aanslag voor de tweede laag. 'Oké, dat snap ik. Maar wat vind je dan wel leuk? Je bent nog helemaal niet oud. Je hebt alle tijd van de wereld. Waarom zou je wegkwijnen in een huisje in Nergensstad, British Columbia?'

'Sst, Jenny,' zei Bea, alsof haar saaie leventje een goed bewaard geheim was waar iemand die meeluisterde van zou schrikken.

'Wat vind je leuk, Bea?'

'Ach, ik weet het niet.'

'Zie je, het is al zo lang geleden dat je plezier hebt gemaakt, dat je niet meer weet wat het is.'

'Jawel,' zei ze aarzelend, 'ik hou van bowlen.'

Jenny wierp haar handen met een overdreven gebaar in de lucht. 'Hou je van bowlen? Van bowlen?' Jenny keek naar mij, maar ik bladerde zwijgend en geïrriteerd door een *National Geographic*.

'Bea houdt van bowlen. In hemelsnaam, Bea, makkelijker kan

het niet. Bowlen kun je gewoon hier doen, in Williams Lake. Ik dacht dat je zou zeggen dat je het leuk vond om kunstgaleries te bezoeken of zoiets en dan zouden we je naar Parijs of New York moeten sturen.'

Bea zette haar bril af en wreef lachend wat energieker in haar oog.

'Wat vind je nog meer leuk?'

'Ach, ja. Ik heb er weleens over gedacht om op een cruise te gaan.'

'Dat kan toch?' zei Jenny. 'Heb je daar geld voor?'

'Zoiets behoor je niet te vragen. Maar aangezien je dat toch doet, het zou wel kunnen. Maar met wie zou ik moeten gaan?'

'Je hoeft niet met iemand te gaan. Daarom gaan mensen juist op een cruise, om geschikte mannen te ontmoeten.'

'In mijn eentje is er niets aan,' vond Bea.

'Je woont alleen. Ik zou denken dat het een stuk leuker is om alleen op een cruise te gaan dan om hier in je eentje te zitten koekeloeren.'

'Ik woon niet alleen.' Bea keek Jenny met een vreemde blik aan.

Ik wierp Jenny een moordzuchtige blik toe en smeekte woordeloos hou-je-mond, hou-je-mond, hou-je-mond.

Jenny keek me met ronde, wijd opengesperde ogen aan, haar lippen stijf op elkaar. 'Ik bedoelde dat je alleen bent, zonder man of zo.'

Bea knikte en alles was weer in orde. 'Ik zou weleens in de Caribische Zee willen zwemmen. Ik heb foto's gezien van die witte stranden en dat turkooizen water. Ze zeggen dat het net badwater is. Dat heb ik in de *National Geographic* gelezen. Heb jij het ook gezien, Margaret?'

Ik keek onthutst op, want ze betrok me anders nooit in hun gesprekken.

'Ja, ik geloof van wel.'

'Dat zou me wat zijn. Je kunt zo'n duikerspak aantrekken en helemaal onder water duiken.'

Ze was enthousiaster dan we haar ooit hadden meegemaakt.

'Ze hebben daar vissen in allerlei verschillende kleuren, heel anders dan hier.' Bea wuifde met haar arm in de richting van de keuken.

In de hete augustusmaand maakten Jenny en John lange wandeltochten naar Scout Island en rondom het meer. Hij droeg geen shirt. Zijn spijkerbroek hing losjes om zijn heupen en zijn borstkas was slank en gebruind. 's Avonds, als het afkoelde, trok hij zijn flanellen shirt aan, met de mouwen opgerold en de knopen los. Ik denk dat ik verliefd op hem was. Op een avond zaten we samen op het trapje bij de voordeur toen Jenny zich binnen aan het omkleden was.

'Hoor je die krekels?' vroeg hij. 'Als ik oud ben, zal ik elke winter van dat geluid dromen. Dan verlang ik terug naar een zomer als deze, om ze nog één keer te kunnen horen. Van winters word je oud. Ik wil ergens wonen waar ik het hele jaar in mijn blote bast kan lopen, met de wind op mijn huid.'

Het idee van de wind op zijn huid bracht me aan het huiveren. Hij zat zo dichtbij dat ik de warmte van zijn lichaam kon voelen.

'Zou je dat fijn vinden?'

'Sorry?'

'Waar zou jij willen wonen om te kunnen zijn wie je bent?'

'Dat weet ik niet.'

'Ik bedoel, er moet toch een plek zijn waar Maggie Dillon zo goed in haar vel steekt dat het haar niet uitmaakt wat iemand zegt of welke kleren ze draagt.'

'Ergens waar krekels zijn,' flapte ik eruit.

Hij lachte. 'Mooi zo. Ik wil ook dat er krekels zijn. Ik vraag me af of ze krekels hebben in Mexico.'

Jenny kwam naar buiten. Toen ze naar John keek, verzachtte haar gezicht. Hij glimlachte. Ze hadden iets samen wat me jaloers maakte. Daarom dacht ik dat ik Jenny nooit zou kunnen overhalen om uit Williams Lake weg te gaan, niet zolang John hier was.

WATER

Begin september was John verdwenen. Hij had niets meegenomen, alleen de kleren die hij droeg en zijn saxofoon. Zo ging het gerucht in de stad. Ik hoorde het van Bob in het benzinestation, nadat Johns ouders na een tankbeurt weer doorgereden waren. De mensen zeiden het met een zweempje verbijstering en bewondering.

Hij had Jenny niet verteld dat hij wegging, maar hij stuurde haar een dikke brief. Ik brandde van nieuwsgierigheid, maar toen ze hem helemaal gelezen had, ging ze ermee naar de achtertuin om hem te verbranden. Ik keek toe.

'Hij heeft me gevraagd om hem te verbranden,' legde ze uit. Ze huilde niet en aanvankelijk leek ze er trots op te zijn dat zij degene was die hij had uitverkoren. Hij had haar als enige toevertrouwd waar hij was en waarom. De school was weer begonnen en ze beet zich loyaal vast in het offer dat hij van haar had gevraagd. Maar na school sloot ze zich op in de slaapkamer en zat ze voor het open raam de ene sigaret na de andere te roken.

Bea rook de sigarettengeur natuurlijk wel, maar ze zei er niets van. Ze nam het risico niet om Jenny dwars te zitten, die in haar ogen geen kwaad kon doen. Dat dacht ik tenminste.

Op sommige dagen vroeg Jenny of ik Franks kip- en pizzatent wilde bellen om te zeggen dat ze niet kon komen werken. Ze reageerden coulant – iedereen mocht Jenny graag – maar ik was bang dat ze haar baan zou verliezen.

Op een avond hoorde ik Bea roepen: 'Wie heeft al het warme water opgebruikt?' Ik zat met mijn huiswerk uitgespreid aan de

eetkamertafel en ze verscheen met een kwaad gezicht in de deuropening van de keuken.

'Ik heb het niet gedaan,' zei ik.

Een halfuurtje later kwam Jenny de badkamer uit, de stoom
sloeg van haar af en ze was zo rood als een gekookte tomaat. Ze
sloeg de slaapkamerdeur met een klap achter zich dicht. Ze had een
humeurtje om op te schieten. Dat had ze tegenwoordig wel vaker.

Ik hoorde een vreemd bonzend geluid. Ik legde mijn pen neer
om aan de deur te luisteren. Wat was ze daarbinnen aan het doen?
Ik opende de deur op een kier. Jenny stond in een T-shirt en haar
ondergoed op en neer te springen. Haar borsten dansten op en neer
bij elke sprong.

'Deur dicht,' zei ze.

Ik deed wat ze zei. Het bonzen ging door.

Ik ging verder met mijn huiswerk. Ik stelde me voor hoe John
haar uit haar T-shirt hielp. Ik stelde me voor dat hij haar tegen zijn
blote borst drukte. Hij zei: 'Maggie Dillon, waar zou je willen wonen waar je het hele jaar door zonder shirt kunt rondlopen?'

Ik kon me niet op mijn huiswerk concentreren. Ze was opge-
houden met springen.

'Jenny?' vroeg ik, toen ik behoedzaam de deur opendeed.

Ze zat met een sombere blik op haar gezicht op haar bed met
een fles levertraan. 'Heb je dit ooit geproefd?'

'Waarom drink je levertraan?'

'Dat drink je niet. Jij kunt af en toe zo dom zijn, Maggie. Andere keren ben je juist weer heel slim. Ik snap gewoon niet dat je
nog niets hebt gemerkt. We slapen nota bene samen op een kamer.'

'Heeft het met John te maken?' Ineens wist ik het. 'Je gaat er
met hem vandoor, hè?'

'Heb je soms soapseries zitten kijken met Bea? Ik ga er niet vandoor met John, zoals jij het noemt. Of hoe je het ook zou willen
noemen. Maak je geen zorgen, ik zit hier vast. Muurvast. Verdomme,'
zei ze tegen de levertraan. Ze pakte haar sigaretten en stak er een op.

'Ben je niet bang dat Bea erachter komt?'

'Waarachter komt? Dat ik zwanger ben?'

'Wat? Jenny, wat? Nee, Jenny.'

Ze lachte. Ze lachte tot ze huilde. Toen gaf ze over in ons blikken prullenbakje.

HOOFDSTUK 20

'Ga je het hem vertellen?'

'Wie?'

'John.'

'Nee.'

'Ik denk dat hij het zou willen weten.'

'Wat weet jij daar nou van, Maggie? Jij bent zo naïef dat je zelf niet eens weet hoe naïef je bent. En waar wil je trouwens dat ik mijn brief naartoe stuur, als ik hem zou schrijven? Postbusnummer Waar-je-verdomme-ook-zit?'

Jenny was ook niet van plan om Bea in te lichten. Ik weet niet wat ze dan wel van plan was, maar een beroep doen op Bea's barmhartigheid hoorde daar niet bij. Dat was mijn idee.

Ik was ervan overtuigd dat Bea alles voor Jenny overhad. Ik schetste Jenny een beeld van hoe het zou gaan.

'Ze moet gaan zitten. Ze valt neer op de bank. Ze is eerst bijna in shock. Haar mond zakt open en ze staart je aan als een wasbeer in de lichtstraal van een zaklamp. Ze zet haar bril af en wrijft in haar loopoog. Misschien barst ze zelfs in tranen uit en zegt ze dat ze diep teleurgesteld in je is. Bijvoorbeeld, "O Jenny, hoe heb je dit kunnen laten gebeuren? Wat moet er van je worden? Hoe wil je ooit je school afmaken?" Maar dan weet ze zich te vermannen en zegt ze van die dingen als: "Gebeurd is gebeurd. Gedane zaken nemen geen keer. De kat is uit de zak. Waar de boom valt, daar blijft hij liggen. Het schip is uitgevaren."'

Nu lachte Jenny weer. Volgens mij had ik haar toen al overtuigd.

'Bea is eenzaam, Jenny. Behalve ons heeft ze niemand. Dit geeft haar iets omhanden.'

Ze was ongeveer halverwege de derde maand toen ze het Bea vertelde. Het was op een regenachtige avond in oktober. Jenny kwam uit haar werk, nam een heet bad en trok haar pyjama aan. Bea had warme chocolademelk gemaakt, wat erop wees dat ze in een toegeeflijke bui was.

Jenny kwam de slaapkamer in. 'Ga je mee om het haar te vertellen?'

'Ik? Waarom wil je mij erbij hebben?'

'Jij bent mijn zusje. Je bent het enige wat ik heb.' De tranen sprongen in haar ogen en ik kon geen nee zeggen, al leek het me nog zo'n slecht idee.

Bea trok een angstig gezicht toen Jenny en ik samen op de bank gingen zitten. Ik zat zelden of nooit in de woonkamer. Jenny vroeg of de televisie uit mocht. 'Ik moet je iets vertellen.'

Bea trok wit weg. Ik weet niet wat ze verwachtte. 'Goed,' zei ze en ze stond op en zette hem uit.

Jenny had haar verhaaltje goed voorbereid. Ze had het op mij geoefend en ik vond het heel goed klinken. Ze ging van start: 'Je bent altijd heel lief voor ons geweest, Bea. En ik hoop, nou ja, ik hoop…'

Ze begon te stotteren. Bea staarde haar alleen maar aan, met een diepe frons tussen haar wenkbrauwen.

Het was de bedoeling dat Jenny nu iets zou zeggen over dat ze hoopte dat we niet te lastig waren geweest en dat ze een ernstige misstap had begaan waarvoor ze om vergeving wilde vragen. Maar het kwam er totaal anders uit. 'Het zal een hele verrassing voor je zijn,' zei ze. 'Het ziet ernaar uit dat ik zwanger ben.' Ze klonk bijna triomfantelijk.

Bea keek inderdaad geschokt. Haar mond viel een beetje open. 'Ziet het ernaar uit?' vroeg ze. 'Ben je zwanger of niet?'

'Ik ben zwanger,' zei Jenny. Ze begon te huilen.

'Laat die waterlanders maar achterwege,' zei Bea uiterst kalm. 'Als je denkt dat dat gaat werken, heb je het mis. Van wie is het? Van die John, zeker? Ik wist dat die vent niet deugde. Het zat me al niet lekker toen hij zomaar met de noorderzon vertrok.'

'Hij weet het niet,' zei Jenny.

'Ik wil niet dat dit huis de roddel van de stad wordt. Dat iedereen denkt dat alles hier zomaar kan, dat ik een stelletje sletten heb grootgebracht, zonder man om voor ze te zorgen. Ik wil dat je mijn huis uit gaat.'

Nu was het mijn beurt om met open mond toe te kijken. Ze ratelde door. 'Ik woon al zestien jaar in deze stad. We zijn nette mensen. Die arme Ted draait zich om in zijn graf.'

'Hou je mond!' riep ik uit. Ik stond op. Ik had haar wel kunnen slaan.

'Nee, jij houdt je mond. Dit is mijn huis en jullie doen wat ik zeg. Ik zie wel in dat ik veel te schappelijk ben geweest. Ik had medelijden met jullie. En al die tijd was er van alles gaande achter mijn rug. Ik zal het mikpunt van spot wel zijn. Ik wil dat ze mijn huis uit gaat.'

Die arme Jenny begon te huilen en rende naar haar kamer.

'Het is 1974, stomme koe!' riep ik uit.

'Geen woord meer,' zei Bea, die weer gekalmeerd was. 'Ik wil geen woord meer van je horen. Naar je kamer, ik wil jullie niet meer zien. Ga uit mijn ogen!' Dat laatste schreeuwde ze zo hard dat het huis schudde op zijn grondvesten.

Op Jenny's hartverscheurende snikken na werd het doodstil in huis. Ik had een droge mond gekregen, maar ik durfde de slaapkamer niet uit te komen om water te drinken. Ik was eerder geschokt dan bang. Ik kon niet geloven dat ik het zo verkeerd had aangevoeld.

Na een tijdje hoorde ik Bea aan de telefoon. Ze zou wel met haar zus aan het bellen zijn.

Ik kon niets bedenken om te zeggen. Jenny stond op, ging naar de ladekast en haalde mama's brieven tevoorschijn. Ze las ze een voor een door en begon steeds harder te huilen.

'Ik had haar niet moeten uitschelden voor stomme koe,' zei ik uiteindelijk.

'Wat?'

'Ik heb Bea uitgescholden voor stomme koe. Dat had ik niet moeten doen.'

Bea gooide de deur wijd open.

'Ik heb een plek gevonden waar ze naartoe kan,' zei ze tegen mij, alsof Jenny er niet was. 'Daar kan ze blijven tot de baby is geboren. Zij regelen de adoptie.'

Jenny liet haar hoofd hangen en zei niets.

'Waar is het?' vroeg ik.

'In Vancouver. Het is een tehuis voor ongehuwde moeders. Het wordt gerund door nonnen. Misschien kunnen zij haar wat gezond verstand bijbrengen.'

'Hoe gaat het dan met school?' vroeg ik.

'Hoezo, school? Daar had ze maar aan moeten denken voordat ze aan de zwier ging. Nu kan ze op de blaren zitten.'

'Heb ik een keuze?' vroeg Jenny ten slotte.

'Nee,' zei Bea en ze liep de kamer uit.

Jenny en ik lagen bijna de hele nacht wakker. Ik vond het vreselijk om te zien hoe ze eraan toe was, maar we hadden elkaar weinig te zeggen. Buiten regende het gestaag door. De winter was in aantocht. We konden niet naar de bossen of de boomhut vluchten. We konden nergens naartoe. Mijn gedachten dwaalden steeds af naar Chiwid. Ze lag ergens in de openlucht, ingegraven onder een boom in een poging om droog te blijven.

Bea kocht de volgende dag een kaartje voor Jenny. De dag daarop zou ze op de bus stappen naar Vancouver. Ik ging naar Stedmans en kocht een reistandenborstel voor haar, een zeepdoosje en een doos schrijfpapier, met roze ruitjes en de geur van aardbeien.

'Ik zal je elke dag schrijven,' zei Jenny toen ze in de bus stapte. Ik keek haar na. Het was me gelukt om de vraag voor me te houden die al drie dagen door mijn hoofd spookte: wat gaat er met mij gebeuren?

HOOFDSTUK 21

Lieve Maggie,

Hier zit ik dan, in het tehuis van Onze-Lieve-Vrouwe van Al-tijddurende Bijstand. Er zitten hier een heleboel zwangere meisjes (logisch, natuurlijk). Ik ben de enige bij wie nog niets te zien is, waardoor ik me weleens afvraag wat ik hier doe. Het enige waar ze het over hebben is 'afstaan', 'houden' en de uitgerekende datum, of ze hoog of laag dragen, wat dat ook wezen mag, maar daaraan schijn je te kunnen zien of het een meisje of een jongen wordt, alsof dat ook maar een donder uitmaakt, want vrijwel iedereen heeft toch besloten om het 'af te staan', wat betekent dat ze het laten adopteren, hoewel sommigen het 'nog niet weten'. Het is net een datingspelletje: vrijgezel nummer één, vrijgezel nummer twee of vrijgezel nummer drie, maar dan triester.

Als je het mij vraagt zijn ze allemaal nogal vervuld van zichzelf. Of van iets anders (grapje). Sommige meisjes zijn zelfs aan het breien geslagen, mutsjes en dekentjes en zo. Weet je nog dat we vroeger vadertje-moedertje speelden met onze Barbies? Dit is net zoiets, maar dan zonder Barbies. Ik kan niet wachten tot het allemaal voorbij is.

Maar mocht je je ongerust maken over mij, er zitten geen tralies voor de ramen en het eten is best lekker. Ik heb ook een leuke kamer, helemaal alleen voor mezelf. Er staat een bed in (logisch), een ladekast, een nachtkastje met een porseleinen ballerinalamp

erop en een bureautje voor het raam, dat uitkijkt op de achter-
tuin en het gazon. Het is best gezellig allemaal, zelfs als het re-
gent.

Het regent al sinds ik hier ben aangekomen, precies vijfentwin-
tigeneenhalf uur geleden. Dat weet ik, omdat ik vannacht niet
echt heb geslapen en de hele nacht naar de regen heb geluisterd
en naar iets waarvan ik dacht dat het de wind was, maar van-
daag kwam ik erachter dat dat het verkeer was. Het tehuis ligt
trouwens wel in een goede buurt. Ik was verrast toen de non die
me van de bus haalde naar dit grote oude huis reed, omringd
door bomen. Het is eigenlijk meer een landhuis. Jij vindt het
vast ook leuk. Maar haal je vooral niets in je hoofd. Als ik net
zo'n griezelige, walgelijk dikke buik krijg als die andere meisjes,
is dat mijn straf.

O ja, je zult je wel afvragen waarom er een bureau in mijn
kamer staat. Huiswerk. Ja, we krijgen hier les. Van de nonnen.
Ik heb vandaag onze lerares Engels ontmoet. Ze is een non,
maar nog heel jong en ze draagt geen habijt. Ze is schrijfster en
ze heet zuster Anne. Ze zei dat we heel veel aan creatief schrij-
ven gaan doen tijdens de les. Dus ik ben van plan om aan mijn
gedichten te werken.Het hele idee van Onze-Lieve-Vrouwe van
Altijddurende Bijstand is dat je een misstap hebt begaan, maar
dat je daarvan kunt leren en dat je dan voortaan betere keuzes
zult maken en zelf een beter mens zult worden. En daarom le-
ren we typen.

Maggie, als je een vak wilt leren en DE SAMENLEVING NIET TOT
LAST WILT ZIJN, *dan zit je met typen nooit verkeerd. Als je kunt*
typen, kun je altijd IN JE EIGEN ONDERHOUD VOORZIEN. *Denk jij*
dat mama kon typen? Ik geloof van niet, maar ik denk ook niet
dat er veel vraag naar is in Williams Lake en omgeving. Maar
misschien heb ik het mis, want ik ben maar een arme stakker
die een VERKEERDE KEUZE *heeft gemaakt.*

Maak je niet ongerust, Maggie. Ik weet niet of het zin heeft om

dat tegen je te zeggen, maar ik heb het hier best naar mijn zin,
beter dan bij die achterbakse Beatrice Edwards. Eerlijk gezegd
ben ik bang dat het voor jou erger is dan voor mij. Heb je je
excuses al aangeboden omdat je haar voor stomme koe hebt uit-
gescholden? Zeg maar: 'Het spijt me dat je zo'n stomme koe
bent.' Doe alsjeblieft niets doms zoals weglopen of zo. Ik moet
ervan op aan kunnen dat je bent waar ik je heb achtergelaten.

Liefs xxoo Jenny

PS: We mogen bellen, maar alleen collect.

Bea sprak een aantal dagen niet tegen me en ik bleef zo veel mogelijk uit haar buurt. Ik ging naar school en naar mijn werk en bewoog me thuis alleen tussen mijn slaapkamer en de badkamer en
terug. Ik hield mijn deur dicht en Bea zette het geluid van de televisie harder, alsof ik er niet was.

Het was al gaan sneeuwen. Ik probeerde te bedenken waar ik
naartoe kon. Papa en mama kenden mensen die de hele winter in
tenten woonden, meestal in de periode waarin ze hun blokhutten
bouwden. Ze hadden speciale fornuizen en staken de pijp door een
canvas opening in de tent. Ze hielden een wak open in het ijs om
water te putten. Maar als je hout op raakte, vroor je dood. Ik herinner me dat we in het najaar een keer een paar dagen bij een gezin
logeerden, zodat papa en mama hen konden helpen met het hout.
De twee kinderen liepen rond in hun bloesjes, zonder jas. Mama
zei dat ze eraan gewend waren en het niet meer koud kregen.

Bij het benzinestation was Bob opgewekter dan anders. Als
Vern langskwam, zei Bob: 'Ha, opperhoofd, alles kits onder de
rits?' wat me ergerde. 'Opperhoofd' zei hij ook tegen de man die
met zalm langs de deuren ging en naar alcohol stonk. Buiten vroeg
ik Vern of hij het niet vervelend vond. Hij zei: 'Maggie, als ik elke
keer als iemand me opperhoofd of indo noemde een knoop in mijn

onderbroek moest leggen, zou hij me niet meer passen.'

Toen Vern weer weg was, vroeg Bob: 'Hoe staat het leven, Maggie?'

'Best,' zei ik.

Op een keer vroeg hij: 'Hoe is het eigenlijk met die zus van je? Ik heb haar al een tijdje niet gezien. Ik hoorde dat ze niet meer bij Frank werkt. Een groot gemis voor hem. De klanten waren dol op haar.'

Ik overwoog om een smoes te verzinnen. Bob was een kletsmajoor. Ik weet zeker dat sommige mensen liever hadden dat ik hun benzine tankte, want als Bob eenmaal begon, waren ze zo een halfuur verder. Maar het kon me eigenlijk niets meer schelen. Ik was moe en daarbij wilde ik het gewoon tegen iemand kunnen zeggen.

'Jenny is in Vancouver,' zei ik.

Hij reageerde zo overdreven verbaasd, dat ik besefte dat hij het allang wist. Het nieuwtje was de stad al door. Ik had het alleen tegen Vern gezegd, maar ze had natuurlijk de bus genomen, mensen hadden haar gezien en telden één en één bij elkaar op.

Bob wilde het echter van mij horen. 'Wat doet ze daar?'

'Ze zit in een tehuis voor ongehuwde moeders. Daar heeft Beatrice haar naartoe gestuurd.'

Bob tuurde hoofdschuddend naar de vloer. Ik denk dat hij niet had verwacht dat ik hem de waarheid zou vertellen.

'Ik zal je vertellen wat ik ervan vind. Zal ik je vertellen wat ik ervan vind, Maggie? Ik bedoel, ik weet dat het me niets aangaat, maar als je de mening wilt van iemand die weet wat er in de wereld te koop is, dan kun je die van me krijgen.'

Ik glimlachte.

'Wil je het horen?'

'Ja,' zei ik. Hij was mijn baas. Wat moest ik anders zeggen?

'Ik vind dat die vrouw zich moet laten nakijken. Beatrice Edwards, bedoel ik. Dit is verdomme 1974.'

'Dat is precies wat ik ook zei.'

'We leven niet meer in de middeleeuwen. Dit is geen achterlijk provinciestadje. Hoe komt ze erbij om dat arme kind naar Vancouver te sturen? Haar vrienden zitten hier. En het is maar dat je het weet, want Frank denkt er precies zo over.'

Ik schonk hem een brede grijns.

'Ach, verdorie. Je kunt ook geen geheim bewaren in deze stad,' zei hij.

Lieve Maggie,

Vandaag heb ik een asbak gemaakt. We doen hier aan handenarbeid. Ik bewaar hem voor wanneer we ons eigen huis krijgen, dan hebben we in elk geval alvast een asbak. De meeste meisjes roken. Dat is toegestaan, wat raar is, vind je niet, gezien alles wat we niet mogen, waaronder 'rondhangen' in de voortuin. We mogen wel in de achtertuin zitten als het lekker weer is, wat het voor zover ik weet nooit is.

Ik heb een maatschappelijk werkster. Ze heeft me het hemd van het lijf gevraagd over ons gezin en schreef de antwoorden op een klembord. Ze wilde me om de een of andere reden niet aankijken en ze zag er verveeld uit (ze keek tweemaal op haar horloge). Maar toen legde ze het klembord ineens weg en keek ze me aan met die blik van 'arme jij', wat me mateloos irriteerde – ze draagt een bril met een heel grof montuur en ze heeft een grote, brede mond, net een soort insect – en ze zei: 'In zeker opzicht is het gemakkelijker voor jou. Jij hebt geen keus. Je hoeft er niet eindeloos over na te denken of je het kind wilt afstaan of niet, want je hebt niemand die je steunt en geen middelen om een kind te onderhouden.'

Dat is misschien wel waar, maar toch.

'Je lijkt niet erg verdrietig,' zei ze en ze zat me aan te kijken met haar stomme insectenogen. Ik haalde mijn schouders op, wat ik

misschien beter niet had kunnen doen. Ik denk dat het de bedoeling was dat ik huilde. Ze had een doos Kleenex tussen ons in
gezet, midden op tafel. Dat had zij dan weer beter niet kunnen
doen. Zo van: 'Iedereen huilt, dus zo bijzonder ben je niet en
schiet nou maar op.' Ik vind dat ze best zo beleefd zouden mogen zijn om de Kleenex uit het zicht te zetten en de doos pas te
pakken als de tranen komen, want nu voel je je zo'n kouwe kik-
ker als je niet huilt. Ik heb te veel tijd om na te denken, geloof
je ook niet? Hoewel ze hun best doen om onze 'ledige handen'
bezig te houden. Met typen, bijvoorbeeld. Een van de meisjes
hier kan tachtig woorden per minuut typen, dat heet 80wpm,
een soort snelheidscontrole. Kennelijk zal dat alle deuren voor
haar openen. Ze wil juridisch secretaresse worden. Wie wil er
nou juridisch secretaresse worden? Nou, zij wel en ze wint vast
de een of andere prijs voor AllerBeste Typiste, de ABT-prijs, waar
ik ook best naar kan streven. Zuster Anne zegt met zo'n droge
stem dat typen heel handig is voor als je op de universiteit zit.
Ze zegt dat ik het zou moeten leren, aangezien ik schrijfster wil
worden. Misschien typ ik weleens een brief aan jou, behalve dat
dat waarschijnlijk pas gebeurt als ik al op springen sta.
Juffrouw insectenoog wil weten wie de vader is. Ik zei dat ik het
niet wist. Ze hield midden in een zin op met schrijven. Ze
wachtte tot ik iets zou zeggen wat ze kon noteren. Volgens mij
staat er heus wel een vakje 'vader onbekend' op dat formulier.
Ze was niet blij met mijn antwoord. Ik zei dat ik meerdere
vriendjes had gehad en dat ik hun achternamen niet kende. Ze
wist dat ik loog.
Ze zei: 'De familie van de vader is je enige kans.'
'Mijn enige kans waarop?' vroeg ik.
'Je enige kans om de baby te houden.'
'Ik sta hem af,' zei ik. Ze hield haar grote mond stijf dicht en
noteerde het op het klembord.
Ik wil niet dat ze hem gaan zoeken. Als er iemand langskomt,

beloof me dan dat je niets zult zeggen. Ik heb er een goede reden voor, maar die gaat niemand iets aan.

Hallo, daar ben ik weer,

Het is al woensdag. Gisteravond heb ik een meisje gesproken dat ik Ginger zal noemen, omdat ze zo heet, haha. Ze heet Ginger omdat ze rood haar heeft. Daarom wilde ze mij Ginger de Tweede noemen. Ik zei dat ik dat veel te keizerlijk vond voor een meisje, en toen bedacht ze Ginger-B, wat ik leuk vind. Ze heeft een beetje een Engels accent. Ze heeft tot haar tiende in Engeland gewoond, en toen zijn haar ouders gescheiden en kwam ze hiernaartoe met haar moeder. Ze woonden in bij haar oom en tante. Die oom was een griezel van een kerel en zat altijd naar haar te gluren. Haar moeder wist het, maar ze wilde er niets van zeggen om haar zus niet van streek te maken. Griezels heb je in alle soorten en maten. Maar dit was een heel bijzondere griezelsoort.

Ze hielden de hele tijd feestjes, ook doordeweeks. Dan stond de muziek zo hard dat de plankenvloer onder haar bed ervan trilde. Die oom had een geweldig stereoapparaat waar hij ontzettend trots op was. Zo zei ze dat, ontzéttend trots. Ik vind het enig zoals ze praat. Ze zegt ook pantalon in plaats van broek. Grappig hè.

Soms bleef de naald wel een uur hangen. Ze zegt dat je niet geleefd hebt als je nooit Break On Through to the Other Side *hebt gehoord terwijl de plaat een uur blijft hangen. 'Heb je weleens mensen dronken horen worden?' vroeg ze. 'Het zou interessant zijn, als het niet zo sneu was. Eerst zijn ze allemaal vrolijk en maken ze bulderend van het lachen geintjes over van alles en nog wat. Alles is kennelijk ontzettend grappig als je drinkt, totdat het niet meer grappig is. Daarna beginnen ze te vloeken, te schelden en te ruziën. Dan valt er van alles om. Vervolgens val-*

len er angstaanjagende stiltes. Je vraagt je af of ze elkaars strot hebben doorgesneden en van schrik nuchter geworden zijn. Op een keer is mijn oom zijn beste vriend te lijf gegaan met een bijl. Ik zag het met mijn eigen ogen; ik ben uiteindelijk mijn bed uit gekomen bij het geluid van splinterend hout. Ik stopte ook weleens tissues in mijn oren, maar dan was het bijna nog erger, omdat je niet wist wat er aan de hand was.' Ze zei dat ze in Engeland in een rustig dorp hadden gewoond, waar ze 's nachts hooguit wakker werd van de roep van een fazant. Haar vader was een lieve man en ze miste hem. Dan vraag je je toch af wat er is gebeurd.

Hoe dan ook, op een nacht sloop Ginger het huis van haar oom en tante uit om in te breken in een schuurtje op het schoolterrein. Ze kocht een deken en sliep daar een hele week, tot ze op een ochtend werd gesnapt door de conciërge. Het schoolhoofd belde de oom en ze zat flink in de nesten. Die oom zei: 'Als jij je te goed voelt om onder mijn dak te wonen, dan ga je maar op zoek naar een ander huis.' Haar moeder zei tegen het schoolhoofd dat er sinds de scheiding geen land met Ginger te bezeilen viel en dat ze het niet serieus moesten nemen. Toen legde ze haar handen tegen elkaar in een smekend gebaar en vroeg ze haar: 'Alsjeblieft lieverd, niet dwarsliggen.'

Ongeveer een week later was er weer een feestje. Ken je dat liedje van Cream, White Room? Ze zei dat ze dat nummer niet meer kan horen zonder misselijk te worden. Zo misselijk dat ze ervan moet overgeven. Dat stond op toen haar oom de deur openduwde. Hij moest hard duwen om het slot te kunnen forceren. Hij greep haar bij de keel, sleepte haar uit bed en smeet haar door de kamer. Ginger zei dat ze niet begrijpt dat niemand het heeft gehoord. Hij trok haar omhoog en bleef haar heen en weer smijten. Ze bonsde tegen de ladekast, het raam en de deur. Ze herinnert zich dat ze tussen twee liedjes in tegen de muur werd geramd. Ze zei dat iemand dat heeft moeten horen, maar dat er niemand kwam.

Er begon een ander liedje. 'Het album Wheels of Fire *stond op, als het je interesseert,' zei ze. 'Een beetje blues-achtig. Voordat ik zijn huis verliet, heb ik met een kaars gaten in het vinyl gebrand en hem weer in de hoes gestopt. Daar zal hij van opkijken als hij hem de volgende keer wil opzetten.' Hij verkrachtte haar zo lang als het duurde om de hele plaat af te spelen. 'Stompen en slaan, daar wordt hij hitsig van. Je wilt de details niet weten.' Ik denk dat ze daar gelijk in heeft. Ze zei dat ze zich niets ergers kan voorstellen dan de stank van die vent. 'Ik heb geprobeerd er een woord voor te vinden,' zei ze. 'Geen idee waarom. Bier en bedorven vis. Met iets wat alleen van hemzelf is, ranzig en rot zoals hij.'*

Ik kon het bijna niet geloven, maar ik wist dat ze de waarheid sprak. Sommige meisjes hier liegen, wat je ook merkt, maar ik neem het hen niet kwalijk. Overal is een reden voor. Als ik Ginger was, zou ik waarschijnlijk ook liegen. Ze zegt dat iedereen bang is voor haar oom, maar zij niet meer. Hij is een lelijke, laag-bij-de-grondse hufter, zei ze, en dat hebben we achter elkaar gezongen, lelijke laag-bij-de-grondse hufter, lelijke laag-bij-de-grondse hufter.

Ze weet niet waar haar moeder nu is, of ze daar nog steeds woont of ergens anders onderdak heeft gevonden. En ze weet ook niet waar haar moeder al die tijd bleef die avond, waar ze heel veel moeite mee heeft, dat snap je.

Maar nu komt het maffe gedeelte. Ze wil de baby houden. Ze zegt dat ze vroeger een katje heeft gehad dat van haar moeder niet naar binnen mocht, omdat hij zijn klauwtjes in het meubilair zette. Ze moest het katje buiten laten en hij werd ziek en ging dood. Ik weet niet wat dat ermee te maken heeft, maar ze zegt dat ze zich die baby door niemand laat afpakken. Ze is echt niet dom – heel intelligent zelfs – maar ik begrijp niet hoe ze denkt voor het kind te kunnen zorgen.

Bovendien heeft ze de maatschappelijk werkster en de nonnen

niets over die oom verteld. Ze zegt dat ze iets vermoeden, deels
omdat ze eruitzag alsof ze overreden was toen ze hier aankwam.
Maar ze wil het niet zeggen omdat ze bang is dat ze haar de
baby afnemen als ze het weten. En ze zei dat ze het een prettige
gedachte vindt dat haar oom zich altijd zal afvragen wanneer
het zwaard valt. 'Hij weet nooit op welk moment ik zal toeslaan
om zijn zielige leventje te ruïneren. Dat is wel een soort gerech-
tigheid.'
Sorry voor dit afschuwelijke verhaal, maar ik wilde alleen maar
zeggen dat de nonnen wel streng overkomen, maar eigenlijk en-
gelachtig zijn. Ze noemen de Heilige Maagd Maria 'Onze-Lie-
ve-Vrouwe' en ze zeggen dat Onze-Lieve-Vrouwe vroeger ook
een soort alleenstaande moeder is geweest. Wel mooi als je erbij
stilstaat.
Wie is er zo goed om zwangere meisjes kip te voeren, schattige
zeepjes in de badkamer te leggen en hun kamer op te sieren met
een ballerinalamp, alleen om te zorgen dat een eenzaam meisje
zich iets beter voelt? Over zo iemand zou ik nooit iets onaardigs
kunnen zeggen. Het is niet hun schuld dat ik hier ben beland.

Liefs xxxooo Jenny

Bea moet de kletspraatjes in de stad ter ore gekomen zijn. Ze sprak
weer tegen me, met een bespottelijke beleefdheid die er eerder
nooit was geweest.

'Ik ben thee aan het zetten. Wil je ook een kopje?' was het eerste
wat ze tegen me zei. Ik schrok er zo van dat ik bedankte voor ik het
wist en toen pas merkte dat ik wel zin had in thee. Ik wachtte ongeveer een uur en ging toen een kop thee zetten voor mezelf. Ze
moest niet denken dat ik me ook nog maar iets van haar aantrok.

'Ik heb je eten warm gehouden in de oven,' zei ze een paar avonden later, toen ik thuiskwam van het benzinestation en de sneeuw
van mijn naar benzine ruikende jack veegde. Ze had me gevraagd

om mijn jack bij de achterdeur bij de kelder te laten hangen omdat ze niet wilde dat het hele huis ernaar ging stinken en die avond nam ze het van me aan en bracht het daar zelf naartoe, alsof het de gewoonste zaak van de wereld was, alsof ze altijd mijn eten warm hield in de oven. Het was spaghetti, een exotisch gerecht voor Bea, dat anders altijd door Jenny werd klaargemaakt. Bea had zelf ge-haktballetjes gemaakt en toen ik zwijgend aan tafel zat te eten en Bea naar *Mary Tyler Moore* keek, wist ik dat ze een deel van die dag bezig was geweest om het gehakt, de eieren en de broodkruimels te mengen.

Als er een brief van Jenny kwam, legde ze hem op het voeten-einde van mijn bed. Op een middag had ze ook mijn kleren uit de droger gehaald. Ze lagen netjes opgevouwen op mijn bed, met een naar aardbeien geurende envelop van Jenny ernaast.

Lieve Maggie,

Vandaag hebben Ginger en ik allebei een trouwring omgedaan en zijn we gaan wandelen. Geloof het of niet, er staat een doos-je neptrouwringen in de tv-kamer, en als je naar buiten gaat doe je er eentje om, als een soort amulet om je eer te bewaren. Ik koos voor een smaakvol gouden bandje, maar Ginger ging voor een glazen steen zo groot als een erwt, ingezet in twee robijnen. Er is ook een kast vol zwangerschapskleding. Ik ben nog niet wanhopig genoeg, maar je zou mijn tieten eens moeten zien. Ik weet het, mama zou dat lomp vinden, iets wat jongetjes van twaalf zeggen of zo, dus vooruit, mijn borsten dan of hoe je ze ook wilt noemen. De meisjes hier ruilen de hele tijd van bh omdat ze steeds een andere maat hebben en ik draag nu een knalroze C-cup. In het perzikkleurige topje dat ik voor mijn verjaardag had gekocht heb ik een waar decolleté, met gleuf en al. Met mijn witte Wranglers (de rits gaat niet meer dicht, dus onder mijn shirt zit hij met een veiligheidsspeld vast) zie ik er-

uit om te stelen, al zeg ik het zelf. Maar ik droeg een regenjas
om mijn volle figuur te verbergen toen ik naar buiten ging,
want we krijgen last met de nonnen als we ons te uitdagend
kleden. Bij Ginger zie je het al, maar zij ziet er zelfs zwanger
uit om te stelen. Ze droeg een zwarte maillot en een geruite jurk
die eigenlijk een bloes is, maar voor haar lang genoeg om als
jurkje te dragen, amper. Wist je dat je je als je zwanger bent heel
— laten we zeggen — liefdevol voelt? Ik tenminste wel. Tegen
niemand zeggen, want het zal wel heel maf van me zijn om
zoiets maar te denken.

De zon kwam tevoorschijn toen we door Granville Street liepen
en alles blonk. De straten en de trottoirs begonnen te dampen.
Er zijn hier winkels die de bloemen en de groenten op tafels op
de trottoirs uitstallen. Dit zou best een leuke plek zijn om te
wonen als de zon wat vaker scheen en ik geen SLECHTE KEUZE
had gemaakt.

Ginger en ik bleven bij een winkel staan om naar de bloemen te
kijken. Er kwam een man naar buiten, een Italiaan, geloof ik.
Hij vroeg met zijn elegante accent: 'Hebben jullie de zon mee-
gebracht, mooie dames?' Toen zei hij: 'Het is vandaag vast mijn
geluksdag, twee mooie roodharige vrouwen tegelijk in mijn
winkel. Wacht, ik heb iets voor jullie.' Hij ging naar binnen en
kwam terug met twee grote boeketten. 'Meestal bewaar ik deze
voor mijn vrouw, maar vandaag zijn ze voor jullie.'

Dus nu staat er een vaas bloemen in mijn kamer. Het is een
boeket witte rozen met iets geels erdoorheen dat heerlijk ruikt.
Deze kamer is lichtroze geschilderd, met witte accenten. Ik vind
hem mooi. Er ligt een groene handgemaakte quilt op het bed en
er staat een leeslampje met een porseleinen ballerina als voet op
het nachtkastje. Maar dat had ik je geloof ik al geschreven.

De rest van het huis is ook mooi, maar wel wat donker, met veel
gewreven hout en blauw tapijt en dan de regen nog. Ik probeer
optimistisch te blijven, maar om eerlijk te zijn, als je naar bui-

ten gaat is het licht grijs, de trottoirs zijn grijs, de gebouwen zijn grijs en zelfs de duiven zijn grijs, nogal deprimerend. Ik was mijn sokken en ondergoed zelf en hang ze 's avonds over de verwarming, maar 's morgens is alles nog vochtig. Het lekt in het lokaal van de Engelse les en tijdens de hele les horen we het zachtjes druppelen in de pan op de vloer. Zuster Anne zegt dat dit vast symbolisch is, hoewel ze niet precies weet waarvoor, en dat degene die het meest overtuigende symbool kan bedenken extra punten krijgt. Ik zeg dat het de tijd is die verstrijkt. Het klinkt als het tikken van een klok en wij doen niets anders dan wachten.

Maar het meest deprimerende van alles zijn al die meisjes zelf die hier zitten te kaarten, naar Tony Orlando & Dawn luisteren, hun uitgerekende datum bespreken en snoep eten, dat ze kopen met hun zakgeld. De nonnen hebben allemaal van die grappige uitdrukkingen. Zakgeld kun je verdienen door klusjes te doen: lakens opvouwen, vloeren boenen, groente snijden voor het eten. De meisjes kopen kaaschips, zoute krakelingen en bitternootstaafjes, mijn persoonlijke favoriet. Volgens mij ben ik eraan verslaafd. Ik dwaal naar beneden naar de waskamer om lakens te vouwen, maar eigenlijk denk ik dan aan bitternootstaafjes.

Sommige van die meisjes hopen dat hun vriendjes hen komen halen om met ze te trouwen, hen mee te nemen naar een huis met vier slaapkamers in een buitenwijk, waar ze lang en gelukkig zullen leven en elke dag de badkuip zullen schrobben. Over symboliek gesproken, luister maar eens goed naar de tekst van Tie a Yellow Ribbon Round the Ole Oak Tree, dat ik nu ongeveer vijftig miljoen keer heb gehoord, niet gelogen – behalve dat het de meisjes zijn die gevangenzitten. Dat is niet helemaal waar. Soms voelt het hier meer als een schuilplaats.

Ik heb het altijd koud door die regen. Gelukkig hebben ze hier een badkamer op de gang, met een badkuip. Ik zit er elke avond *na het eten in te weken. Ik zal wel hartstikke dik worden. Ik weet wat je denkt. Waag het niet het te zeggen.*

We moesten vandaag een gedicht schrijven van zuster Anne. Het moest beginnen met: 'Er is iets veranderd'. Iedereen plaagde haar: 'Subtiel, zuster.' Toch stond ik versteld van wat eruit kwam. De zuster las over mijn schouder mee toen ik klaar was en stak haar duim naar me op. Ze kreeg een brok in haar keel, dat zag ik. Nou ja, je moet er niet al te veel van verwachten. Het is maar een gedicht (en het hoeft trouwens niet te rijmen).

Er is iets veranderd
Toen ik avond na avond
Probeerde de slaap te vatten
Wachtend
Tot ik het portier van jouw auto hoorde
Jouw voetstap in de gang
Tot je me zou wekken
Zachtjes zingend 'Sweet Caroline'
Net als toen we klein waren
En onweer het engste was wat er bestond
Er is iets veranderd
Toen je avond na avond
Niet thuiskwam

Laatst realiseerde ik me ineens iets. Vroeger huilde ik altijd als ik aan mama dacht. Ik vond het zelfs wel prettig, dat huilen, bedoel ik. Ik had altijd het idee dat mama me kon zien, dat ze zich schuldig zou voelen omdat ze mijn hart had gebroken en dat ze dan terug zou komen. Nu kan ik niet meer huilen, wat misschien maar beter is ook, want als ik dat wel zou doen, weet ik niet wat er zou gebeuren. Je kunt het al een beetje aan me zien, wat het veel echter maakt. Ik denk dat dit pas echt mijn derde nare gebeurtenis is.

Lieve Maggie,

Behalve een maatschappelijk werkster heb ik nu ook een psychiater. Toen ik vandaag naar juffrouw insectenoog toe moest, zat er een man bij haar. Insectenoog zei: 'Jennifer, ik maak me zorgen.' Ze schijnt zich zorgen te maken omdat ik niet begrijp dat ik me in een ernstige positie bevind (wat ik heus wel weet, maar zij bedoelt dat ik niet heb zitten janken en haar Kleenex niet heb aangeraakt). Daarom kwam ze met grof geschut, zoals Ted altijd zei, in de vorm van dokter Ruskins.
Voordat ik verderga, zal ik je eerst wat meer over Robert vertellen. Ja, ja, Robert Ruskins, zo heet hij. Schattig, hè? Over schattig gesproken... Hij heeft zachte blonde krullen en schitterende groene ogen, net als een kat, en een stem als die jongen uit de band America, die dat liedje zingt van A Horse with No Name. *Ik vroeg hem of hij Amerikaan was, maar nee, hij komt uit Ontario. Vandaar dat accent, denk ik. Hoe ik weet dat zijn haar zo zacht is, vroeg je dat? Dat weet ik niet, maar dat stel ik me zo voor.*
Toen juffrouw insectenoog eenmaal de kamer uit was, zei hij dat hij geen oordeel over me wilde vellen. Hij gelooft niet in God, gelooft zelfs niet in het huwelijk en vindt dat 'seks erbij hoort in het leven van een normale, gezonde volwassene'. Ha! Voor ik het wist had ik hem al verteld dat iedereen altijd de jongen de schuld geeft. Dat zei ik. Ik flapte het er zomaar uit en toen wist ik niet zeker of ik er wel op door wilde gaan. Hij zei: 'Je bedoelt dat je vrijwillig met hem naar bed bent gegaan. Je wilde het graag.' Hij zei het meer als een bevestiging dan als een vraag.
'Ja,' zei ik.
'Voel je je daar schuldig over?'
Ik zei: 'Ik geloof van wel, nu je het zegt.' En toen moest hij lachen. Een leuke lach. Ik vervolgde: 'Sommige meisjes hier zijn overvallen of verkracht. Een van de meisjes heeft me zelfs verteld dat ze helemaal geen seks heeft gehad.'

Ik zweer het je, Maggie, dat is echt waar. Ze beweert dat ze nog maagd is. Volgens mij denkt ze dat die spermacel over haar been omhoog is gekropen.

De dokter, ik bedoel Robert, glimlachte en zei: 'Jij bent een normale, gezonde jonge vrouw en gezonde jonge vrouwen houden van seks, net zoals gezonde jonge mannen dat doen. Mensen beweren van alles om hun schuldgevoel te verlichten. Niet alles daarvan is waar. Zo goed als de zusters hier ook zijn, hun goedhartigheid wordt opgediend met een flinke portie schuldgevoel.'

Dat vond ik mooi gezegd. Hij zou zomaar schrijver kunnen zijn. Het lijkt wel een zin uit een liedje van Bob Dylan: 'They serve their mercy with a heavy helping, a heavy, heavy helping... of guilt.'

Hoe dan ook, hij praat over seks alsof het de gewoonste zaak van de wereld is. Toen bood hij me koffie aan, en ik hou niet eens van koffie, maar ik zei ja, omdat het dan net leek of twee volwassenen een normaal gesprek voerden. Ja, ik weet het. Ik ben niet achterlijk. Hij is waarschijnlijk gewoon heel goed in zijn werk, dat hoor ik je denken, maar ik zag er geen kwaad in. Heb ik je al verteld hoe leuk hij eruit ziet? Heb ik je al verteld dat ik zag dat zijn ogen net iets te lang op mijn knalroze C-cup bleven hangen toen ik voorover boog om mijn kopje neer te zetten? Misschien verveelt hij zich ook wel. Misschien dagdroomt hij over langbenige zwangere meiden met een normale belangstelling voor seks. En wat heb ik verder nog te doen de hele dag, behalve rondhangen met de andere meisjes om het over mijn uitgerekende datum te hebben en babysokjes te breien? (Nee! Ik denk er niet over om babysokjes te breien!)

En al voelde ik me nog zo op mijn gemak bij hem, ik ga hem niet vertellen wie de vader is. Vrijdag zie ik Robert weer.

Liefs xxoo Jenny

PS: Had ik je al verteld over dat meisje dat zwanger is geworden zonder seks? Dan zal ik je nu het verhaal vertellen van de mooiste baby's die aan rijke mensen worden verkocht. Dat is ook waar. Ik weet het, omdat alle meisjes zeggen dat het waar is. Maar jij mag zelf oordelen.

Het verhaal gaat dat je je zorgen moet gaan maken zodra je ziet dat iemand polaroidfoto's van je baby neemt. Ik wist niet eens dat we onze baby's mogen zien als ze geboren zijn, maar kennelijk is dat wel het geval. Hoe dan ook, als je een mooie baby hebt gekregen, liefst blond met blauwe ogen en bij voorkeur een jongetje, dan zul je hem nooit mogen houden, al wil je dat nog zo graag. Zelfs als je al besloten hebt dat je het wilt houden en alle formulieren getekend hebt en wat dan ook. Eerst beweren ze dat de baby niet helemaal gezond is. Daarna zeggen ze dat hij gestorven is. Maar in werkelijkheid is hij verkocht aan rijke mensen die zelf geen kinderen kunnen krijgen. Zo houden de nonnen dit tehuis in stand. Hoe kunnen ze het zich anders veroorloven om dit grote landhuis te onderhouden en al die meisjes te eten te geven, al jarenlang? En dan heb ik het nog niet eens over de leuke zeepjes in de badkamer en zo. Ze hebben geen baan. Het geeft te denken.

Ik heb Ginger gevraagd of zij het geloofde en ze zei dat die meisjes meer vrije tijd hebben dan goed voor ze is. Maar... ze zei geen nee. Geloof het of niet...

PPS: (dat betekent post-post, voor het geval je dat niet wist). Denk je dat ik een keer collect kan bellen naar het benzinestation? Je staat toch alleen op zaterdagmiddag? Wij (ik bedoel eigenlijk jij, sorry) kunnen Bob terugbetalen. Maar je weet dat ik je ooit alles zal vergoeden, als ik eenmaal een rijke dichteres ben, haha.

HOOFDSTUK 22

Die zaterdagmiddag belde Jenny collect naar het benzinestation.

'Halleluja, Mag, je weet niet half hoe blij ik ben om je stem te horen. Je krijgt er toch geen problemen mee, hè?'

'Nee, ik betaal het. Bob mag me wel. Hij vindt het een rotstreek van Bea dat ze je heeft weggestuurd.'

'Weet hij het dan?'

'Niet van mij. Ik geloof dat de halve stad het weet. Ik wist niet eens dat er hier zoveel mensen waren die ons kenden. Oom Leslie hoorde er zelfs een paar dames over kletsen bij de kruidenier, zei Vern. Iedereen vindt dat Bea het te bont heeft gemaakt.'

Jenny zei niets.

'Ben je er nog?'

'Ja, ik ben er nog.'

'Wel een beetje wrang, hè?'

'Ja, nogal.'

'Is er iets?'

'Nou ja, wat niet? Ik vind het geen prettig idee dat iedereen het over me heeft.'

'Nou ja, niet iedereen. Ik overdrijf een beetje. Ik dacht dat je het wel leuk zou vinden dat Bea's plan averechts heeft gewerkt.'

'Ja, één punt voor arme ik. Ik wilde dat het maar vast voorbij was. Sorry, Maggie, het was niet de bedoeling om zo depri te doen.'

'Mag best, hoor.'

'Je bent toch niet boos op me, hè?'

'Hoe kom je daar nou bij?'

'Daar loop ik over te piekeren. Ik heb je plan om zeep geholpen. Ik weet dat je je altijd overal zorgen over maakt en nu heb je dit er nog bij gekregen.'

'Maar je komt over een paar maanden alweer terug.'

'Ja, dat wel.'

Ze zweeg. Ik zocht naar iets om te zeggen. 'Het heeft hier gesneeuwd.'

'O, ja? Hier regent het. Heb je even? Ik bedoel, staat er niemand te wachten bij de pomp of in de winkel om chips te kopen of zo?'

'Nee, het is stil vandaag.'

'Vind jij dat John het moet weten? Dit is zo'n maf verhaal. Beloof me dat je het aan niemand doorvertelt.'

'Beloof ik,' zei ik, maar mijn maag kromp ineen.

'Waarom zeg ik dat ook? Aan wie zou je het moeten vertellen?'

'Wat is er dan?'

'Het gaat over John. De reden waarom hij uit de stad is vertrokken. Dat was niet omdat hij een wereldreis wilde maken. Weet je nog die brief die hij me heeft geschreven? Die ik heb verbrand?'

'Ja.'

'Hij schreef dat hij wegging omdat hij homoseksueel was. Maf, hè? Ik bedoel, dat zou je toch niet denken. Ik weet niet zoveel van seks of zo, maar ik had echt wel het idee dat hij ervan genoot. Maar misschien heb ik hem wel gedwongen.'

'Je hebt hem niet gedwongen, Jenny. Je kunt een man niet dwingen tot seks.'

'Ben je niet geschokt?'

'Ja, natuurlijk wel. Ik vond hem er helemaal niet homoseksueel uitzien.'

Er viel een stilte van een seconde of vijf en toen kregen we allebei de slappe lach.

Toen ze weer wat op adem was gekomen, zei ze: 'En jij bent nog wel de expert op dat gebied. Ik zou je moeten voorstellen aan dokter Robert. Maar eigenlijk is het helemaal niet grappig. John zei dat hij nooit zichzelf zou kunnen zijn in Williams Lake. Dus zelfs als ik zou willen dat hij me uit de brand hielp door met me te trouwen, wat niet zo is, zou dat toch niet al te best werken.'

'Het is niet... je denkt er toch niet aan, Jenny? In je brieven klonk je redelijk zeker van je zaak.'

'Ik moet ophangen, Maggie. De tijd is om. Nee, maak je niet ongerust, het gaat best. Ik heb alleen veel te veel tijd om te piekeren. Ik schrijf je vanavond. Maak je geen zorgen, oké?'

'Oké.'

Ze hing op.

Maar ik denk dat we allebei wisten dat het zinloos was om tegen mij te zeggen dat ik me geen zorgen moest maken. Zodra ik had opgehangen, voelde ik de spanning in mijn maag opkruipen, om zich vast te zetten op mijn borst. In haar brieven klonk ze als de Jenny die ik kende, altijd vrolijk, altijd veerkrachtig genoeg om weer overeind te krabbelen, zoals een goede kano zich drijvende weet te houden in woest stromend water. Maar aan de telefoon hoorde ik dat er iets duisters op de loer lag dat haar wenkte. Ze was ten einde raad.

De bel van de benzinepomp rinkelde. Ik keek naar buiten en zag door een gordijn van vallende sneeuw oom Leslies groene truck staan. Het middaglicht was bijna verdwenen. Hij wuifde naar me en toen ik naar hem toe liep, wilde ik heel hard 'help!' roepen.

Lieve Maggie,

Ik heb andere herinneringen aan papa dan jij. Ik dacht altijd dat hij jou beschouwde als een soort zoon (niet kwaad bedoeld). Van mij begreep hij echter niets. Misschien omdat ik te meisjesachtig was (ik vind mezelf helemaal niet zo meisjesachtig, al vind jij van wel. Ik ben gewoon een meisje).

Ik weet nog dat we een keer toen we heel klein waren – ik denk niet dat jij het je herinnert – een vriend van papa gingen opzoe-

ken. Het was ergens ver weg in de bush en we reden over een hobbelige weg. Het was een leuke tocht. Op een gegeven moment lag er een boom over de weg en papa en mama moesten uitstappen om hem weg te halen. Ze lachten en plaagden elkaar en ik hield jou op schoot. Hoe oud zal ik geweest zijn? Vijf? Zes? Ik weet het niet precies. Oud genoeg om het me te herinneren.

De blokhut bestond uit één kamer, die rokerig was en vuil. Er stond een braadpan met een dikke laag vet op het fornuis, met een houten kist ernaast met vuile borden vol vliegen. Vieze kleren in een hoek. Er was geen stromend water en geen wc. Het stikte van de muggen, daarom konden we niet buiten blijven. Dat weet ik omdat mama het probeerde; ze zette ons op een stinkende deken onder een boom en we werden onmiddellijk aangevallen. We begonnen allebei te huilen en toen nam ze ons mee naar binnen. Het bed waar we samen op zaten stonk naar pis en zweet.

Na een tijdje stond er een aantal lege bierflesjes op de vloer bij het houtfornuis en toen nam de man, ik ben zijn naam vergeten, papa mee naar buiten om hem iets te laten zien. Iets waar ze het over hadden gehad, ik weet niet wat. Toen ze weggingen, pakte de man de zak met biertjes op en nam hem mee.

Mama schreeuwde hem na: 'Ben je soms bang dat ik alles leegdrink als jullie weg zijn?'

En ik hoorde hem antwoorden: 'Dat zou je maar zo kunnen doen, Irene. Dat zou je zomaar kunnen doen.'

'Jezus christus!' zei mama. Ik weet nog hoe verbaasd ik was, want dat betekende dat ze echt woest was. Ze gebruikte alleen godsvloeken als ze buiten zichzelf was van woede. Ze ijsbeerde door de blokhut en ze hijgde alsof ze buiten adem was. Toen ik vroeg wat ze aan het doen was, zei ze: 'Ik probeer tot bedaren te komen.'

Toen gaf ik over op het bed. Ik kotste het hele bed onder. Geen idee waarom. Die man had ons een boterham met jam gegeven, misschien kwam het daardoor.

Mama zei: 'Christenezielen nog aan toe. Mij hier in deze zwijnenstal achterlaten met de kinderen. Ik zal het wel verdiend hebben.'

Ik begon te huilen. Ze pakte ons op, op elke arm een, bracht ons naar de auto en daar hield ze me tegen zich aan en zei: 'Niet huilen. Je bent mijn schatteboutje. Jij bent mijn mooie meisje. Je hebt niets verkeerds gedaan. Niet huilen.'

Ik geloof dat ik nog een keer heb overgegeven en toen zei ze dat ze op zoek ging naar iets voor mijn maag. Ik zag haar uit de blokhut komen met de dekens, die ze uitschudde en over een struik te drogen hing. Na een poosje kwam ze opnieuw naar buiten met een kop slappe thee voor mij.

'Ik ben niet kieskeurig, maar die blokhut is walgelijk smerig,' zei ze. 'Ik heb het water heel lang laten doorkoken. Daar zul je van opknappen.'

Ik viel in slaap en na een poosje hoorde ik dat de motor werd gestart. Mama zat achter het stuur. Ze reed zonder iets te zeggen en papa zong. Weet je nog al die mooie Ierse liedjes die hij kende? Er was er eentje over de belle van Belfast: I'll Tell Me Ma When I Go Home. Papa draaide de woorden om en zong: 'The girls won't leave the boys alone.' En dat liedje dat hij het nep-Ierse slaapliedje noemde, Too-ra-loo-ra-loo-ra, Hush Now Don't You Cry.

Ik viel weer in slaap en werd wakker toen de motor werd afgezet. Ik gaf opnieuw over en papa keek naar me, over de stoelleuning heen. Hij hield jou op schoot. Zijn mond was vertrokken van walging en hij keek me met zo'n akelig gezicht aan, dat ik ervan moest huilen. Mama stond tegen het achterportier geleund en vroeg: 'Help je me niet?' Voordat hij kon antwoorden, sloeg ze het portier met een klap dicht en ging ze naar binnen. Papa zei: 'Het is jouw dochter.' Mama hoorde hem niet, maar ik wel. Ik weet nog dat ik diep medelijden met mezelf had, toen ik daar helemaal alleen in het donker in mijn eigen braaksel

lag. Ik had het gevoel dat het een test was. Zou hij terugkomen
om me te halen? Ik hoefde niet lang te wachten, maar het was
mama, niet papa, die terugkwam met een handdoek, een deken
en hardhandige, boze bewegingen. Het is me altijd bijgebleven,
Maggie. Ik had die verborgen kant van papa gezien en hij wist
het. Daarna, telkens wanneer we alleen waren, stond dat ge-
heim tussen ons in.
Nou ja, ik dacht aan hem, omdat ik nadacht over vaders. Een
van de meisjes hier, wel een grappig kind, maar ook vals en
knettergek, zegt tegen de Tony Orlando & Dawn-meisjes: 'Als je
denkt dat zo'n behaarde lul ook maar een donder om die baby
van jullie geeft, ben je zo ver heen dat er geen hoop meer voor je
is.'
Daar worden de meisjes stil van, maar als ze dan weg is, zeggen
ze dingen als: 'Ze is gewoon verbitterd. Wie zou haar nou wil-
len? Kun jij je voorstellen hoe die baby van haar eruit zal zien?
Zij hoeft niet bang te zijn dat haar baby aan rijkelui wordt
verkocht.'
Maar misschien is het wel waar. Meisjes krijgen baby's en meis-
jes houden van baby's. Een jongen als John is een beste vent,
maar hij wil niet weten dat hij vader wordt.

Ben ik weer,

Het is een uur of één 's nachts en ik kan niet slapen. Nu ik toch
wakker ben, kan ik net zo goed opstaan om jou te schrijven. Het
regent voor de verandering en als je niet beter wist, zou je den-
ken dat er iets in brand staat, zo sist en knettert het. Ik zit aan
mijn bureautje met de quilt over mijn benen omdat de radiator
uit staat. De ballerinalamp brandt. Als we ons eigen huis krij-
gen, koop ik een ballerinalamp.
Ik heb vanavond de baby voelen bewegen. Het voelt alsof er een
vlinder in je buik fladdert. Het begon toen ik naar bed was ge-

gaan en stil ging liggen. Eerst dacht ik dat er een beestje op mijn buik kroop en wilde ik het wegvegen. Toen besefte ik wat het was. Het duurde wel een uur, Maggie, net alsof ze daarbinnen zat te spelen. Het was zo gaaf. Je zult je wel afvragen waarom ik 'zij' zeg. Toen ik daar zo lag, had ik het gevoel dat ze tegen me praatte. Niet echt met woorden, maar je weet wel. En het is een meisje. Zeker weten. Dat durf ik om elk bedrag te wedden. Nou ja, vijftig procent kans dat ik het goed heb, haha.

Vandaag ben ik naar de mis geweest. We hoeven niet te gaan, maar het mag. Zuster Anne zei dat het haar was opgevallen dat ik nooit ga, al had ik 'katholiek' aangevinkt op het inschrijfformulier. Ik vertelde haar dat mama katholiek is, maar er vrij gemakkelijk in was. De zuster lachte, maar ze zei ook dat ik best mocht gaan als ik wilde. Ze zei dat ik me dan misschien dichter bij mama zou voelen, dus ik dacht, in 's hemelsnaam dan maar, haha.

Herinner jij je dat kerkje in Duchess Creek, waar het 's winters altijd zo koud was? Ik herinner me dat ik languit op de houten bank lag, dus ik moet nog heel klein zijn geweest. Het stonk er naar mottenballen. En ik speelde met mama's tasje, knipte het open en dicht omdat dat zo leuk klikte. Hij rook vanbinnen naar pepermunt.

De priester hier zei tegen de meisjes dat we elke avond de rozenkrans moeten bidden, met als een van de gebeden de oefening van berouw. Ik weet niet of je dat nog kent. Het begint met 'Barmhartige God, ik heb spijt over mijn zonden, omdat ik U, mijn grootste Weldoener, heb beledigd.' Ik kende het nog. Ik heb het onthouden, omdat ik het altijd net een uitroep vond: barmhartige God! Net zoiets als jezusmina! Of allemachtig, het spijt me echt. En dan gaat het verder over je leven beteren en dat soort dingen.

Ik bedacht dat ik helemaal geen spijt voelde, hooguit medelijden met mezelf. In elk geval niet omdat ik God beledigd zou hebben. Toch voel ik me op dit moment wel schuldig, want als ik iemand kwaad heb gedaan, is zij het, de baby. Ze heeft me nodig om haar te beschermen en ik doe net alsof ik me niets van haar aantrek. Vind je niet dat wij slecht ontworpen zijn? Mensen, bedoel ik. Als er een God is, heeft Hij het zich iets te makkelijk gemaakt of had Hij Zijn gedachten er niet bij. Hij had ervoor moeten zorgen dat we ons pas konden voortplanten als we volwassen waren, vooral omdat de mens volgens mijn biologieles zijn jongen langer verzorgt dan welk ander dier ook. Ongeveer achttien jaar, zei zuster Rosa, en iedereen in de klas slaakte een kreetje, alsof we dat niet wisten; de meesten van ons zijn nog niet eens zo oud. Maar toen moest ik onwillekeurig aan mama en ons tweeën denken. Dus stak ik mijn hand op en zei: 'Niet alle moeders doen het zoals ze zouden moeten en toch weten hun kinderen te overleven.'

'Je bedoelt?' vroeg zuster Rosa (dat is een lange, magere non, een en al zakelijkheid en ik-duld-geen-nonsens, met zo'n kattenoogbril en een elfenkapsel, en ze praat alsof ze vliegende haast heeft en onmiddellijk-en-wel-meteen antwoord wil hebben).

'Ik bedoel dat er moeders zijn die hun kinderen al eerder alleen achterlaten, ze op hun zestiende het huis uitzetten of zelfs in een mandje op de trap van het ziekenhuis achterlaten.'

'Begrepen. Dan neemt de maatschappij het over. Zonder hulp van de maatschappij zou de baby in het mandje van honger omkomen.'

'Maar dat geldt niet voor de zestienjarige. Of zelfs maar voor de twaalfjarige.'

'Ik begrijp waar je naartoe wilt, Dillon.' (Ze noemt ons bij de achternaam.) Wat wel grappig was, want ik wist het zelf niet eens. Ze zei iets over instinct en het debat in de biologie over de gedragingen die toegeschreven kunnen worden aan instinct. Maar dat bedoelde ik niet. Ik bedoelde dat papa's dood zoiets was als een vloedgolf die over je heen spoelt en je omverwerpt.

Iets waarvan je denkt dat je het nooit zult overleven. Maar dat doe je wel.

Dat brengt me op de droom die ik steeds heb. Ik droom over vloedgolven. Ik weet niet waar mijn brein dat idee van die vloedgolven vandaan heeft, maar ik zal het wel ergens hebben gehoord. Ze komen ook aan de kust van British Columbia voor. Ik denk dat mama het er een keertje over heeft gehad, over een heel dorp dat het hogerop moest zoeken. Hoe dan ook, ik droom dat een enorme golf uit de oceaan oprijst en door de stad stroomt. Alles drijft, auto's en bomen, en het water stroomt de trappen op van het Onze-Lieve-Vrouwe van Altijddurende Bijstand-tehuis voor ongehuwde moeders; het sijpelt onder de voordeur door en het blijft stijgen, het stroomt over de gewreven hardhouten vloer van de hal en spoelt over de traptreden, steeds hoger. Ik trek mijn dekens op zodat ze niet over de vloer slepen, maar het water staat algauw zo hoog dat het bed loskomt van de vloer en gaat drijven. Eergisteravond maakte het hele huis slagzij en moest ik me vasthouden aan de tafelpoot om niet het raam uit te drijven. Symboliek. Als ik wist wat de tafelpoot betekende, zou ik misschien weten wat ik moest doen.

Om eerlijk te zijn heb ik spijt dat ik hier ben gekomen. Ik heb heimwee en ik weet niet eens naar wat. Niet naar Bea's huis of ons armoedige kamertje daar, maar heimwee als een soort gevoel van eenzaamheid. Ik denk weleens dat ik dat gevoel nooit meer kwijt zal raken. En ik vraag me af of zij het ook voelt, waar ze ook is. Ze zal wel denken dat alles goed met ons is. Als ze wist dat dat niet zo was, zou ze terugkomen. We hadden het mis, Maggie, om al die tijd niets te doen. We moeten haar laten weten dat we niet oud genoeg zijn om het zonder moeder te stellen. Ik ken niemand hier in Vancouver en ik ben omringd door mensen die iets van me willen. Ze nemen me bloed af en stellen me vragen over seks en noteren de antwoorden en staren me verdrietig aan met ogen die proberen niet te oordelen, maar

*waar het verwijt van afdruipt. Ik kan hun gedachten bijna
horen: arm, dom meisje, hoe kon je zoiets doen? Je verkeerde
keuzes, jouw soort, je leeftijdsgroep, je toekomst, je onvermogen
om te plannen. Een mislukte planning is plannen om te misluk-
ken. (Mooi is die, hè? Ik vind hem goed gevonden.)
Ik ben hier alleen naartoe gegaan omdat ik geen tijd had om iets
anders te bedenken. Ik dacht dat ik het Bea verschuldigd was,
omdat ik haar zo had teleurgesteld. Maar wat kan ze me maken? Me dodelijk te schande maken? Kun je sterven van schaamte?
Ik laat je achter met deze diep filosofische vraag en ik ga naar
bed om te dromen dat ik het raam uit drijf.*

Liefs xxoo Jenny

Lieve Maggie,

*Sorry voor die treurige brief van vannacht. Ik denk dat ik niet
wilde gaan slapen, omdat de ochtenden het ergste zijn. Dan
word ik wakker en is alles nog steeds echt gebeurd en wil ik het
liefst niet wakker worden, wat kan door niet te gaan slapen, als
je begrijpt wat ik bedoel. Zit je? Dat zal wel, want je bent deze
brief aan het lezen. Als dat niet zo is, moet je een stoel gaan
zoeken, want ik wil niet dat je omvalt. Ik hoop niet dat je boos
op me wordt, of dat je vindt dat ik compleet de weg kwijt ben.
Ik heb er heel goed over nagedacht en ik heb besloten dat ik het
kind niet wil afstaan. Ik hou het.
Hoe in de zeven kringen van de hel??? (Ik stelde me voor dat je
dat zou zeggen, net zoals Ted vroeger deed, daarom heb ik jouw
rol opgeschreven, zodat het net is of je bij me bent).
Tot dusver weet alleen Ginger het en zij vindt het geweldig en
wil samen een flatje gaan zoeken, maar ik heb gezegd dat ik dat
niet wil. Ik wil niet in de stad wonen. Ik wil naar huis, waar*

dat ook is, ergens bij jou, waar coyotes en Amerikaanse matkop-
pen zijn. Nee, ik heb nog geen plan bedacht, omdat ik, zoals ik
al zei, niet denk dat er veel vraag is naar typistes in Chilcotin,
maar de pioniersvrouwen hebben het ook gered met al hun ba-
by's. Ik heb tegen Ginger gezegd dat ze bij ons mag komen wo-
nen. Ik hoop dat je dat goedvindt. Je vindt haar vast heel aar-
dig. Ze doet het toch niet, dus ik kon het best vragen.
Als Robert het vandaag lang genoeg volhoudt om niet naar mijn
tieten te kijken, zal ik het hem vertellen. Ik heb het gevoel dat
iedereen weer helemaal opnieuw teleurgesteld in me zal zijn.
Wordt vervolgd.

Ben ik weer,

Zoals ik al dacht is niemand blij met mijn besluit. Dokter Robert
zei: 'Mag ik vragen waarom je van gedachten bent veranderd?' Ik
zei: 'Moederinstinct.' Hij zat me heel wazig aan te kijken, vond
ik. (Dat is een uitdrukking van Ginger.) Hij wist een hele tijd
niet wat hij moest zeggen en er viel een ongemakkelijke stilte. Als
hij nadenkt, zet hij zijn vingers in een driehoekje tegen elkaar.
Hij schreef iets op. Ten slotte zei ik om hem eruit te redden: 'Dat
kun jij niet begrijpen, omdat je een man bent.'
'Klopt,' zei hij. Haha. Maar verder niets. En toen: 'Moederin-
stinct, zeg je. En dat zie je als…?'
'Als de reden waarom ik mijn baby wil houden.'
'Daar wil ik graag wat dieper op ingaan.' Blablabla, dat is al-
lemaal niet interessant. Maar na een tijdje zei hij: 'Ook wat je
plan van aanpak betreft.' Ik weet inmiddels dat zijn opmerkin-
gen bedoeld zijn als verkapte vragen, dus antwoordde ik dat ik
niet meteen een plan had, maar dat ik nog vijf maanden de tijd
had om te bedenken hoe ik het zou aanpakken.
'Dit zijn belangrijke keuzes, Jenny. Heel belangrijke keuzes, ze-
ker voor een vijftienjarig meisje.'

'Dat weet ik.'

Ik was onder de indruk van mijn stem, heel resoluut en zelfver-
zekerd. Het grappige is dat ik me een stuk beter voel nu ik dit
heb besloten. Zij was de tafelpoot, al die tijd.

Schrijf alsjeblieft gauw terug en laat me weten wat je ervan
vindt, maar denk er wel aan dat ik niet van gedachten veran-
der.

Liefs xxoo Jenny

HOOFDSTUK 23

Natuurlijk schreef ik Jenny terug. Niet dat ik er trots op ben. Godzijdank heeft ze die brief niet bewaard. Ze negeerde vrijwel alles wat ik erover te zeggen had, inclusief de opmerking 'laat je nakijken', als ik me goed herinner. Ze onthield alleen wat haar van pas kwam. Dat betekende dat ze mijn raad ter harte nam en met zuster Anne ging praten, in wie ik een verstandige bondgenoot zag.

Tot mijn verbazing deed zuster Anne niets om haar dit idee uit het hoofd te praten. Ik had meer van haar verwacht, een overtuigend argument. Maar ze zei alleen: 'Win de nodige informatie in.' Dat werd Jenny's motto.

Jenny veranderde van gedachten over John en schreef hem een brief, per adres van zijn ouders in Williams Lake. Ze stelde helder en duidelijk dat ze niets anders van hem nodig had dan geld en dat ze hem zou terugbetalen. De brief bereikte John uiteindelijk in Noord-Californië waar hij fruit plukte, in spoelkeukens werkte en saxofoon en piano speelde in elk bandje dat hij kon vinden. De eerste cheque die hij stuurde bedroeg tweehonderd dollar. '*Geen onzin over terugbetalen,*' schreef hij. '*Dat wil ik niet.*'

Jenny legde haar eerste rijvaardigheidstest af onder leiding van zuster Anne, die haar regelmatig 's avonds meenam om rijervaring op te doen. Jenny vertelde dat ze achteruit inparkeren oefende in de scheepshaven, tussen de grote zeecontainers.

'*Ik ben vandaag naar Granville gereden!*' schreef ze in een van haar brieven en ze tekende er een blij gezichtje naast.

Je kunt niet sterven van schaamte, Jenny. Als dat zo was, zou ik nu dood zijn. Het liep tegen de kerst en ik had naar Vancouver moeten gaan om bij Jenny te kunnen zijn. Bea ging met de bus naar White Rock om de kerstdagen door te brengen bij haar zus.

'Als je samen met mij de bus wilt nemen, koop ik een kaartje voor je,' zei ze. 'Het tehuis staat bezoekers toe met Kerstmis.' Ik vroeg niet hoe ze dat wist.

'Nee,' zei ik. 'Ik blijf hier. Ze kunnen me niet missen bij de benzinepomp.' Dat was natuurlijk onzin. Ik was zo boos op Jenny dat ze de baby wilde houden, dat ik het niet voor haar overhad om twaalf uur met Bea in een bus te gaan zitten. Bovendien was ik doodongerust. Ik liep rond met de hoop dat mama plotseling bij Bea op de stoep zou verschijnen, met haar brede grijns, haar sterke benen en haar kus. Ze had niets van zich laten horen op mijn veertiende verjaardag. Maar Kerstmis leek me wel een moment waarop ze zou kunnen komen. We hadden haar harder nodig dan ooit en als er zoiets als een moederinstinct bestond, dan zou ze dat weten. Ik durfde niet weg te gaan, voor het geval dat ik haar zou mislopen. Stel dat ze zomaar weer vertrok, zonder te weten dat het niet goed met ons ging?

'Zelf weten,' zei Bea. Ze haalde haar witte koffertje onder het bed vandaan, veegde het stof eraf en maakte een stapeltje op de bank van keurig opgevouwen kleren die ik haar nooit had zien dragen. Beatrice had twee stelletjes kleren die ze altijd droeg: een donkerblauwe stretchbroek met een crèmekleurig vest en een grijze stretchbroek met een groen vest. Ze bleek echter een kast vol andere spullen te bezitten: pastelkleurige broekpakken, crêpe bloesjes met strikken en paisleysjaals. Ze praatte in zichzelf tijdens het pakken. Daar was ze vlak na Jenny's vertrek mee begonnen, kleine dingetjes als 'dit mag weleens naar de stomerij' of 'waar heb ik mijn paraplu gelaten?' Het irriteerde me, zoals alles wat ze deed me irriteerde, zelfs de smaakmakers die ze in de koelkast bewaarde en nooit gebruikte. Oude flesjes muntsaus en HP-saus, uiteindelijk zullen ze toch wel een keer bederven, al is het pas na drie jaar. Ze zette haar koffer twee dagen voor haar vertrek bij de voordeur.

Ik had iets aardigs tegen haar moeten zeggen. Ik had grootmoediger moeten zijn, maar ik was blij dat ze vertrok. Helemaal alleen in andermans huis is niet hetzelfde als je eigen huis hebben. Maar toch viel die verstikkende wolk boordevol woede en onuitgesproken beschuldigingen van me af zodra ze het trapje af was. Ik maakte warme chocolademelk en keek naar *Get Smart* met mijn voeten op de salontafel. Ik rookte een muffe sigaret, nog eentje van Jenny. Er was geen alcohol in huis. Het ging even door me heen dat het leuk zou zijn om dat te kopen, maar toen ik bedacht dat ik dan tegen iemand zou moeten praten, liet ik het idee varen.

In de week daarvoor was alle sneeuw gesmolten. Iedereen die langskwam bij het benzinestation maakte een opmerking over een groene kerst dit jaar. Het kon me niets schelen. Ik wilde niets van Kerstmis weten. Maar op de ochtend na Bea's vertrek, de dag voor kerst, begon het te sneeuwen, zo licht dat drie klanten achter elkaar vroegen, 'is dat sneeuw?' en ik zei ja, alsof ik ervoor geleerd had. Tegen de middag, toen de sneeuwvlokken neerdwarrelden als appelbloesem, moest ik om de andere klant aanhoren dat het alsnog een witte kerst zou worden.

Ik verwachtte elk moment dat mama kwam aanrijden. Telkens wanneer ik banden hoorde knerpen, keek ik op. Ik weet niet waarom ik het gevoel had dat ze naar het benzinestation zou komen waar ik toevallig werkte. Ik denk dat ik ervan uitging dat ze dat wel van iemand zou hebben gehoord.

Bob sloot de tent om drie uur en ik liep door de sneeuw terug naar huis. Het was stevig genoeg om een sneeuwpop te maken. Ik had een karbonaadje en maakt dat klaar met instantaardappelpuree en een blikje mais in roomsaus erbij. Het was al donker, het sneeuwde gestaag door en ik had het gevoel dat ik levend begraven werd. Ik zette Bea's zilveren kerstboom op de tv aan, hoe erg ik het ook vond, zowel dat schreeuwerige nepding als het feit dat ze hem op de tv had neergezet. Het gaf alleen maar extra duidelijk aan hoe sneu die vrouw was, met de televisie als het middelpunt van haar leven. Jenny heeft mama een keer gevraagd waarom we geen televisie hadden en toen zei mama: 'Bedoel je afgezien van het feit dat we ook geen elektrisch fornuis of droger hebben? Als we het belangrijk vonden, zouden we wel een televisie nemen.'

Toch vond ik het gekleurde licht dat Bea's boompje gaf wel gezellig. Geen haardvuur, maar de herinnering aan een haardvuur, kerstavond en kaarten bij het licht van de lantaarn, met mama die ons een bord koekjes bracht met verse room en bramenjam. Waar haalde ze die room vandaan? Welke plannen maakte ze voor die dag, welk droombeeld had ze voor ogen over ons gezin, allemaal samen op kerstavond? De geur van houtrook. Later sneeuwengelen, wij alle vier, papa met een brede grijns. Opkijken naar de sterren, de nacht zo helder en koud. Ik weet niet hoe oud ik was, maar ik wist toen al dat ik dat moment moest vasthouden. Ik besefte hoe broos het was.

Ik keek uit het raam naar de stille straat. De sneeuw had de auto's van de buren veranderd in grillige hoge silhouetten. Het sneeuwde nog steeds en in het licht van de straatlantaarn zagen de dwarrelende sneeuwvlokken eruit als wolken insecten.

Ik ging naar de telefoon en draaide het informatienummer. 'Ik ben op zoek naar Onze-Lieve-Vrouwe van Altijddurende Bijstand in Vancouver,' zei ik.

'Sorry? Wat is de naam van degene die u zoekt?' vroeg de telefoniste.

'Onze-Lieve-Vrouwe van Altijddurende Bijstand. Dat is de naam.'

'Momentje, alstublieft. Er is een Onze-Lieve-Vrouwe van Altijddurende Bijstand-kerk. Is dat wat u zoekt?'

'Nee.'

'Het spijt me, juffrouw, dat is het enige nummer dat ik heb. Vrolijk kerstfeest,' zei de telefoniste.

Bea's achtertuin was veranderd in een kom diepe sneeuw onder een hemel waarin elk sprankje licht werd weerkaatst. Het was maar een stadstuintje en hoewel alles verkeerd was aan deze kerst, ontging de schoonheid ervan me niet. Ik trok mijn parka aan en ging naar buiten. Ik pakte de sneeuwschuiver en schoof de sneeuw in een hoge berg naar het midden van de tuin. Er zweefde muziek uit het huis van de buren. Ik hoopte dat ze niet wisten dat Bea weg was en dat ze me niet zouden zien, helemaal in mijn eentje buiten. Ik stapelde de sneeuw hoog op, maakte er een stevige, ronde berg van die ik telkens aanvulde en opnieuw aandrukte, tot ik het zo warm kreeg dat ik mijn parka uittrok en doorwerkte in mijn sweatshirt. Ik nam even pauze voor een beker warme chocolademelk en ging ermee op het trapje zitten, met mijn gedachten bij Vern, die de feestdagen bij zijn moeder doorbracht.

Stemmen op straat, vrolijke uitroepen en dichtslaande portieren. Dan de commotie over een motor die niet aanslaat en geschreeuwde aanwijzingen. 'Zet je wielen recht. Oké, zet hem in z'n achteruit. Gas geven. Nog een keer.' Daarna stilte. Doodse stilte, zelfs voor hier. Het moest al laat zijn.

Ik groef een tunnel in de berg sneeuw. Na een tijdje haalde ik de zaklamp en ging ik in de schuur op zoek naar een kleinere schop. Ik liet de lichtstraal over de donkere hoeken glijden en zag haar voor me in de auto, veel te hard rijdend op die besneeuwde weg, haar gespierde handen stevig aan het stuur, het licht van de koplampen weerkaatst in de dwarrelende sneeuw. Ze zou trek hebben in een sigaret. Er was niemand om hem voor haar te rollen en op zo'n weg kon je niet stoppen, want dan kwam je zo zeker als wat vast te zitten. Haar thermosfles met thee stond tussen haar benen, maar de thee zou inmiddels lauw geworden zijn.

Ik sloot de schuur af. Als er iemand de straat inreed, zou ik het horen. Maar er bewoog niets. Zelfs niet op de hoofdweg.

Vroeg in de ochtend, vlak voordat het licht werd, had ik de iglo af. Ik ging op zoek naar een kaars, zette hem op een sneeuwrichel en stak hem aan. Hierbinnen was het beter. Het was eerste kerstdag. Niemand ter wereld wist hoe pijnlijk mijn armen waren, noch hoe bleek het licht van de kaars tegen de kristallen sneeuwwanden blonk.

Nu vraag ik me af hoe diep iemand kan wegzinken in zijn verdriet. Jenny heeft het nooit over die kerst gehad, niet in de brieven die ze daarna schreef en ook later niet. Maar ik vraag me af wat het met haar heeft gedaan dat ik haar daar in haar eentje liet zitten en of dat de aanzet is geweest voor wat er later gebeurde.

HOOFDSTUK 24

Er zouden andere woorden moeten zijn dan 'van een kind bevallen'. Het woord 'verlossen' dekt de lading al beter, want iets van 'doorstaan' zou er toch in moeten doorklinken. Ik herinner me dat de priester in de kerk altijd zei: 'Maria schonk Jezus het leven', en dat ik dan altijd dacht aan iets inschenken. Maar nu ik weet wat dat schenken inhoudt, nu ik gezien heb wat Jenny heeft moeten doormaken, is dat al veel beter dan het passieve 'de baby is geboren', alsof het net zo makkelijk gaat als het aangroeien van je nagels.

Zuster Anne zei dat er andere woorden zouden zijn als mannen moesten bevallen en we bedachten er een paar toen Jenny nog in het ziekenhuis lag en wij de tijd doodden met een potje scrabble aan de kaarttafel. Ik was drie weken eerder van school gegaan om bij haar te kunnen zijn. Zuster Anne had naast haar eigen kamer een logeerkamer waar ik mocht slapen. We bedachten 'prijsgeven', 'ontlasten', 'lossen' en een term die ik in het woordenboek aantrof, 'afvloeien', wat ik de mooiste vond.

Jenny sliep als een roos toen ik haar achterliet met de baby, een meisje zoals ze had voorspeld, vredig in een plastic wiegje naast haar bed. Jenny had nog net tijd om haar een naam te geven voor ze van haar stokje ging: Sunshine. Zo heet ze. Ik vond het eerst te hippie-achtig, maar het is typisch een naam voor Jenny. Zo had ze zelf moeten heten. 'We noemen haar Sunny,' zei ze, waarop ze haar ogen sloot en zich vredig liet wegzinken in dromenland, ver weg van de medicijnen, het bloed, de paniek en de tang.

Toen Jenny samen met Sunny terugkeerde naar Onze-Lieve-Vrouwe van Altijddurende Bijstand, was zíj echter totaal anders dan ik had verwacht. Ik had een roodharige Madonna met zachte ogen verwacht, die haar baby koerende woordjes toefluisterde en liefdevol op haar neerkeek. Ze was echter nerveus en geïrriteerd.

'Ik ben zo moe,' zei ze steeds. 'Ik wil alleen maar slapen.' Ze beweerde dat ze geen oog had dichtgedaan in het ziekenhuis en omdat ze daarover klaagde, lieten ze haar wat eerder gaan.

'Ze willen niet dat je hun schema in de war schopt. Echt waar, de verpleegkundigen vinden je al een slechte moeder als je niet stipt om zeven uur 's morgens klaarstaat. Laat ze zelf maar eens proberen om met drie vrouwen op een kamer te slapen, die allemaal snurken en janken en jammeren als spoken. Ze bleven maar dreigen dat ze haar gingen bijvoeden met suikerwater als ik haar niet vaak genoeg de borst gaf. En maar doorzaniken over moederband en hechten en aanhankelijkheid. Ik wist gewoon dat ze zaten te wachten tot ik het verkeerd deed, omdat ze dan lekker "zie je nou wel" konden zeggen.'

'Niemand vindt dat je wat dan ook verkeerd doet,' zei ik. Ik hield haar gezelschap in de kinderkamer op de eerste verdieping, waar Sunny slaperig tegen haar borst lag. Het idee was dat ik bij Jenny zou blijven om als haar steun en toeverlaat te leren hoe ik haar kon helpen met de baby en dan zouden we samen naar huis gaan. Hoewel dat weer een ander verhaal was.

'O, jawel, ze denken echt dat ik het verpest,' zei Jenny. 'En ze hebben al een hele lijst mensen die mijn baby willen. Kijk dan hoe mooi ze is.' Ze schoof haar arm opzij, zodat ik Sunny's gezichtje kon zien. Ze was prachtig. Ze had donzige lichte haartjes, een engelachtig, hartvormig gezichtje en volmaakte lipjes die bewogen in haar slaap. Maar Jenny's stem klonk boos.

'Wist je dat ik gebeden heb om een lelijke baby? Ik heb erom gebeden met de rozenkrans. Ik heb Onze-Lieve-Vrouwe van Altijddurende Bijstand erom gesmeekt en kijk eens wat ik gekregen heb. Dat is mijn straf.'

'Jenny, doe niet zo belachelijk. Ze is beeldschoon omdat jij beeldschoon bent. Ze heeft zelfs jouw groene ogen. Wat had je dan verwacht? Een varkenssnoet met drie ogen?'

'Erg grappig.' Ze liet haar hoofd tegen de leuning van de schommelstoel vallen en sloot haar ogen. Even later zakte haar mond open en begon ze zachtjes te snurken. Ik wilde Sunny voorzichtig van haar overnemen, maar Jenny schrok wakker.

'Waar breng je haar naartoe?'

'Ik wilde haar in haar wiegje leggen, dan kun jij even slapen.'

'Dat is ook zoiets. Waarom staat haar wiegje apart van de andere? En waarom zit er een stuk tape op geplakt?'

'Ik weet het niet. Misschien omdat ze nog maar net geboren is. Waarom ga je niet even naar je kamer voor een dutje? Ze slaapt nu. Ze zeggen dat je moet slapen als zij ook slaapt.'

'Wil jij dan op haar letten?'

'Als je dat wilt. Maar je weet dat hier altijd iemand is.'

Ze snoof droogjes. 'Dat is nou precies waar ik zo bang voor ben.'

'Ik zal op haar passen,' beloofde ik.

Die avond, toen Jenny op haar kamer probeerde om wat te slapen, vroeg ik zuster Anne of het waar was dat er een wachtlijst was voor Jenny's baby.

'Nee, Maggie, dat is niet zo. Haar besluit wordt gerespecteerd. We zullen doen wat we kunnen om haar te helpen het goed te doen.'

'Maar wie bepaalt of ze het goed doet of niet?'

'Het komt allemaal in orde met haar. Het is altijd moeilijk in het begin, niet alleen voor zulke jonge moeders als zij. Ze doet het uitstekend.'

Ik geloofde haar, maar Jenny's angsten leken niet ongegrond. Ze was per slot van rekening in een tehuis waar regelmatig baby's werden afgestaan ter adoptie. De moeders werden verzorgd en geholpen, dat is waar, maar ze werden ook in de gaten gehouden. Ik had meer vertrouwen in de nonnen dan in de maatschappelijk werksters. We kenden kinderen in Williams Lake die in weeshuizen zaten omdat ze door maatschappelijk werksters bij hun ouders waren weggehaald. Dat betrof vooral indiaanse kinderen, maar niet altijd.

En het ging niet uitstekend met Jenny, hoe graag ik ook wilde geloven dat haar gedrag normaal was voor een kersverse moeder. Ze vertelde me dingen die ik niet verder mocht vertellen. 'Gisteren kwam er een meisje mijn kamer binnen,' zei ze op een ochtend. 'Ze had lange, zwarte vlechten en ze droeg een lange witte nachtjapon. Hij was kletsnat van voren. Toen ik het licht aandeed, zag ik dat hij doordrenkt was met bloed.'

'Je droomde.'

'Ik droomde niet, Maggie, ik heb met haar gepraat. Ze wist zelfs hoe ik heette. Ze had ook in Onze-Lieve-Vrouwe van Altijddurende Bijstand gezeten. Ze vertelde me dat haar baby uitverkoren was en dat de mijne nu ook was uitverkoren en dat ik heel goed op haar moest letten. Ze hadden haar baby weggenomen omdat ze een bloeding had gehad en te verzwakt was om voor haar te zorgen. Ze kwam me waarschuwen.'

'Dat is bizar, Jenny.'

'Weet ik. Maar dit is een bizarre plek, dat moet je toegeven. Al die verhalen die de ronde doen. Daar moet wel iets van waarheid in schuilen.'

'Niet echt. Het zijn allemaal angsten. Je wordt al net zo'n zwartkijkster als ik.'

'Het was geen droom, Maggie, ik zweer het je. Ik sliep niet eens. Ik slaap niet, ik kan niet slapen.'

Jenny's droom was zo griezelig gedetailleerd dat ik Ginger in vertrouwen nam. Ginger had een kamer op de derde etage, niet ver van de kinderkamer. Zij was inmiddels bevallen van een jongetje, Jamie. Ze gaf hem juist de borst toen ik bij haar aanklopte. Ze leek ouder dan Jenny en was geheel op haar gemak als moeder.

'Waar haalt ze die onzin vandaan?' vroeg ik. 'Waar kan ze dat gehoord hebben?'

'Zorg dat ze met dokter Robert gaat praten.'

'Dat wil ze niet. Ik heb haar moeten zweren om dit alles geheim te houden. Misschien moet ik zelf maar eens met dokter Robert praten.'

'Dat lijkt me niet. Je mag haar vertrouwen niet beschamen.'

En dus hield ik mijn mond erover. Maar dat maakte niets uit, want dokter Robert kwam er zelf achter.

'Hij wilde weten waarom ik de baby niet Irene heb genoemd,' zei Jenny op een avond nadat ze bij hem was geweest.

'Wat bedoel je? Vroeg hij dat zomaar, uit het niets?'

'Hij denkt dat er iets mis met me is. Als moeder. Ik weet het zeker.'

'Omdat je haar geen Irene hebt genoemd?'

'Hij weet het van mama.'

'Wat dan?'

Jenny lachte de droge lach die ze had ontwikkeld en die in de verste verte niet leek op haar oude, vrolijke lach. Hij klonk sarcastisch en bitter, en hoewel ik mijn best deed om volwassen en behulpzaam te zijn, deed die lach me verdriet. Het was een lachje van 'wat ben je toch naïef!'

'Ik kan je niet volgen,' zei ik met een zweempje ergernis.

'Ik heb hem veel te veel over mezelf verteld. En Ginger zit ook in het complot. Ik heb haar in vertrouwen genomen. Ik zag een dossier op zijn schoot liggen met Gingers naam erop. Alles wat ik haar heb verteld staat erin.'

'Je maakt me bang, Jenny.'

Ze lachte opnieuw. 'Mooi zo. Je moet ook bang zijn. Dan snap je eindelijk wat er hier aan de hand is.'

Twee dagen later bracht zuster Anne me naar de kamer die dienstdeed als spreekkamer van dokter Robert. Hij keek met een glimlach naar me op, maar het was geen luchtige, oprechte glimlach. Het was de verdrietige, scheve, zogenaamd begripvolle glimlach van iemand die slecht nieuws voor je heeft. Hij draaide eromheen met wat gepraat over koetjes en kalfjes, in een mislukte poging om me op mijn gemak te stellen. Toen vroeg hij: 'Heb je weleens van *kraamtranen* gehoord?'

Ik schudde van nee.

'Veel vrouwen worden na de geboorte van hun baby wat huilerig en emotioneel. Dat is normaal. Het overkomt zeven van de tien vrouwen en duurt ongeveer een week. We dachten dat Jenny daar last van had.' Hij produceerde die verdrietige glimlach nog maar eens. Ik keek naar zuster Anne, die haar wenkbrauwen fronste. Ik geloof dat zij meer respect voor mijn verstandelijke vermogens had dan dokter Robert.

'Het lijkt er echter op dat het in Jenny's geval ernstiger is. Bij haar gaat het om iets wat we een postnatale depressie noemen. Dat klinkt griezelig, dat weet ik.'

Ik staarde hem aan. Het klonk nog helemaal niet griezelig, aangezien ik niet wist wat het was, maar toen hij dat zei, slikte ik moeizaam.

'We kennen de oorzaken nog niet precies, maar we weten wel hoe we het moeten behandelen. Dat is het goede nieuws.' Hij zweeg. Ik wachtte op het onvermijdelijke vervolg daarop, namelijk het slechte nieuws. Ik had het idee dat hij... triomfantelijk keek. Hij leefde op van de wetenschappelijke details die hij wilde bespreken.

'Zijn er gevallen van geesteziekte bekend in de familie?'

'Niet dat ik weet.'

'Drankzucht?'

'Nee. Ik bedoel, ik geloof van niet.' Ik dacht aan papa, de periodes waarin hij zich terugtrok.

Dokter Robert leunde achterover in zijn stoel en keek zuster Anne aan.

'Deze reeks vragen...' begon zuster Anne.

'Ik probeer me een beeld te vormen van de geestelijke gezondheidssituatie in deze familie. We weten dat een postnatale depressie zich veelal voordoet wanneer er geesteziekte heerst in de familie.'

'Maggies vader overleed toen ze tien was. Ze is nu veertien.' Zuster Anne noemde nadrukkelijk mijn leeftijd, maar dokter Robert leek het niet te merken.

'Hoe is hij gestorven?'

'Een houthakkersongeval.'

'En je moeder?'

'Hoe zij is gestorven?' vroeg ik.

'Is ze gestorven?'

'Dat weet ik niet. Heeft Jenny dit niet allemaal al verteld? Wat bent u met haar van plan?'

'Oké.' Dokter Robert glimlachte weer. 'Ik denk dat we ietwat op de zaken vooruitlopen. Jenny moet terug naar het ziekenhuis. Daar kunnen we haar observeren, en haar behandelen, uiteraard.'

Misschien was dat het enige wat ze voor haar konden doen en wellicht was het ook het juiste, maar tegelijkertijd was het ook het ergste. Het was precies waar Jenny zo bang voor was.

HOOFDSTUK 25

Ook als Jenny het me niet had gevraagd, was ik mama waarschijnlijk gaan zoeken. Ik kon Jenny niet helpen, al bleef ik bij haar. Ik kon haar paniek niet verzachten of haar ervan overtuigen dat haar angsten ongegrond waren. Bovendien zat er een kern van waarheid in vrijwel alles wat ze beweerde en ook al sprak ik haar sussend tegen, mijn maag draaide zich om bij het idee dat er een geringe kans bestond dat ze gelijk had. Ze werd in de gaten gehouden, 'geobserveerd' zoals zij het noemde. Ze konden Sunny van haar afnemen, het zou niet de eerste keer zijn dat zoiets gebeurde. Narigheid overkwam iedereen. Ons ook. Het kwam in drieën. Dat wist ik. Dat wist Jenny.

Maar ik was het niet met Jenny eens dat haar opname in het ziekenhuis, waar ze een hele rits medicijnen kreeg toegediend waar ze ontroostbaar verdrietig of wezenloos en apathisch van werd, iets te maken had met mama's verdwijning. Niemand wist waar ze uiting en daarbij leek iedereen het als een gegeven te beschouwen dat ze ergens zat waar ze niet gevonden wilde worden. Het zal wettelijk niet verboden zijn om je kinderen te verlaten. Het was alleen een misdaad jegens ons. En het gebeurde zo geleidelijk als het invallen van de winter, zoals je maandenlang je fiets niet in het schuurtje zet en hem op een ochtend aantreft onder een laag sneeuw, waardoor je beseft dat de dagen van blote benen en fietsen tot je buiten adem bent voorbij zijn en je je bijna niet kunt voorstellen dat ze ooit zullen terugkomen.

Voor een buitenstaander, zoals Bea Edwards, leek het bijna of ze het had gepland.

'Ik wil dat je weggaat,' zei Jenny op een avond in juni. Buiten stroomden langgerekte schaduwen over het zonnige gazon van het ziekenhuis. De blauwe hortensia's gloeiden op in het avondlicht. Zuster Anne en ik waren van het Onze-Lieve-Vrouwe van Altijddurende Bijstand naar het ziekenhuis gelopen, genietend van de geur van cederbomen en de zeelucht. Ik had zuster Anne verteld dat ik wegging.

'Dat lijkt mij ook het beste, Maggie. Hier kun je niets doen. Jenny is in goede handen. We zullen goed voor die twee zorgen. Ik beloof je dat ik haar elke dag zal opzoeken. Het is een kranige meid. Zodra ze beter is, kan ze samen met Sunny bij ons terugkomen.'

Ik had me er dus op voorbereid om het tegen Jenny te zeggen, maar ze was me voor.

'Je moet haar gaan zoeken. Ze moet weten wat er aan de hand is. Ze laten me hier niet gaan tot we haar gevonden hebben.'

Ik haalde diep adem. Ik stond op het punt om tegen haar in te gaan. De psychiater had me gewaarschuwd dat ik niet met haar waanideeën mocht meepraten. Maar ik was het vechten beu.

'Ik zal het proberen,' beloofde ik.

'Ik mag Sunny niet meer voeden,' zei ze, en de tranen sprongen in haar ogen en biggelden over haar wangen.

'Ik weet het, Jenny.'

'Dat is vanwege de medicijnen. Voor haar eigen veiligheid.'

'Ik weet het. Maar ze vindt de fles ook lekker. Ze wordt mollig.'

'Vind je? Denk je niet dat het kwaad kan? Soms gaat er zomaar een uur of twee voorbij zonder dat ik aan haar denk. Dan vergeet ik dat ik een baby heb.'

'Je bent een goede moeder, Jenny. Zeg nu zelf. Je ligt in het ziekenhuis, je bent ziek en nog maak je je zorgen of je wel een goede moeder bent. Zo zie je maar, dat zegt genoeg.'

'Misschien krijg ik wel hetzelfde als wat er met mama is gebeurd.'

'Nee.'

Ze barstte in tranen uit en bleef het hele bezoekuur lang huilen, zelfs toen zuster Anne Sunny uit de babyzaal haalde zodat Jenny haar de fles kon geven en Sunny zich met vrolijke kirgeluidjes vastklemde aan haar vinger. Een baby'tje dat probeerde haar piepjonge moeder te troosten. Toen Jenny met Sunny op haar borst in slaap viel, stroomden de tranen in Jenny's haar.

Zuster Anne en ik brachten Sunny terug naar de babyzaal en onderweg spraken we met de verpleegster over het huilen.

'Het is geen exacte wetenschap,' zei de zuster. 'De artsen zoeken naar de juiste dosis. Dat kan zomaar nog een weekje duren. Ze zal geleidelijk opknappen. Het kost tijd.'

Jenny had een deel van het geld dat John haar had gestuurd aan mij gegeven. Hij had aangeboden om een auto voor haar te kopen, maar daar had ik vooralsnog niets aan. Ik maakte een lijstje van de mensen die ik kon vertrouwen. Het was maar een kort lijstje: John, Vern en oom Leslie. Vern had een vakantiebaantje aangenomen bij zijn andere oom in de buurt van Bella Coola. John zat nog steeds in Californië. Oom Leslie had mijn moeder nooit gekend, dus hem zag ik mezelf niet om hulp vragen.

Die nacht luisterde ik naar het gedempte geluid van het verkeer in Granville Street en probeerde ik me voor te stellen dat het een rivier was, de Chilcotin vroeg in de zomer, voortstromend in het blinkende zonlicht. Ik schepte water op met een pan, het drupte op mijn benen. Ik besefte dat ik niet kon wachten om hier weg te gaan, weg uit Vancouver, uit Williams Lake, weg van de zorgelijke storm die kookte en raasde in mijn binnenste.

HOOFDSTUK 26

Onder de rauwe kreet van een raaf galmde het fluitje van een Amerikaanse matkop. Een pestvogel tjilpte zijn hoge, schelle lied en vlakbij klonk het gehamer van een specht tegen een boom. Vroeg in de ochtend was het woud een jungle vol geluiden. Het lag fris en koel in het zachte zonlicht dat pas later op de dag volop zou branden. Ik had alleen het hoogstnodige meegenomen: lucifers, een blikken pan, een veldfles, wat theezakjes en een paar pakjes Tang-limonade met fruitsmaak, een brood, een pot pindakaas, een vislijn en haakjes, een rol touw, een slaapzak en papa's knipmes.

Ik liep naar de kreek en vulde de pan met water. Het was bladstil en het kostte me geen moeite om het vuurtje van gisteravond op te porren, waarna ik de pan tussen twee stenen zette om water te koken voor thee. Ik had een handje aardbeien, niet groter dan de nagel van mijn pink, die ik gisteren had geplukt en had bewaard voor mijn ontbijt. Ze hadden een verrukkelijke wrange smaak. Ik werd overmand door hetzelfde gevoel van vredige kalmte dat ik gisteravond bij het vuur had gevoeld, starend naar de hemel waar de constellaties zich aftekenden in de avondlucht: de Grote Beer, Orion, Cassiopeia, Perseus. Dat vredige gevoel leek misplaatst. Ik voelde me er schuldig onder. Toch keerde het bij me terug, tegelijk met de vertrouwde ochtendgeluiden. Mijn moeder was verdwenen, mijn zus zat in een psychiatrische kliniek en ik zat in de schaduw van een esp een pannetje water uit de kreek op te warmen voor de thee.

Ik had een slaapzak, de pan, een mok, mijn bestek en een rugzak om alles in te stoppen. Ik had geld om voedsel te kopen in de winkel in Duchess Creek. Ik had besloten om net als Chiwid te gaan lopen en in de openlucht te slapen. De eerste dag nadat ik Williams Lake had verlaten, verwachtte ik elk moment dat iemand me achterna zou komen. Dat mocht niet gebeuren. Ik zou mama niet vinden door iemand te vragen me naar haar toe te brengen. Ik zou haar moeten overvallen, zoals die man in het sparrenbos die midden in de nacht met gedoofde koplampen was komen aanrijden en haar geen schijn van kans had gegeven om te ontsnappen.

Na het ontbijt pakte ik mijn spullen in, doofde het vuur, verspreidde de stenen en ging weer op pad. Ik volgde de weg. Toen het warmer werd, zocht ik de kreek weer op om mijn haar en mijn shirt nat te maken en mijn voeten af te laten koelen in het snelstromende water. Ik kende de namen van de dingen hier buiten: Canadese mint, brandnetel en paardenstaart langs de oever. Amerikaanse look op een zonnige helling, de lila bloemen licht gebogen. Kaasjeskruid, ganzenvoet, je kunt het verse, jonge blad als sla gebruiken. Duizendblad om thee van te zetten. Morgenster, weegbree, distel, allemaal langs de berm. De bladeren en stengels zijn eetbaar. Aardbeien, daar moet je oog voor hebben, drie blaadjes laag bij de grond, kleine rode vruchten. Rozenbottels van vorig jaar, verschrompeld, maar nog lekker genoeg om op te kauwen of voor in de thee.

Die avond zette ik mijn kamp op naast een pad dat naar een moerassig meer leidde. Midden in de nacht schrok ik wakker en stak ik mijn hand uit om iets vertrouwds te voelen. Zand onder mijn vingers, kiezels en twijgjes in een stikdonkere nacht. Ik spitste mijn oren om te horen wat me gewekt had. Niets. Misschien was dat het. Die stilte… geen ademtocht, geen piepje, geen beweging. Een stilte die zo zacht en zwaar was dat ik ervoor wakker wilde blijven.

Er stak een lichte bries op die de geur van houtrook met zich meebracht. Ik herinnerde me toen dat ik van vuur had gedroomd, vlammen die werden meegevoerd door de wind en door de boomtoppen snelden. Ik rende met de dieren mee, herten, wasberen, eekhoorns en hoogpotige vogels, op de vlucht naar de rivier met de donderende vlammen boven ons hoofd.

En toen kwam vanuit het woud de langgerekte kreet van een uil. Even later klonk het antwoord van de andere kant.

Niet alles hoeft een teken te zijn. Ze roepen elkaar, bakenen hun territorium af. Ze weten niets van mij of mijn verdwenen moeder of hoe ze hield van de stilte van de nacht en altijd op zoek ging naar de meest verlaten plekjes.

En toch werd ik in de nachtelijke stilte opnieuw bevangen door de onrust, die diep naar binnen kroop naar de plek waar ik mijn duisterste angsten koesterde. Net als de stilte was er niets wat ik kon benoemen, niets wat vorm kreeg, maar de angst golfde, knaagde en groeide tot ik opnieuw de geur van brand rook. Dat was iets om aan vast te houden, een bosbrand niet ver van hier of misschien een kampeerder. Wat was erger? Mama was banger voor mensen dan voor beren en wolven of onweer. 'Welke mensen?' had Jenny gevraagd. Niemand in het bijzonder. Mensen zijn onvoorspelbaar.

Nu ritselden de bladeren, heel zachtjes. Verder niets, hoewel ik luisterde tot mijn hartslag bonsde in mijn oren. Ik rolde naar de afgrond van de slaap en schoot enkele malen wakker, zwetend, de lucht opsnuivend, luisterend. Toen ik wakker werd in het ochtendlicht, viel de sneeuw zachtjes door het bladerdek. Ik blies een vlokje van mijn arm. Het was geen sneeuw, maar as dat uit de hemel viel. Door de espenbladeren heen vormde de zon een oranje vlek, verduisterd door de rook. De wind was die nacht opgestoken en blies as en de zware geur van dennenrook mijn richting uit. Ergens ten noorden van hier woedde een bosbrand.

Ik liep de hele dag door. De stilte werd regelmatig doorbroken door helikopters, op weg naar het noorden. Een man in een grote zilverkleurige auto stopte naast me. Zijn raampje suisde omlaag en hij bood me een lift aan. 'Nee, maar toch bedankt,' zei ik. Honderden vogels vlogen in een wolk op van de telefoondraad, zwenkten allemaal tegelijk over de weg en veranderden opnieuw van richting om aan de overkant naar het open veld te koersen. Het verkeer denderde voorbij, sommige bestuurders staken hun hand naar me op. Anderen stopten om te vragen of alles in orde was, of ik hulp nodig had. Maar ik nam van niemand een lift aan. Ik lunchte op een steen met de brandende zon op mijn rug, de gonzende insecten op de weg.

Laat in de middag werd ik tegemoet gereden door een truck, die aan de andere kant van de weg tot stilstand kwam.

'Zo zijn we elkaar weleens vaker tegengekomen.' Oom Leslie glimlachte breed door zijn open raampje. 'Ik kom net uit Bella Coola. Heb je geen last van de rook?'

'Nee. Een beetje,' zei ik.

'Waar ga je naartoe?'

Ik kon geen antwoord geven, ik wist niet wat ik moest zeggen. Ik had niet echt tegen hem gelogen over mijn moeder, ik had hem alleen niet het hele verhaal verteld. Ik schaamde me over de waarheid, had het gevoel dat het Jenny en mij in een ongunstig daglicht stelde. De pijn was een rivier die me meevoerde; als ik mijn voeten erin zette, zou ik erdoor omvergeworpen worden.

'Ik wil je wel naar Duchess Creek brengen,' zei hij, toen ik niets terugzei.

'Dat is de andere kant uit.'

'Maggie,' zei hij. Meer niet, maar ik werd overrompeld door de tedere klank van zijn stem en er brak iets in me. In de neerdwarrelende as begaven mijn knieën het en ik viel neer in het steengruis van de berm. Ik begon te huilen, eerst als een baby en daarna als een soort gewond dier, tot ik haast geen lucht meer kreeg en bijna languit in het stof belandde onder het gewicht van mijn rugzak. Leslie pakte me bij mijn arm en zei: 'Oké, stil maar. Alles is goed. Ik ben bij je.'

Hij pakte mijn rugzak om hem in de truck te zetten, hielp me de cabine in en sloot het portier voor me.

Ik snakte naar adem en de tranen en het snot stroomden over mijn gezicht. Leslie rommelde in het dashboardkastje en viste er wat servetjes voor me uit. 'Iets anders heb ik niet,' zei hij. Ik veegde mijn wangen af en snoot mijn neus. Hij nam mijn hand in de zijne en hield hem stevig vast.

'Het komt allemaal goed,' zei hij telkens en telkens weer.

Zijn vaste greep bracht me tot bedaren. Langzaam, heel langzaam keerde ik terug naar de sparren en de espen, de weg die zich voor me uitstrekte, de wazige lucht.

We reden naar het westen. 'Niet naar Duchess Creek,' zei ik.

'Wil je op zoek naar een kampeerplek?'

Ik knikte. Sloot mijn ogen.

We reden over een verlaten weg het ravijn in ten zuiden van de rivier. Het landschap werd weidser en ging over in golvende graslanden, waar een spookachtige wind paden blies in het wuivende gras. De vogels cirkelden krijsend over de prairie. Aan de overkant van de rivier rezen de zandstenen aardpiramiden hoog op. Leslie reed naar de kant en stopte bij een verlaten blokhut. De deur was verdwenen en de ingang vormde een donker gapend gat. Door de kapotte vloerplanken groeiden braamtakken.

'De blokhut heeft zijn beste tijd gehad, maar ik vind het een fijne plek,' zei hij. 'Hier hebben we minder last van de rook.'

Ik knikte. De snelstromende rivier was groen van het slib en de lucht erboven was koel.

'Het kan wat frisjes worden vannacht. Hoe zit je in je spullen?'

'Ik heb een goede slaapzak,' zei ik.

'Ik leg mijn zeildoek achter in de truck en ga eronder liggen, op een stuk schuimrubber bij wijze van matras.' Hij ging het klaarleggen en zette zijn propaanbrander bij de achterklep.

'Thee of warme chocola?' vroeg hij.

'Ik vind het allebei goed.'

Ik ging bij de rivier zitten, plotseling doodmoe. Dit was mama's favoriete tijdstip, het moment tussen dag en nacht wanneer de wind, als die er was, ging liggen, de lucht een groenachtige helderheid kreeg en de drukte van de dag verstilde. Als we bij een meer waren, maakte ze haar koffie voor na het eten klaar boven het vuur en nam ze hem mee naar het strand om aan de oever naar de zacht kabbelende golven te luisteren.

Leslie bracht me een beker warme chocola en kwam naast me zitten. We dronken zwijgend, uitkijkend over de rivier. Na een tijdje warmde hij wat bonen op boven een vuurtje. Het was klaar toen de avond viel.

'Ik zal je een verhaal vertellen,' zei oom Leslie. 'Over hoe Vern bij mij kwam wonen.'

Hij was naar Nistsun gereden om zijn zus en haar zoon op te zoeken. Hij had weinig op met de blanke man met wie Jolene samenwoonde. 'Ik heb ze nooit gemogen, geen van allen, om eerlijk te zijn. Arrogante klootzakken. Maar deze was echt slecht. Agressief. Op een nacht moest Vern mijn broer William halen, toen die lamzak de loop van een geweer tegen Jolenes buik had gezet. Dat arme jochie is gillend als een speenvarken in zijn ondergoed naar Williams huis gerend, vertelde William. Dat beeld kon ik niet uit mijn hoofd krijgen. Ik ben hen gaan opzoeken. Hoopte dat ik Jolene wat gezond verstand kon bijbrengen om die vent te lozen, met onze hulp, natuurlijk. Wat zag ze toch in die kerels? Ik weet het echt niet. Wat zag ze in zichzelf dat haar deed geloven dat ze niet beter verdiende?

Die eerste nacht bleef ik bij William slapen. Ik was moe van de rit en ik kon het niet aan om die blanke te zien als ik moe was. Ik sliep op de overdekte veranda. Het was de langste dag van het jaar. Zoals ik al zei, ik was moe van de rit, maar ik kon niet slapen. Achter de pijnbomen zag ik de witte toppen van de bergen en de schaduwen van de wolken. Ik herinner me dat ik de maan zag opkomen boven de bergen, wat de wolken in een zilveren gloed zette. Ik hoorde gehuil en vroeg me af of het een wolf was. Er rammelde iets tegen de zijkant van de veranda in de wind. Voordat ik het wist stond ik in het maanlicht bij Jolenes huis. Een blauw vogeltje wierp zich wanhopig fladderend tegen het slaapkamerraam. Hij zat binnen opgesloten. Ik ging naar het raam van de woonkamer en keek naar binnen. Midden in de kamer stond een wolf over het karkas van een hert gebogen en scheurde repen vlees uit haar ribbenkast. Ze lag met haar uitgestrekte hals naar mij gekeerd en sloeg haar ogen op om me aan te kijken, niet bang, eerder mild en vol mededogen.

Ik zag een schop bij het trapje staan en nam hem op, klaar om het raam in te slaan. Toen werd ik wakker in het bed op Williams veranda. Mijn hart ging als een dolle tekeer. De maan was verdwenen en de wind was gaan liggen.

Ik stond op en ging naar binnen. Ik wilde William vragen wat hij van mijn droom vond, maar hij sliep. Daarom trok ik mijn broek en schoenen aan en liep ik het reservaat door naar Jolenes huis. Ik had geen idee hoe laat het was, maar alles was stil, dus ik wist dat het laat moest zijn. Ze woonde vlak bij het bos, dat weet je, en toen ik dichterbij kwam, hoorde ik een langgerekt gehuil uit de heuvels opklinken en ditmaal was het werkelijk een wolf. Het klonk zo troosteloos dat ik er kippenvel van kreeg. Het licht uit het voorkamerraam viel op het aangestampte erf voor Jolenes huis. Ik hoorde geschreeuw, een gil, misschien van Jolene. Er stonden wat auto's voor de deur geparkeerd. Ik moest er niet aan denken wat ik daar zou aantreffen. Het was precies zoals in mijn droom. De schop stond tegen het trapje en ik nam hem op. Zonder de tijd te nemen om door het raam te kijken of te kloppen, stapte ik plompverloren naar binnen.

Ze wisten verdorie niet wat hen overkwam. Hij hield een andere vent bij zijn haren. Allebei blanken. Een paar anderen lagen half bewusteloos over de tafel.

"Ik scalpeer je, ik zweer het bij god als je dat nog eens probeert, lul." Dat riep hij, sorry voor het woord. Ik weet nog precies hoe hij praatte. Hij had geen sprankje goedheid in zich, helemaal niets. Ik hief de schop, klaar om toe te slaan. Hun monden vielen open. "Wat doe jij hier, verdomme?" vroeg Jolene. Ik moet eruitgezien hebben als een geest. "Ik neem de jongen mee," zei ik. Niemand probeerde me tegen te houden. Niemand zei iets.

Ik weet nog dat ik met hem in mijn armen de weg afliep. Hij werd wakker, noemde mijn naam en viel weer in slaap. De kleine Vern. God, wat hield ik veel van hem. De wolf begon weer te huilen, andere vielen hem bij en hun gehuil begeleidde ons de hele weg naar huis. Hij sliep die nacht dicht tegen me aan op de veranda. Ik maakte me zorgen om Jolene, maar ik wist dat ik had gedaan wat ik kon door haar zoon daar weg te halen.'

Oom Leslie boog zich naar voren en legde nog wat takken op het vuur.

'Ik wilde hem beschermen. Hij miste zijn moeder, maar ik kon hem niet terug laten gaan. Ik vraag me weleens af of ik er het recht wel toe had. Dat weet ik nog steeds niet.'

Na een tijdje zei ik: 'Jenny is bevallen. Ze heeft de baby Sunny genoemd. Ze wil haar houden.' Ik vertelde hem van de nonnen en Jenny's paranoia en haar visioenen van meisjes met bebloede nachtponnen en babydieven. 'Jenny heeft mama nodig. Ze is zelf nog maar een kind en ik weet niet hoe ik haar moet helpen. Ze heeft haar moeder nodig.'

'Ben je naar haar op zoek?'

'Ja,' zei ik en meer vragen stelde hij niet.

Oom Leslie doofde het vuur en ik legde mijn slaapzak bij een zwerfkei naast de truck.

'Gaat dat zo?' vroeg hij.

'Ja. Zolang het maar niet regent.'

'Het gaat vannacht niet regenen. Welterusten dan maar, Maggie. Als je iets nodig hebt, wat dan ook, dan roep je me maar. Ik slaap heel licht.'

'Oké. Oom Leslie?'

'Hmmm?'

'Dank je wel.'

'Het is alsof je mijn eigen nichtje bent. Slaap wel.'

Ik dacht dat ik goed zou slapen. Ik was niet bang en ik had het niet koud, in elk geval niet in het begin. De sterren waren helder ondanks de rook; het ritmische ruisen van de rivier overstemde alle andere geluiden, behalve de hoge tonen van de krekels in het gras. Maar mijn geest trok en rukte aan me op het randje van de slaap. Ik zag het beeld voor me van oom Leslie die dwars door het wolvengehuil de kleine Vern in zijn armen droeg. Ik zag zijn lijfje opgerold in de beschermende armen van de grotere gestalte. Toen was ik het, met Cinnamon in mijn armen, haar kopje warm tegen me aan gedrukt. Telkens wanneer ik mijn ogen opende stond de maan iets hoger aan de hemel en was de lucht iets koeler. Er bewoog zich iets groots bij de rivier, spetterend en snuivend. Nu had ik het wel koud. Ik stond op en ging naar de laadklep van de truck. Daar bleef ik staan.

'Koud?' vroeg oom Leslie, alsof hij ook al die tijd al wakker had gelegen.

'Ja.'

'Kom dan hier liggen.'

Leslie schoof een eindje op en ik kroop met slaapzak en al de laadbak in, met aan de ene kant brandhout en kampeerstoelen en aan de andere kant oom Leslie.

'Ga slapen,' zei hij en hij sloeg zijn armen om me heen alsof ik een klein meisje was.

HOOFDSTUK 27

De rook van de bosbrand hing zwaar boven het gebied. Het was bladstil en de zon stond als een bleke oranje schijf aan de hemel. Leslie stopte aan het einde van de oprit van ons oude huis in Duchess Creek.

'Het ziet er niet naar uit dat er iemand woont,' zei hij, en we schoten in de lach. De veranda was aan één kant ingestort en het raam van onze vroegere slaapkamer was gebroken. De elektriciteitskabel hing zo laag dat hij bijna de grond raakte.

Ik pakte mijn rugzak en stapte uit.

'Ik ga hier en daar wat informeren, als je het goed vindt,' zei Leslie.

Ik knikte en liep de oprit op. Toen ik omkeek, zat hij er nog net zo. Hij wuifde en zette de truck in de versnelling.

Ik zette mijn spullen bij de grote spar. Wat ooit een onverzorgd voortuintje was geweest, was nu heroverd door de natuur. Her en der verspreid tussen de schaarse plukjes gras lagen hertenkeutels. Ze graasden hier, knaagden aan de wilde rozenstruiken. Het dak dat mama en Rita ooit hadden gerepareerd vertoonde gaten; de spanten die er nog zaten waren verrot door de hitte en kou van de seizoenen.

Het huis was niet gebouwd door mensen die van plan waren te blijven, zoals mama altijd zei.

De deur zat niet op slot. Binnen rook het huis nog steeds naar oude wandplaten en beschimmeld isolatiemateriaal. Maar de geur van ons gezin was verdwenen. Het huis was vrijwel helemaal leeg. De formicatafel en stoelen waren weg, evenals papa's groene stoel en onze bedden. Het enige wat er nog stond waren het houtfornuis en het bed van papa en mama. Ik duwde de slaapkamerdeur open. De matrassen waren bedekt met een laagje stof. Aan mama's kant zat een bloedvlek ter grootte van een kwartje. De zomen van de gordijnen voelden kleverig aan van de spinnenwebben en kraakten toen ik ze opzijschoof om uit het raam te kijken.

En toen snoof ik het aroma op van haar lipstick, een vluchtige zweem van dat zoete, cosmetische drogistenparfum dat meteen daarop verdreven werd door de scherpe geur van de bosbrand op de wind. Behalve dat er geen wind stond. Ik keek over mijn schouder om te zien of ik de deur open had laten staan. Dat was niet het geval.

Ik zweer je dat ze er was. Ik weet dat het idioot klinkt, maar ik had het gevoel dat ze mijn hand in de hare nam. Dat was zo'n fijn gevoel dat ik opnieuw begon te huilen, en toen hoorde ik haar zachtjes zeggen: 'Stil maar Maggie-meis, stil maar.' Ik ging op het bed zitten en het bleef bij me, dat gevoel dat ze bij me was. Ik wilde het liefst meteen Jenny bellen om het haar te vertellen, maar ik bedacht me, want dan leek het misschien wel of we allebei aan het malen waren geslagen en dingen hoorden die er niet waren.

Ik sliep die nacht in dat spookhuis. Ik weet dat ook dat klinkt alsof ik niet wijs ben, maar ik wilde dat ze terugkwam. Ze kon elk moment echt worden, met knerpende voetstappen op de oprit.

's Morgens was het echter Agnes die verscheen, in een hemelsblauwe katoenen jurk met rode bloemen over een spijkerbroek, net als vroeger.

Ze zei dat ze zich had afgevraagd of ze me ooit weer zou zien en ze slikte moeizaam, met betraande ogen. 'Ik ben al zo oud dat ik tegenwoordig huil als ik gelukkig ben,' zei ze. Ze veegde de tranen van haar wangen.

'Je bent niet oud,' zei ik en ik omhelsde haar. Ze voelde mager in mijn armen en ze hield me vast toen ik haar al wilde loslaten. Haar borst zwoegde omdat ze uit alle macht haar tranen wilde inhouden. Het was een vreemd gevoel dat ik haar troostte zoals een volwassene haar kind troost. Maar ik troostte haar niet echt, ik bedankte haar, al kon ik de woorden niet vinden.

'Ik ben vis aan het inmaken,' zei ze en ze keek de andere kant op om nieuwe tranen te verbergen. 'Kom mee, dan kun je me helpen.'

We reden naar haar huis en ik keek naar haar elegante tred, ietwat moeizaam en pijnlijk toen ze het trapje op ging, hoewel ze nog geen veertig was.

'Ik heb een lichte vorm van artritis,' zei ze toen ze voelde dat ik naar haar keek. 'Daar ben ik te jong voor.'

Binnen zette ze de ketel op. 'Ben je gekomen om een eerzame vrouw van me te maken?'

'Een eerzame vrouw?'

'Hoe lang is het geleden dat ik je heb beloofd om je mee te nemen naar Potato Mountain?'

'Vier of vijf jaar.'

'Laten we dan morgen gaan,' zei ze. 'Eens zien wat we nodig hebben. We kunnen wat van deze vis meenemen.'

'Ik wil je plannen niet in de war sturen.'

'Je zult niet geloven wat een bloemenpracht we daarboven zullen zien. Dit is de beste tijd van het jaar om te gaan.'

'Echt, Agnes? Meen je dat?'

Agnes begon te lachen. Ze nam de theepot op, ging ermee naar de gootsteen en bleef daar een poosje uit het raam staan kijken, met schokkende schouders.

'Heb je een slaapzak?' vroeg ze met haar gezicht nog steeds naar het raam gekeerd.

'Ja.'

'Mooi.' Ze droogde haar ogen en draaide zich naar me toe. 'We nemen allebei een kleine tas mee. Slaapzakken. Wat voedsel. Water. Lucifers. Een klein stuk zeildoek. Aan wie heb ik dat stuk zeildoek uitgeleend? Je zult het geweldig vinden daarboven. Ik ben er al drie of vier jaar niet geweest, ik weet niet waarom. Je vergeet gewoon hoe je het nodig hebt om te gaan.'

Toen we in de koele ochtendlucht het einde van de weg bereikten, stond er een paard op ons te wachten, vastgebonden aan het hek. Ze sloeg met haar staart en hinnikte zacht toen ze ons zag.

Agnes klopte haar op de neus en voerde haar een appel. 'Dit is Linda. Zij draagt onze spullen voor ons. Je kunt wel een tijdje op haar rijden, als je wilt. Je moet alleen voorzichtig zijn op de steile stukken.'

Ik schudde van nee. We lieten het zonlicht achter ons en stapten de schaduw van de bomen in. We liepen achter elkaar, het paard met snuivende geluiden en een zacht ruisende staart. We passeerden een grote oude pijnboom en hielden halt om op te kijken naar de diepe voren in zijn oranje schors. Tussen de varens schoot paarse jakobsladder op. Graspollen staken uit rotsspleten en op de schaarse open plekken tussen de bomen glansde de gele balsamwortel in de ochtendzon. Naarmate we hoger kwamen, werden de dennen kleiner en de espen ruiger; het veld strekte zich heldergroen en bezaaid met bloemen voor ons uit. De zon viel stralend op de Indian paintbrush, de balsamwortel en de zilveren geraamtes van pijnbomen, die wit oplichtten in het gras.

Agnes ging op een steen langs het pad zitten om uit te rusten. Ik had het warm gekregen en trok mijn jack uit, uitkijkend over het dal en omhoog naar de besneeuwde bergtoppen, waar het wit overging in de donzige witte wolken. Maar boven ons, verderop langs het pad dat zich door de velden slingerde, tekende de lucht zich vriendelijk en diep turkoois af en blonk de berg zacht glooiend in het heldere zonlicht. De prikkelende geur van Amerikaanse look hing in de lucht. Agnes noemde de plantennamen voor me op: viooltjes, ereprijs, boterbloemen, *saskatoon*, berendruif, steenbreek, ranonkel, vingerhoedskruid, akelei, aardbeien, arnica, vergeet-me-niet, *soopolallie*.

Soopolallie, soopolallie.

'De officiële naam is buffelbes,' zei Agnes. 'We maken er room-ijs van. Als je de bessen opklopt, worden ze zo romig als zeepvlok-ken. Daar komt die indiaanse bijnaam vandaan, denk ik.'

Er was een bezwering uitgesproken – of was er een verbroken? Hier op de berg, in de stralende zon tussen het vogelgezang, de Amerikaanse look en de pijnbomen, tussen al die vertrouwde din-gen die ik kon benoemen en woorden die ik begreep.

We lunchten op de bergtop, met uitzicht over de vallei en de rivier in de diepte. Later, bij het vuur in ons kamp, vertelde Agnes me haar verhaal.

'Ik leerde je moeder kennen in Williams Lake toen we tieners waren. Haar moeder was overleden, ik weet niet wanneer, toen ze nog heel klein was, denk ik. Haar vader was een cowboy. Hij was vanuit de Verenigde Staten naar het noorden gekomen en wist geen snars van de veefokkerij, dat zeiden de mensen. Maar hij leerde snel. Op sommige veefokkerijen werkte hij samen met mijn vader. Hij ging van dat leven houden, denk ik. Maar hij wist nooit goed wat hij met Irene aan moest. Vooral toen ze de tienerleeftijd be-reikte. Ze was nogal een wildebras, begrijp je? En mooi, dat weet je. Haar vader stuurde haar naar de middelbare school in Williams Lake en daarna zag ze hem niet zo vaak meer. Dat weet ik, want in de vakantieperiodes ging iedereen naar huis behalve Irene, en als er thuis geen auto beschikbaar was, bleef ik daar ook, bij mijn oude tantetje. Ze was niet meer helemaal bij de tijd en zat de hele dag in haar stoel uit het raam te staren, naar de bergen in het westen. Ik denk dat ze ook heimwee had, nu ik erover nadenk. Ik kookte voor haar en bracht de maaltijden op een dienblad naar haar toe. Dat kon weleens eenzaam zijn.

Op een vrijdag na school liep Irene achter me. Ik wist dat ze daar liep. Het was het weekend van een feestdag, Thanksgiving, een lang weekend. Dat was nooit zo leuk als je niet naar huis kon. "Je hebt prachtig haar," hoorde ik haar zeggen. Ik draaide me niet meteen om. Stel dat ze het tegen iemand anders had. Maar ik wist dat ze het tegen mij had. Ik was ouder dan zij, we zaten niet in dezelfde klas. Ze zette het op een holletje om me in te halen. "Je hebt prachtig haar," zei ze nogmaals. "Gebruik je er iets bijzonders voor?" Ik zei dat ik eieren gebruikte. Ze keek me met een grappig gezicht aan, alsof ze dacht dat ik haar voor de gek hield. Toen barstte ze in lachen uit. Ik keek haar verbluft aan en schoot toen ook in de lach. Mijn god, wat hebben we gelachen. We lachten tot de tranen ons over de wangen liepen. Wat er precies zo grappig was, weet ik niet.

Maar ik nodigde haar uit om met me mee te gaan naar het huis van mijn tantetje in het centrum. We maakten een uitgebreide kalkoenmaaltijd klaar, alleen voor ons drietjes. Mijn oude tante at als een vogeltje, een piepklein stukje wit vlees en een theelepeltje aardappelpuree. Dus eigenlijk was al dat eten alleen voor je moeder en mij. We bereidden de vulling, schilden een hele berg aardappels en maakten koolraap, cranberrysaus en bloemkool met kaassaus klaar. En een pompoentaart met geklopte slagroom. Ik gaf al mijn tantes geld uit aan de boodschappen. We dekten de tafel met een wit tafellaken en het mooie servies van mijn tantetje. We moesten alles eerst omspoelen, zo lang was het niet gebruikt; je weet wel, de juskom, de schalen, ze had alles. Ik weet niet wat ons bezielde, alleen wij tweetjes en al die moeite, al dat eten. We zijn er de hele dag mee bezig geweest, tot laat in de avond. Maar we hadden een hoop plezier. Je moeder had dat in zich, om iets gewoon te gaan doen, zomaar zonder reden.'

'Dat weet ik,' zei ik.

'Daarna zijn we vriendinnen gebleven. Maar we gingen niet met dezelfde mensen om. Irene zat in een kliekje dat dronk. Niet dat ze zelf veel dronk, maar ze tolereerde het wel. Ik kon daar niet mee omgaan. Kijk maar eens wat drank met veel mensen van mijn volk heeft gedaan. Het heeft hen kapotgemaakt. Het heeft ook een hoop blanken kapotgemaakt, maar daar zijn er meer van, dus dat valt minder op.'

Het vuur was bijna uitgebrand en ik legde er nog wat hout op en porde het weer op.

'Mag ik je iets vragen, Agnes?'

'Ja, dat mag.'

'Dronk mijn vader?'

'Ik kende je vader niet zo goed.' Ze tuurde in de vlammen en ik dacht dat het hiermee was afgedaan. Ze pakte een tak en roerde ermee in de sintels, zodat het vuur oplaaide en haar gezicht oplichtte in de gloed.

'Sommige mannen denken dat het geen kwaad kan zolang ze niets verkeerds doen, je weet wel, hun vrouw en kinderen slaan of uitschelden. Wat maakt het dan uit? Je hebt mannen die die fles opentrekken en hup, daar gaan ze, ze verdwijnen erin. Misschien is dat erger. Misschien is dat zwaarder voor de vrouwen.'

We zaten zwijgend bij elkaar. Het vuur knetterde en spuwde gloeiende sintels op de grond en we trapten de grootste uit.

'Je moeder heeft de middelbare school niet afgemaakt. Ze vond het niet prettig om in de stad te wonen. Ze vertrok halverwege de derde klas. Ik hoorde dat ze naar Bella Coola was gegaan en een baantje had gevonden in een restaurant of een motel of zo. Ze was pas zestien. Daar heeft ze een man leren kennen.'

Mijn maag kromp ineen. 'Hij heette Emil Deschamps. Een Métis uit de Prairiën. Hij had een vissersboot en gaf haar een baantje om hem te helpen vissen.'

Agnes lachte. 'Moet je je voorstellen. Dat kon maar twee kanten opgaan. Ik denk dat ze verliefd op elkaar zijn geworden. Ik denk dat Emil misschien al verliefd op haar was toen hij haar vroeg om met hem de zee op te gaan. Ik heb hem weleens in Duchess Creek gezien toen hij onderweg was naar Williams Lake of waar dan ook. Irene vertelde me wie hij was. Een knappe man met glanzende zwarte krullen, vrij lang en een leuke lach. Hij had een grote oude auto. Een Pontiac, geloof ik.'

'Ging mijn moeder toen met hem?'

'Nee, in die periode niet. Maar ze vertelde me dat ze met de boot op de mooiste plekjes kwamen, op eilanden en stranden. Ze zei dat ik het ook geweldig zou vinden en dat we echt een keertje moesten gaan. Dat leek me wel wat, want zoals zij het vertelde klonk het zo mooi. Maar ik heb het nooit gedaan. Zij ook niet, voor zover ik weet. Ze was met Patrick getrouwd. Ze kreeg de kleine Jenny. Dat moet in 1959 zijn geweest, in het jaar waarin mijn vader stierf. Irene genoot van het moederschap.'

Ik keek omhoog naar de hemel, naar de sterrenpracht die mijn grootmoeder zo had gemist.

Ik sprak langzaam. 'Vond ze het echt fijn om moeder te zijn?'

'Dat heeft ze zelf tegen me gezegd, Maggie.'

'Maar dan begrijp ik het niet.'

'Nee,' zei Agnes.

'Ik ben haar aan het zoeken. Daarom ben ik hier, om haar te zoeken. Jenny heeft haar nodig. Maar eigenlijk wil ik haar niet vinden. Ik weet dat dat vreselijk klinkt. Maar wat zou het betekenen als we haar vonden, gezond en wel, ergens waar ze haar eigen leventje leidt?'

'Nee,' zei Agnes nogmaals.

Er viel een ster, vlak boven de boomtoppen. Ik ademde snel in. Meteen daarop viel er nog eentje, een heldere flits in de duisternis.

'Je moet Rita gaan opzoeken,' zei Agnes.

HOOFDSTUK 28

Toen we terugkwamen bij Agnes' huis, stond oom Leslie al op ons te wachten.

'Ik heb haar auto gevonden,' zei hij.

'Kom erin,' zei Agnes. We gingen naar binnen, waar ze een pot thee zette. Ze haalde biscuits en zelfgemaakte jam tevoorschijn en we gingen aan de keukentafel zitten.

'Ik heb wat rondgevraagd over je moeder,' begon oom Leslie opnieuw. 'En een van de mannen hier zei: "Die dame met dat rode haar die in een Chevy stationwagen reed?" Hij kende de man die die auto drie jaar geleden had gekocht. Ergens in de buurt van Dultso. Dus daar ben ik hem gaan opzoeken. Hij vertelde dat hij de auto van een donkerharige man had gekocht, een Japanner of zo, zei hij. Die man had hem verteld dat de auto altijd tiptop onderhouden was door zijn vrouw. En dat was hij ook. Nog altijd piekfijn in orde. Ik heb hem gekocht.'

Agnes schoot in de lach.

'Wat heb je gedaan?' vroeg ik.

'Had je een extra auto nodig?' vroeg Agnes.

'Ik heb hem voor jou gekocht, Maggie. Jullie hebben een auto nodig, Jenny en jij en de baby. Je kunt moeilijk gaan liften met een baby.'

'Oom Leslie, ik…'

'Nee, niets zeggen. Ik wil het niet horen. Jullie hebben recht op die auto. En ik heb hem voor een prikje op de kop getikt.'

Ik belde Jenny vanuit Agnes' huis. Ze klonk zo'n stuk beter, dat de knoop van ongerustheid in mijn maag iets losser werd.

'Ze is zo'n vrolijk kindje,' zei Jenny.

'Net als haar naam.'

'Dat maakt het gemakkelijker voor me. Zuster Anne heeft een wandelwagen voor haar gekocht. Ginger noemt het een kinderwagen. Ik heb haar mee uit wandelen genomen. De rozen staan in volle bloei. Maar ik verlang ontzettend naar huis.'

Ik slikte. Wat bedoelde ze daarmee?

'Mag?'

'Ja, ik snap het, Jenny. Hé, moet je horen…' en ik vertelde haar over de auto.

'Onze oude auto,' zei Jenny. 'Ik was dol op die auto.'

Een ritje met mama in die auto gaf ons altijd een gevoel van totale vrijheid. We vertrokken gewoon en hoefden aan niemand verantwoording af te leggen. We waren zorgeloos en onbekommerd. Dagen achtereen wist zelfs papa niet waar we uithingen. Poedermelk en blikvlees, geen wc, geen bedden en geen deuren.

Ik had medelijden met de mensen die we onderweg passeerden, vooral met de vrouwen. Ik had vooral te doen met mevrouw Duncan, die geeuwend achter de toonbank van de winkel in Nakenitses Lake stond. Bij het afrekenen van mijn Orange Crush las ik in haar ogen dat zij ook wilde ontsnappen. Ik vroeg weleens aan mama: 'Denk je dat ze jaloers op ons is?'

'Natuurlijk is ze dat. Wie niet?' zei ze dan altijd, en nu vraag ik me af of ze dat meende. Ik zou het Jenny moeten vragen, maar indertijd geloofde ik haar.

We deden een dutje onder de beschermende takken van de reuzensparren en zetten thee van rozenbottels en sparrennaalden, gezoet met honing. Mama had glazen kannen van drieënhalve liter in de auto en ze wist altijd een bron te vinden, omzoomd door elegante wilgen. We knielden in het zachte mos en vulden de karaffen met het opborrelende water. We zwommen naakt in afgelegen meertjes en kreken. We zonnebaadden op warme rotsen, als 'bos-nimfen', zei mama. Soms noemde ze Jenny en mij 'het kleine volk'.

'Wat is het kleine volk?' vroeg Jenny.

'Dat is het geheime volk dat in een ondergrondse wereld leeft, die alleen bereikt kan worden langs de waterrand. Ze vinden het fijn als je kleine geschenken voor hen achterlaat, zoals snoep of stof.' Soms gaf ze ons een felgekleurde zakdoek om aan een tak bij het water te binden.

'Maar je moet niet al te goed bevriend met ze raken,' waar-schuwde ze dan. 'Als je dat doet, nemen ze je mee om zeven jaar bij hen te komen wonen.'

En als we terugkeerden naar de auto, rook hij naar zondoor-stoofd vinyl en was hij zo warm als een nestje.

Oom Leslie bracht de auto naar Agnes' huis. Ik wilde blij zijn toen ik hem terugzag, maar waar we voortaan ook naartoe zouden rijden in de stationwagen, een ontsnapping zou het nooit meer zijn. Ik raakte steeds dieper verstrikt in een web vol herinneringen.

VUUR

HOOFDSTUK 29

Het erf zag er nog net zo uit als ik het me herinnerde; de kippen stoven op toen we het pad opreden. Groener dan het gras nu was zou het niet meer worden dat seizoen. In de schaduw van een rij wilde appelbomen keek Rita op van het spitten en ze zette haar voet op de schop. Ik dacht dat haar mond een stukje openviel toen ze de auto zag. Ik zwaaide en Leslie zette de motor af. Ik had een akelig gevoel in mijn maag.

Ik stapte uit de auto.

'Ik kom straks wel terug,' zei hij en ik moest bijna lachen. Was hij ook bang voor Rita?

Toen hij de oprit afreed, streek Rita met haar hand door haar haar, waarop ze de schop in de grond stak en me tegemoetkwam.

'Tante Rita,' zei ik, voordat ik bedacht hoe dat zou klinken.

Ze ademde hoorbaar in. 'Margaret,' zei ze. Daar stond ze in het zonlicht, sprakeloos van verwarring. Ik wilde haar wel omhelzen, maar ik wachtte tot ik wist welke emotie de overhand zou nemen op haar betrokken gezicht.

'Het is lang geleden,' zei ik in de ongemakkelijke stilte.

Ze lachte droogjes. 'Dat is zachtjes uitgedrukt.'

'Wie is je chauffeur?' vroeg ze, maar ze keek over haar schouder naar de schop die in de aarde stak.

Ik kreeg de neiging om zachtjes achteruit te lopen, zoals je moet doen als je een beer tegenkomt; ik wilde iets op de grond gooien om haar af te leiden en dan wegrennen.

'Hij komt uit Williams Lake.'

'Heeft hij een naam?'

'Leslie. Leslie George.'

'Ik kan wel een pauze gebruiken, geloof ik. Heb je zin in koffie?' zei ze en pas toen keek ze me weer aan.

Ook binnen was alles hetzelfde gebleven. Het houtfornuis dat de keuken van de woonkamer scheidde, het aanmaakhout netjes opgestapeld in een kist ernaast, dezelfde grote oude eettafel bezaaid met post en kranten waaraan Jenny en ik ons huiswerk hadden gemaakt, de ingezakte bank, het gevlochten vloerkleed. Hoeveel er ook veranderd was voor Jenny en mij, Rita had zich lang geleden in haar vaste gewoonten genesteld. Daar was ik jaloers op. Verandering zou irritatie betekenen voor Rita en die bracht ik met me mee, als een kille wind die door het dal strijkt.

Rita liep naar de keukenkast en pakte het koffieblik.

'Waar logeer je?' vroeg ze.

'Ik kampeer.'

Ze aarzelde, net een seconde te lang. 'Blijf hier.'

'Ik wil je geen last bezorgen.'

'O, in godsnaam.' Ze zette de koffiepot rammelend op het fornuis. 'Ik bedoel voor vannacht, niet voor eeuwig.'

'Dat weet ik,' zei ik. Ik had zo snel geen smoes bij de hand en nu kon ik niet meer terug. De laatste keer dat ik Rita had gezien waren we halsoverkop vertrokken in het holst van de nacht. Dat was ze niet vergeten.

We namen onze koffiebekers mee naar de tuinstoelen op de veranda. De planken hadden die zachte zilveren glans die ik me herinnerde. Hier liet ik mijn vingers over de nerven van het verweerde hout glijden, wachtend tot mama terug zou komen.

We zaten in een ongemakkelijke stilte bij elkaar. Rita keek uit over de weg, ik keek naar haar. Haar lippen stonden strakker en de huid rond haar ogen en in haar hals was slapper geworden. Ze droeg haar dunne blonde haar korter, tot net boven de schouders, maar het was even rechttoe rechtaan geknipt als vroeger, met een kaarsrechte pony. Ik probeerde me haar te herinneren zoals ze vroeger was geweest, het gezicht dat mama zo graag had gemogen, open en oprecht, met een ondeugende sprankeling in de ogen.

'Waar wonen jullie?' vroeg Rita.

'In Williams Lake. Maar Jenny is in Vancouver.' Ik stond op het punt om alles eruit te gooien, maar Rita snoerde me de mond.

'Mooi zo.' Haar stem klonk effen, een fractie verwijderd van sarcasme. 'Hoe lang zitten jullie daar al?'

'Eens zien. Een jaar of drie, denk ik.'

Ze keek verrast. Was het mogelijk dat ze geen idee had waar we gezeten hadden sinds we hier vertrokken waren? Ik besloot om niet meteen over Jenny te beginnen. Misschien zou ik het haar wel helemaal niet vertellen.

'Ik heb paarden gekocht sinds je hier de laatste keer was. Wil je ze zien?'

'Oké,' zei ik.

'Hoor eens, Margaret,' zei ze. 'Dit beleefde gebabbel is niets voor mij. Je bent hier met een reden gekomen en ik zal er snel genoeg achter komen wat die reden is. Maar laten we voorlopig ophouden met die onzin en naar de paarden gaan kijken.'

Tien keer diep ademhalen, hoorde ik papa zeggen. Om niet in paniek te raken in een bedreigende situatie. Ik ademde diep door.

Rita haalde een appel uit haar jaszak en gaf hem aan mij. 'Van vorig jaar,' zei ze, 'die pakken ze wel aan.' En dus liepen we naar de kraal en voederde ik de paarden, die met hun zachte neuzen tegen me aan wreven.

Toen oom Leslie terugkwam, zei ik dat ik hier een paar dagen zou blijven. Hij knikte naar Rita en zij knikte terug. Nadat hij was weggereden, vroeg ze: 'Een vriend van de familie?'

'Van mij,' zei ik en pas toen drong het tot me door dat Rita wachtte tot ik over mama zou beginnen, net zoals ik wachtte tot zij dat zou doen.

Ik hielp Rita met het verplanten van een paar seringen en zag hoog in de bergen aan de overkant van het meer de sneeuw oplichten in de middagzon. Toen zei ze: 'Ik heb nog zo'n zeven kuub hout te stapelen. Wanneer heb je voor het laatst zwaar werk verricht?'

'Een hele tijd geleden.'

'In dat geval bewijs ik je een dienst.'

We bukten en stapelden, bukten en stapelden en ik dacht terug aan die herfstdagen kort na papa's dood, toen Rita en mama zingend het hout stapelden. Ik had het gevoel dat ik achteruit door onze levens liep en plotseling tegen iets aan zou lopen wat duidelijkheid zou bieden.

Later braadden we een kip, die we opaten met aardappelpuree en erwten.

'Alles wat op tafel staat komt uit eigen tuin,' zei Rita.

'Mooi zo,' zei ik op dezelfde toon die zij die middag tegen mij had gebruikt. Ze glimlachte.

Toen het begon te schemeren, kriebelde de onrust opnieuw door mijn lijf. Het was een fijne dag geweest en ik zag op tegen het gesprek dat onvermijdelijk zou volgen. Na de vaat gingen we weer op de veranda zitten.

'Ik hou van dit tijdstip van de dag,' zei Rita. 'Ik heb spierpijn, dus ik weet dat ik vandaag wat heb gedaan. De maan komt op. Het is zo vredig. Ik denk aan het werk dat ik heb verricht, aan alles wat ik morgen wil doen. Ik zou het niet willen veranderen, weet je.'

'Ik wil later ook op een boerderij wonen.'

'Echt?'

'Ja. Met Jenny en de baby. Mijn nichtje.'

'Huh?' zei ze. 'Heeft Jenny een baby?'

'Ja.'

'Huh.'

Vleermuizen schoten door de duisternis en de hond hief zijn kop om ze na te kijken en sliep weer verder. De gloed van het verlichte huis viel op het erf.

'Maggie,' zei Rita. Het was voor het eerst in lange tijd dat ze me

Maggie noemde. 'Vertel me nu maar wat je hier komt doen, dan hebben we dat achter de rug.'

Ik vroeg me af waar ik zou beginnen. Maar eigenlijk was er maar één vraag. 'Weet jij waar mijn moeder is?'

'Nee. Waar dan?' zei Rita.

'Nee. Dit is een echte vraag. Ik wil weten of jij weet waar ze is.'

'Hoe ter wereld moet ik weten waar je moeder is?'

Ik gaf geen antwoord. Agnes had gezegd dat ik Rita moest opzoeken en ik had er niet aan gedacht om te vragen waarom.

'Jullie waren elkaars beste vriendin.'

'Is dat zo? O, Maggie, dit is zo akelig. Wat hebben we eraan om alles weer op te rakelen?'

'Wat we eraan hebben?' Ik kreeg er een kleur van. 'Heb je mijn vraag wel goed begrepen?'

'Kennelijk niet.'

Daar zaten we, het huis, de veranda, de maan, de bomen, allebei even nijdig, en ik overwoog om weg te gaan, lopend als het moest, tot ik bedacht dat het bespottelijk zou zijn om die scène te herhalen.

Na enkele minuten was ik voldoende gekalmeerd om een nieuwe tactiek te bedenken. 'Waarom hadden mama en jij die avond ruzie? Waarom zijn we weggegaan?'

Rita zei niets en toen ik schuins opzij keek, leek het wel of ze huilde. 'Christus, ik heb een whisky nodig,' zei ze. Ze ging naar binnen en kwam terug met een flink glas.

'Het probleem is dat ik niet zo'n beste rol speel in dit verhaal. Hoe je het ook wendt of keert.' Ze nam een slokje whisky. 'Neem me niet kwalijk dat ik niet sta te springen om mezelf door het slijk te halen.'

Het scheelde weinig of ik zei: 'Het gaat me niet om jou.' Als mensen alleen wonen, worden ze egoïstisch, bedacht ik. Bea was op dezelfde manier egoïstisch, al woonde ze dan strikt genomen niet alleen. Misschien kwam het omdat Bea en Rita geen kinderen hadden. Moeders buigen en plooien zich, al krijgen ze er niets voor terug. Zo zou het althans moeten zijn.

'Wat weet je nog van die nacht?' vroeg Rita na een flinke teug whisky. 'Wat heeft Irene jullie verteld?'

Ik was even in de war. Irene, de vrouw die mijn moeder was.

'Ik sliep die nacht in de auto.'

'Dat was ik vergeten.'

'Jij en mama hadden eerder die dag ruzie gehad.'

'Ze was de hele nacht weggebleven. Ik had geen oog dichtgedaan. Ik was ziek van bezorgdheid. Het maakte me razend. Dit is niet leuk om te horen, Maggie, maar ze was zo onverantwoordelijk. Ze is moeder, ze heeft twee kleine meisjes en dan gaat ze de hele nacht aan de rol. De enige reden dat ze daarmee wegkwam was dat ze erop rekende dat ik het voor haar zou oplossen. En verdomme, wat was ze zelfvoldaan toen ze in de loop van de middag terugkwam, helemaal met verkreukte kleren. De stank van die vent sloeg van haar af.'

Het was of ik een stomp in mijn maag kreeg. 'Dat kan niet kloppen.'

'Gelijk heb je, daar klopte geen sodeju van.'

'Wie was het?'

Rita nam een slok whisky en staarde de duisternis in. De stilte vormde een gapend gat. De roep van een vogel in het woud, het antwoord van een andere.

'Wie was die man?'

'Ze deed net alsof, dat deed ze. En ze was laf. Dat vond ik onvergeeflijk.'

'Rita, wie was die man?'

Ze gaf geen antwoord.

Ik stond op van mijn stoel en ging naar binnen. In de badkamer plensde ik koud water in mijn gezicht. Rita's woede had al die tijd liggen smeulen en ik porde hem op. Wie die man ook was, hij kreeg mama's aandacht en Rita niet.

Ik ging weer in mijn stoel zitten. De fles whisky stond nu naast Rita's tuinstoel.

'Ik hield van haar,' zei ze.

'Wat?'

'Je hebt me wel gehoord.'

'Bedoel je, zoals…'

'Ja, zo.'

'Ik…'

'Misschien heb je daar wel nooit van gehoord, maar het komt vaker voor dan je denkt. Ik ben een doodgewone vrouw die verliefd werd op een andere vrouw en dat was toevallig jouw moeder.'

Ik kon geen woord uitbrengen, al had ik het gewild.

'Dat vertelde ik haar die avond. Daarom sloeg ze op de vlucht. Maar ze wist het al een hele tijd. Ze deed alleen alsof ze het niet wist. Dat kwam haar beter uit.'

Ik wist niet wat ik moest zeggen. Mijn hoofd gonsde als de insecten rond de verandalamp. Rita zat met een stuurs gezicht te drinken. Ze was nog steeds boos, na al die jaren.

'Heb je haar daarna nog gezien?' vroeg ik ten slotte.

'Ze heeft me geschreven. Een brief, verdomme. Nog niet eens één kantje vol. Ik maakte hem open, in de hoop dat ze bij zinnen was gekomen. Dat ze haar excuses zou aanbieden. Maar nee, alleen maar smoesjes, dat ik moest begrijpen blablabla. Waarom neem je de moeite? Waarom neem je de moeite om iemand zo'n soort brief te schrijven? Zonde van het papier. Vandaag, toen jij het erf opreed, dacht ik heel even dat zij het was. Eindelijk. Zielenpoot die ik ben.'

Ze was inmiddels dronken en ik vermoedde dat het er nu allemaal uit zou komen. Al die gal. Dat zou haar misschien goeddoen.

'Ik ga je iets vertellen wat je zo te horen niet weet,' zei ik.

'Oké.'

Ze schrok er een beetje van. Dat hoorde ik aan haar stem.

'De laatste keer dat we mama hebben gezien was op de dag nadat we hier zijn vertrokken.'

'Wat bedoel je?'

'De nacht van jullie ruzie. We zijn weggereden. We gingen naar Williams Lake en daar liet ze ons achter.'

'Bij die vrienden van je vader.'

'Ja, die. De Edwards. Sindsdien hebben we haar niet meer gezien. Ze heeft een paar brieven gestuurd, af en toe wat geld, maar ook dat hield op. Misschien is ze wel dood, dat weet ik niet.'

Rita leek in één klap nuchter te zijn. Ze schudde haar hoofd. 'Dat bestaat niet.' Ze staarde me aan alsof ik het zou terugnemen. Toen ik niets zei, vloog ze overeind en rende ze naar binnen. Ik hoorde haar door de hordeur heen in de badkamer overgeven.

De minuten verstreken. De avond begon wat kil te worden en ik ging naar binnen om de ketel op te zetten. Er klonken gedempte geluiden vanuit de badkamer. Ik vond een doosje thee in de kast. Ik verwarmde de theepot en deed de zakjes erin. Toen ze nog steeds niet naar buiten kwam, ging ik naar de deur en klopte erop. 'Gaat het?' vroeg ik. 'Ik ben thee aan het zetten.'

'Dank je,' hoorde ik. Ik ging terug en haalde de ketel van het vuur.

Het duurde nog een paar minuten voordat ze naar buiten kwam.

Ze liet zich op een stoel aan tafel zakken en ik zette de thee voor haar neer. Ze ademde de damp in, met haar handen om de mok geslagen. Ik nam kleine slokjes van de mijne en wist niets te zeggen.

'Maggie,' begon ze uiteindelijk. 'Dat wist ik niet.'

'Maar je weet meer dan je loslaat.'

'Ja, dat wel. Dat is waar.'

Nu was het mijn beurt om bang te zijn.

Haar handen beefden toen ze haar mok oppakte voor een slokje thee. 'Ze is me nog één keer komen opzoeken. Dat was in januari. In oktober had ik die brief gekregen en in januari stond ze ineens op de stoep. Het was stervenskoud. Een dik pak sneeuw. De wegen vrijwel onbegaanbaar. Ik had mijn oprit niet eens geveegd. Ze reed in een pick-uptruck. Ze had de stationwagen niet meer. Ze zei dat ze hem had verkocht. Die truck was niet best, daarom weet ik het nog. Ik vond het geen prettig idee dat ze in de vrieskou in die schroothoop over die achterafwegen reed. De accu was waardeloos. Ik gaf haar startkabels mee. Hoe dan ook,' Rita wuifde met haar hand. 'Ze was zwanger, Maggie.'

Toen gebeurde er iets, maar hoe moet ik dat in woorden uitdrukken? Iets, niets, ik weet het niet meer. Ik geloof dat ik bleef zitten. Er raasde een storm in mijn binnenste, bliksem en donder en boomtoppen die in vlammen uitbarstten. Op de een of andere manier bleef dat alles gevangenzitten in mijn lichaam.

'Ze vroeg me of ik jullie wilde opnemen,' zei Rita. 'Ze zei dat het voor tijdelijk was, maar dat ze jullie te lang bij de Edwards had gelaten. Ze kende hen niet goed en het was nooit de bedoeling geweest om jullie daar zo lang te laten blijven. Ze bood aan om me te betalen. Ik zei nee. Of wacht. Laat me even nadenken. Wat ik zei was: "Ben ik niets anders voor je dan je maatje, iemand die je moet redden in een noodgeval? Ben ik nergens anders goed voor?" en ze zei: "Ik weet niet waarom ik ook maar even had gedacht dat je me zou helpen. Je bent een egoïstische vrouw. Een egoïstische, eenzame, verbitterde vrouw en dat zul je altijd blijven." Als ik me wel herinner.'

'Maar waarom konden we niet met haar mee?' Mijn stem was niet de mijne. Hij zweefde hoog boven mijn lichaam, klopte en boorde gaten als een specht en ik had het vreemde gevoel dat ik midden in een orkaan zat en toen dacht ik aan Jenny, dat dit het gevoel was dat ze had.

Rita zei: 'Hij heette Emil. Ze zei dat hij haar nodig had.'

'En wij dan? Wij hadden haar nodig,' zei ik. Het kwam knarsend uit mijn keel, als de kreet van een gewonde vogel.

Ik kwam bij mijn positieven op Nakenitses Lake Road, brullend en wel. Het werd licht in het oosten. Ik rende zomaar ineens brullend over de weg. Ik weet niet hoe ik daar terecht ben gekomen, maar ik had een flink eind gelopen. Ik zag koplampen naderen. Ik werd opgepikt door een vrouw, niet Rita. Ze had een deken bij zich en ze stopte me in en sprak troostende woordjes. Ze was lief. Ik weet niet wie ze was. Dat weet ik nog steeds niet. Ze bracht me terug naar Rita en Rita bedankte haar. Rita stopte me in haar eigen bed. Ze gaf me warme melk en bleef bij me zitten tot ik het op had. Toen deed ze het licht uit en liet ze me alleen.

HOOFDSTUK 30

Waar ik niet bij kon toen ik de volgende dag naar Rita's verhaal luisterde en waar ik nog steeds niet bij kan, was dat zij dat allemaal wist en wij niet. Hoe kon er een vreemde in mijn moeders leven komen die na een paar maanden al meer over haar wist dan haar eigen kinderen? Ik kreeg een beeld van mama als een meer waarop Jenny en ik ronddreven, zonder ook maar te kunnen dromen of ons zelfs maar af te vragen hoe diep dat groene water was.

Rita had me een kopje thee gebracht toen ik wakker werd en zei: 'Het ontbijt staat klaar.' We aten zwijgend. Toen we klaar waren, zei ze: 'Kom maar naar buiten als je afgeruimd hebt.'

Ik hoorde de bijl suizen toen ik de veranda op stapte. Ze was hout aan het kloven. Ik slenterde naar de houtstapel, waar ze me een paar handschoenen toestak. Ze tuurde over de velden naar de bergen en zei: 'Mooi, hè? 's Morgens als ik wakker word bedenk ik vaak wat een geluk het is dat ik dit stukje grond bezit, dat een stapel hout kloven het ingewikkeldste is wat me te doen staat. Wist je dat ik vroeger in de stad heb gewoond? Ik ben lerares geweest.'

'Jij?' zei ik.

'Dat had je niet gedacht, hè?' Ze stak haar bijl in het hakblok en trok haar handschoenen uit. 'Tja, ik kan het je niet kwalijk nemen. Ik geef geen les meer, dat is duidelijk. Maar het is waar, ik heb de lerarenopleiding gevolgd in Saskatchewan. Daarna heb ik een jaar lang lesgegeven in het noorden en ik haatte elke minuut. Daarom solliciteerde ik naar een andere baan in het onderwijs in Vancouver en die kreeg ik. Dat was een hele verandering na het noordelijke Saskatchewan en in het begin vond ik het leuk. Ik ging naar het theater en naar de film en bracht veel tijd door in de bibliotheek.

Maar toen begon ik het noorden te missen. Ik las er boeken over. Een daarvan was *Driftwood Valley*. Je mag het wel lenen, als je wilt. Het gaat over een vrouw die samen met haar man in British Columbia de wildernis in trekt. Iets ten noorden van hier. Ze bouwen een blokhut en gaan er wonen. Ik besloot dat ik dat ook wilde. Zonder de echtgenoot. Ik zag mijn leven voor me, tien, twintig jaar lang dag in dag uit hetzelfde en alleen de zomer om te doen wat ik wilde. Ik besefte dat ik helemaal niet zo dol op kinderen was. Ik vond het om gek van te worden hoe onverstandig ze waren. Met alle respect. Maar jij bent al geen kind meer. Ik wilde weg. Ik wilde met rust gelaten worden.'

'Waarom ben je dan lerares geworden?' vroeg ik.

'Overlevingsdrang. Ik moest overleven. Het was dat of trouwen en dat laatste was ik absoluut niet van plan.' Ze trok haar handschoenen weer aan. 'Ik liep bij toeval tegen dit huis aan. Het hoorde bij de baan van postbezorger. Het was geknipt voor me. Kom op, Maggie, help me nog even met deze stapel hout. Nu ik er een nachtje over heb kunnen slapen, beloof ik je dat ik je alles zal vertellen wat ik weet. Jenny en jij hebben het al die tijd in jullie eentje gerooid, jullie zijn oud genoeg om het te horen.'

We werkten de hele ochtend door in de brandende zon, die steeds heter werd naarmate hij verder steeg. Stof en stukjes schors kleefden aan het glimmende zweet op onze armen. Ik probeerde me te concentreren op het stapelen, om elk blok netjes op het vorige te leggen en het beeld te verdringen dat ik maar niet van mijn netvlies kreeg: mama die een baby een hapje voerde, een baby die nu drie jaar oud zou zijn.

Toen klampte ik me vast aan wat Rita had gezegd over de waardeloze oude truck met de slechte accu. Misschien had ze een ongeluk gehad. Misschien was ze van de weg af geraakt, vastgelopen in de sneeuw, ondergesneeuwd en nooit gevonden. Of misschien had de truck er ergens in niemandsland de brui aan gegeven. Nadat ze bij Rita was weggereden, was ze op weg gegaan om ons te halen en toen ze de truck niet meer aan de praat kon krijgen, had ze de gouden regel om te overleven aan haar laars gelapt: ze was uit de truck gestapt om lopend verder te gaan.

Ik nam even rust om de mok water leeg te drinken die Rita me aanreikte. Hoe meer ik erover nadacht, hoe aannemelijker het werd. Ik wilde tegen Rita zeggen dat ze me niet hoefde te vertellen wat ze wist. Ik wilde oom Leslie bellen en maken dat ik hier wegkwam, terug naar Jenny om haar een verhaal te vertellen dat haar zou beschermen in plaats van haar kapot te maken.

'Ik weet dat we oud zijn in jouw ogen,' zei Rita. We aten ons twaalfuurtje op de beschaduwde veranda. Rita had een glas bessenwijn voor zichzelf ingeschonken. 'Ik ben iets ouder, maar je moeder is pas, wat, tweeëndertig?'

'Als ze nog leeft,' zei ik.

'Wat bedoel je?'

'Misschien is ze wel dood. Dat weten we niet.'

'Daar moet je niet eens aan denken, Maggie. Je moet niet van het ergste uitgaan.'

Ik wilde zeggen: dat is het ergste niet, maar ik deed het niet.

'Wat ik bedoel is dat Irene pas zestien was toen ze zwanger werd van Jenny.'

'Jenny is ook zestien.'

'Precies. Dan weet je hoe jong ze is... en bang, waarschijnlijk.'

'Ze ligt in het ziekenhuis.'

'Vanwege de baby?'

'Ze is al een maand geleden bevallen.'

'Waarom ligt ze dan nog steeds in het ziekenhuis? Hou op met die raadseltjes, Maggie. Ik doe mijn uiterste best.'

Ik vertelde Rita wat er met Jenny was gebeurd en toen ze dat gehoord had, zei ze: 'Zo. Dan is het nog belangrijker dan ik dacht dat je alles te horen krijgt.'

Ze vulde haar glas bij. 'Je moet het weten van Emil. Ik ga niets voor je verborgen houden, maar je moet geduld met me hebben, Maggie. Ik vertel het je in mijn eigen tempo, zoals ik me haar verhaal herinner. Ze heeft me ooit gezegd dat ze het jullie op een dag zou vertellen, als jullie oud genoeg zouden zijn. Ik denk dat die kans verkeken is.'

Dit is wat Rita me vertelde.

Irene en Emil leerden elkaar kennen in Bella Coola. Nadat ze in Williams Lake van school was gegaan, trok ze naar het westen tot ze niet verder kon. Ze kreeg een baantje in een café. Ze kende niemand. Het wolkendek in Bella Coola was deprimerend, op windstille dagen hing het laag als rook in het dal. Voor Irene, die uit de droge, zonnige hoogvlakten kwam, leek het of er altijd wel iets uit de hemel viel, regen of sneeuw of zelfs maar het gevoel van regen. Soms stond er zo'n harde oostenwind dat ze bang was dat ze met z'n allen de zee in geblazen zouden worden. Waarschijnlijk was ze eenzaam.

Emil kwam elke dag lunchen. Hij was afkomstig uit de Prairiën en ook hij kende denk ik niet zoveel mensen. Hij kwam altijd alleen en nam altijd hetzelfde, soep van het huis met een tosti en een pot thee. Zodra hij een plaatsje had gevonden, vroeg zij: 'Hetzelfde?' En dan zei hij: 'Hetzelfde.' Dat was een spelletje tussen hen.

Emil praatte met haar, maar hij sprak een beetje apart; en hoewel het op een bepaalde manier doodgewoon klonk, was het toch anders. Hij maakte een opmerking over wat ze aanhad, al droeg ze zelden iets anders dan een flanellen shirt op een spijkerbroek. Hij zei bijvoorbeeld iets over de plooien van het shirt, dat de stof zo soepel over haar schouders viel, of iets over het patroon van de ruit. Hij merkte op hoe de gesmolten kaas van zijn sandwich over de randen droop. Als ze hem de bestelling bracht, zei hij daar iets over.

En dan zei hij: 'Dit is de lekkerste tosti ooit. Volgens mij ben jij de koningin van de kaastosti's.' Koningin van de kaastosti's, jawel, hoor. Maar ze was pas zestien en vond dat aparte aan hem juist wel leuk. Dat en het feit dat hij zo geïnteresseerd was in alles wat ze deed.

Hij vertelde over de plekjes die hij bezocht met zijn boot, de *Elsa*. Een wit schelpenstrand met oude totempalen verscholen tussen de bomen. Je kon er strandgapers en mosselen rapen en smullen van prachtframbozen en forel. 'Als het eb is, wordt de tafel gedekt,' was een van de uitdrukkingen die hij gebruikte. Oude indianendorpen waar 's zomers niemand was, alleen de raven en de beren en zo nu en dan een poema. Dat sprak haar enorm aan.

Toen Irene haar al die verhalen vertelde, dacht Rita natuurlijk dat Emil allang uit beeld was. Ze had daar in de buurt een keer een boottocht gemaakt en ze speelde weleens met het idee om een keertje terug te gaan. Maar eigenlijk vond ze de oceaan een beetje eng. Ze dacht niet dat ze het type was voor de kust.

Irene wist ook niets van boten of de oceaan en ze kon een strandgaper niet van een mossel onderscheiden.

Wat haar vooral in Emil aantrok was dat hij zo vriendelijk was. Ze sprak over zijn ogen. Hoe zacht en vriendelijk die waren, met lange wimpers. Hij was ongeveer tien jaar ouder dan zij, halverwege de twintig. In het begin zag ze hem niet als een mogelijke kandidaat voor een romance. Maar ze hield van zijn verhalen en zijn intense manier van leven. Hij was anders dan iedereen die ze kende. 'Kom me eens opzoeken op de *Elsa*,' zei Emil op een keer. En op een dag deed ze dat.

Ze liepen samen de steiger op. Hij had de boot zelf opgeknapt. Het viel haar op dat hij er nieuw uitzag, alsof hij nog niet veel gevaren had, wit geschilderd met een frisse blauwe bies en de naam *Elsa* op de romp geschilderd. Emil kweekte verse kruiden in aarden potten op het dek en dat trof haar, evenals zijn kleren aan de waslijn. Misschien werd ze wel het eerst verliefd op de boot.

Emil vertelde haar dat hij de boot voor de eerste keer had gezien op de werf van Bella Coola, waar hij te koop stond; het was een viskotter van vijfendertig voet die opgeknapt moest worden. Iemand had hem vanuit Steveston hiernaartoe gebracht en was daarna door zijn geld heen geraakt. Maar Emils vader was timmerman en zelf had hij ook een poosje als timmerman gewerkt. Hij hield van dat soort werk, dus kocht hij hem. Hij voerde de nodige reparaties uit naar zijn eigen smaak. Hij had achter het stuurhuis een hut gebouwd. Hij maakte een smalle tafel en planken voor aan de muur en lakte het hout tot het glansde. Alles had zijn eigen plekje. Er stond een klein oliefornuis met haken erboven waar vier groene mokken aan hingen. Op de een of andere manier had ze iets met die mokken. Ze waren doorschijnend groen, de kleur van zeewater, en telkens wanneer ze er een gebruikte, bedacht ze hoe eenvoudig en mooi ze waren. Ze hield van de compacte orde van dat kleine schip en stelde zich voor hoe het zou zijn om 's nachts op de golven van de oceaan te deinen en samen knus in de hut thee te drinken uit een zeegroene mok.

De hut rook naar terpentine. Hij was kunstenaar. Op de planken stonden tubes olieverf, kwasten en paletmessen, op hun plaats gehouden door een brede elastieken band. Zijn werk hing overal waar maar een plekje vrij was. Hij schilderde herkenbare dingen als cederbomen, totempalen en vogels, maar sommige doeken vertoonden niets dan driehoeken en vierkanten van licht en schaduw.

'Hoe ben je hier terechtgekomen?' vroeg ze hem die eerste dag. Hij zei dat het een lang verhaal was en vroeg hoeveel tijd ze had. 'Dan kan ik beter thee gaan zetten,' had hij gezegd en zo was het begonnen. Ze werd duizelig van de aandacht die hij haar schonk, gezellig in de hut van zijn boot met de tikkende regen tegen de ruiten en een man die thee voor haar zette. Wat had ze tot dan toe meegemaakt? Cowboys van haar eigen leeftijd die haar wilden vangen alsof ze een van hun kalveren was en aan haar borsten wilden friemelen.

Ik begreep wel waar Rita mee bezig was. Ze probeerde mijn sympathie voor mama te wekken voor iets wat nog moest komen, en dat baarde me zorgen. Tijdens het verhaal was ze zich gaan ontspannen, ze leek er plezier in te scheppen. We keken uit op het westen en ze tuurde regelmatig omhoog naar de bergen, alsof het verhaal zich daar voor haar ogen ontvouwde. Ik dacht aan Vern, zoals we naast elkaar in de boomhut lagen, en ik miste hem ontzettend.

Irene zei dat Emil zich altijd kalm en ingetogen bewoog. Hij had lange, slanke armen en benen, smalle bruine vingers. Hij was gracieus, hield ervan om dingen aan te raken, te strelen. Hij hield van stoffen, keek ernaar zoals maar weinig mensen doen. Ze dacht dat dat de kunstenaar in hem was. Hij zette thee, niet van theezakjes, maar met afgemeten blaadjes uit een blikje, goot er water overheen, roerde erin en klokte de tijd om hem te laten trekken. Suiker, melk uit een blikje. Hij pelde een sinaasappel en legde de partjes op een bord. Het werd een van de dingen waar ze van ging houden, naar hem kijken als hij thee voor haar zette.

Hij gaf haar een kussen en hielp haar om het achter haar rug te stoppen. Ze voelde zijn verlangen, maar zei dat ze het negeerde. Ze voelde zich gevleid door zijn aandacht.

Emil vertelde haar dat hij geld geërfd had van zijn tante, heel veel geld, hoewel er niet veel van over was tegen de tijd dat zij hem leerde kennen. Hij was naar New York gegaan en had daar kunstgaleries, tentoonstellingen, lezingen, koffiehuizen bezocht. Hij had gereisd, was in Europa geweest om de grote meesters te zien. Hij was toegelaten tot de kunstacademie in Toronto omdat zijn werk zo krachtig was.

De kunstacademie veranderde zijn leven. Toen hij terugkeerde naar de Prairiën, vond hij het landschap verstikkend. Hij had het gevoel dat hij werd ingesloten door die hoge lucht. Hij begon wat hij visioenen noemde te krijgen. Vreemde visioenen, zoals dromen, maar dan terwijl hij klaarwakker was, heftig en heel realistisch. Hij had een steeds terugkerende droom die hij Irene vertelde. Hij werd achtervolgd door roofvogels: haviken, valken en arenden. Hij zag ze overal, neergestreken op hekken, winkeldaken, verkeersborden, in de boom voor zijn slaapkamerraam. Hij had er een serie tekeningen van gemaakt die hij haar liet zien. Twee schetsboeken vol.

Hij had nog een tante, die in Bella Coola woonde. Hij ging haar weleens opzoeken, om even weg te zijn uit de Prairiën en aan de visioenen te ontsnappen. Tijdens een van die logeerpartijen besloot hij de boot te kopen.

Irene bracht steeds vaker een bezoekje aan de boot en uiteindelijk nodigde hij haar uit om met hem te gaan varen. Hij zei dat hij op visvangst wilde en een partner nodig had. Dat was een smoesje en dat wisten ze allebei. Maar het idee om samen met Emil op de golven te deinen was te aanlokkelijk om te weerstaan. Irene stond toen al vrij lang op eigen benen. Haar vader had haar naar school gestuurd in Williams Lake, terwijl hij ergens op het platteland de cowboy uithing. Hij leek ervan uit te gaan dat ze het wel zou rooien in haar eentje. Wat waarschijnlijk waar was. Hij wist niet eens dat ze naar Bella Coola was vertrokken en ze kwam er pas veel later achter dat hij diep in de bossen op jacht naar paarden was gestorven aan een hartaanval.

Hoe dan ook, op een dag bediende Irene een groepje mannen in het café en toen Emil de deur uit was, begonnen ze over hem te kletsen. Het maakte hen niet uit dat ze het kon horen, ze vermoedde zelfs dat dat de bedoeling was van hun gesprek.

'Hij weet de ballen van vissen.'

'Hij komt uit de Prairiën. Hij weet alles van prairiekippen en herten.'

'Zijn boot ziet er goed uit.'

'Ja, dat zal best. Hij is timmerman, geen visser.'

'Ik geloof niet dat het hem iets uitmaakt of hij iets vangt of niet.'

'Best kans dat hij verzuipt.'

'Zolang hij maar niemand meeneemt de verdommenis in.'

Dat had ze verontrustend moeten vinden, maar ze was zestien of bijna zeventien en ze dacht dat ze Emil gewoon niet begrepen. Hij was niet uit op een goede vangst, het ging hem om de ervaring. Hij was kunstenaar.

In juni gingen ze voor het eerst de zee op. Ze namen de netten en uitrusting niet mee. Emil zei dat hij Irene rustig aan de *Elsa* wilde laten wennen, om haar te leren hoe ze de getijdenkaarten moest lezen en dergelijke.

In die streek rijzen de klippen steil op uit het water en strekken zich tot diep onder water uit, alsof er twee werelden zijn, met jou ertussenin. Irene was overgeleverd aan de bergen, aan de Amerikaanse zeearenden, de wind en aan Emil. Dat besef begon tot haar door te dringen toen ze hem aan het stuurwiel van de *Elsa* zag staan; haar lot lag in zijn handen.

Niets in deze wereld voelde vertrouwd aan: de woorden 'kombuis' en 'steven' en 'jol' en 'kooi'. Emil in de kooi, in zijn spijkerbroek en op blote voeten, met een bord vis, met de handlijn gevangen vanaf de boot, zijn ogen op haar gericht. Het was zo intiem om naar zijn voeten te kijken. Ze had zijn blote voeten nooit eerder gezien. En dat de boot een 'zij' was. De motor heette Vivian. Dan zei Emil: 'Ik kan beter even bij Vivian gaan kijken,' om benedendeks de boot te starten en dan tuften ze de baai uit. Later kwam Irene erachter dat Vivian het merk van de motor was, niet een naam die Emil had verzonnen.

Toen ze een paar dagen op zee zaten, kwam Emil aan dek achter haar staan, trok haar naar zich toe en kuste haar in de nek. Ze schrok er even van, maar de angst trok weg in de warmte van zijn aanraking.

Rita stopte met praten.

'Wat doe je?' zei ik. Ik schreeuwde het bijna.

'Ik heb even pauze nodig.'

'Nu?'

'Ik ga een paar crackers halen. De wijn stijgt regelrecht naar mijn hoofd.'

Ik bedacht dat mama toen niet veel ouder was geweest dan ik nu en dat Vern even teder was als Emil. En dat Rita's stem een zachte klank had gekregen tijdens het vertellen en dat ze mama wel zou missen, dat ze het miste om samen met haar laat op te blijven en te kletsen, te giechelen over alles wat ze hadden uitgespookt toen ze jonger waren.

Toen ze weer buiten kwam met wat crackers zei ze: 'Laten we een eindje gaan lopen. Ik kan niet meer zo lang zitten. Ik denk dat ik oud word.'

'Je bent niet oud.'

'Nee. Maar nu ik dit verhaal vertel, voel ik me stokoud.'

We liepen de velden in. Het zonlicht was minder fel geworden en de warmte voelde weldadig aan op mijn schouders. Rita hield haar hoofd gebogen, alsof ze overwoog waar ze de draad zou oppakken. We liepen om wat struiken heen en daarna de diepere schaduw in.

'Laten we maar zeggen dat Emil ook als minnaar lief en teder was,' begon ze ten slotte. 'Dat moet ik die vent nageven. Hij had er een studie van gemaakt. Er boeken over gelezen.'

'Zijn er boeken over?'

'Jazeker. En hij was heel geduldig. Ze zijn niet eens met elkaar naar bed geweest, die eerste dag toen hij haar kuste. De volgende dag ook niet. Dat gebeurde pas dagen later, ik weet niet precies wanneer. Ik denk dat hij wilde dat zij er net zo naar verlangde als hijzelf.'

Hij deed van die dingen als haar langzaam uitkleden, kledingstuk voor kledingstuk, om zelf volledig gekleed te blijven. En dan liet hij zijn vingers traag over haar lichaam glijden. Hij nam een gladde steen en legde hem in het holletje van haar keel, streek ermee over de plekjes waar haar hartenklop voelbaar was en maakte de steen steeds wat warmer. Hij installeerde haar comfortabel in de kooi en maakte houtskoolschetsen van haar. Ze genoot ervan om zijn ogen op haar lichaam te voelen. Hij ging systematisch te werk om haar voor zich te winnen. En ten slotte was zij degene die hem de kooi in trok en zorgde dat hij zijn broek afstroopte.

Ze hadden het heerlijk op de *Elsa*. Ze gingen voor anker in kleine baaien en voeren met de jol naar de kust om op onderzoek uit te gaan. Ze zwommen 's nachts in warme getijdenpoelen en lieten de glanzende, fluorescerende sporen van hun lichaam sijpelen. Om de paar dagen gingen ze op zoek naar een ankerplaats waar ze zoet water konden vinden om het zout van hun lijf en uit hun haren te spoelen. Irene had nooit geweten hoe zout de oceaan was.

Ze hadden hun dagelijkse klussen, de krabkooien moesten overboord, het afwaswater moest worden opgewarmd op de Colemanbrander aan dek. Maar Emil stond niet toe dat Irene het huisvrouwtje uithing. Op een dag griste hij haar een shirt uit handen dat ze voor hem wilde wassen. 'Niet doen,' zei hij. 'Waarom niet?' vroeg ze. 'Dat is niet wat je bent voor mij.'

'Dat vind ik leuk aan hem,' zei Rita.

Dat vond ik ook. Ik kon mezelf voorstellen in mama's plaats. Niets om je zorgen over te maken en alle tijd van de wereld.

Op een ochtend voer Emil naar een wit schelpenstrandje. Ze legden de *Elsa* voor anker in het diepe water en namen de jol naar de kust. In die streken wordt het terrein verder landinwaarts moeilijk begaanbaar. Het is regenwoud, dichtbegroeid als een tropisch oerwoud. Ze hakten zich een weg door dichte wilde rozenstruiken en *duivelsknuppel* zo hoog als Irene zelf, met bladeren zo groot als haar hoofd en doornige stengels. Het enige geluid naast dat van de oceaan was het gekrijs van de raven. Voordat ze hem zagen, hoorden ze het donderende geluid van een waterval, en even daarna voelden ze de lucht afkoelen.

Ze zei dat het een hof van Eden was, waar het water vanuit de bergen loodrecht naar beneden stortte in tal van poeltjes. Ze kon niet wachten om haar kleren uit te trekken, die stijf stonden van het zout. Zij en Emil stonden naakt onder de klaterende waterstroom. Het was ijskoud maar het spoelde het zout weg. Daarna strekten ze zich uit op de warme rotsen en Emil viel in slaap in de zon.

Toen hij wakker werd, zei hij: 'Zie je dat?'

Hij wees door de bomen naar een paal waar een vogelfiguur in gekerfd stond; zijn gekromde snavel keek uit over het woud en het daarachter gelegen strand. Irene zag kisten in de sparrenbomen, die haar pas opvielen toen ze nauwkeurig keek. Ze waren vastgebonden met stroken cederbast, waarvan sommige waren losgeraakt en klapperden in de wind.

'Wat is dat?' vroeg ze hem.

'Dat zijn graven. De doden worden met hun bezittingen aan de bomen gebonden. Als je door het bos loopt, vind je koperen armbanden, halskettingen en soms zelfs schedels.'

Ze zou er niet over peinzen om zoiets ook maar aan te raken.

'Nee,' zei hij. 'Wat van de doden is, is van de doden. De raven houden de wacht.'

'Zo te horen ben je hier eerder geweest,' zei ze.

'Ik kom hier graag. Het is zo vredig.'

Vredig was het zeker. Stiller dan stil. Zelfs de raven hadden hen verlaten.

Plotseling sprong Emil op, zei dat hij zo terug was en voordat Irene iets kon vragen was hij weg.

Ze maakte zich geen zorgen. Ze lag te dagdromen in de zon en luisterde naar het water dat over de rotsen spoelde. Ze deed een dutje. Toen ze wakker werd, doodde ze de tijd door op zoek te gaan naar mooie stenen in de stroom.

Ze tuurde herhaaldelijk naar de gesnavelde paal en de graven die als nesten in de bomen hingen. Ze wilde armbanden gaan zoeken in het gras, niet om ze mee te nemen, maar om het bewijs te zien dat er mensen hadden geleefd, dat ze daar waren geboren en gestorven. Maar ze durfde niet alleen.

Twee raven keerden terug en praatten tegen haar, onderling schetterend met betweterige opmerkingen zoals raven dat doen. Helemaal alleen? Helemaal alleen. Waar is hij naartoe? Hij is weggegaan. Hij is weggegaan. Ze lachten haar uit, ze kon zweren dat ze lachten.

De middag verstreek en nog steeds was Emil niet terug. Ze begon boos te worden. De raven krasten: Bang? Bang? Toen hoorde ze iets bewegen in de struiken, de takken kraakten en ze zag een grote schim tussen de bomen bewegen. Emil had haar gewaarschuwd voor beren, maar dit bewoog te snel en te soepel voor een beer.

Ze begon te roepen. 'Emil. Ik vind het niet leuk meer.' Ze dacht dat hij een spelletje met haar speelde.

De schim gleed echter voorbij en het geluid verdween in de verte.

Ze riep zijn naam, telkens weer, bang geworden inmiddels, en de raven leken haar openlijk te bespotten. Eindelijk hoorde ze heel in de verte: 'Ik kom eraan.' Even later voelde ze zijn bonzende voeten naderen.

Hij verscheen tussen de bomen met twee schitterende forellen bungelend in zijn hand.

En een en al onschuld vroeg hij: 'Ben ik te lang weggebleven?' Alsof hij geen idee had.

'Laten we nu maar gaan,' zei ze.

'Ik wil een vuur aanleggen op het strand om de forellen te bakken.'

Ze zei nee. Ze wilde terug naar de boot.

Dat was de eerste keer dat ze boos op hem werd en kennelijk kon Emil niet tegen boosheid. Hij werd zelf nooit boos, dat had hij niet in zich. Toen hij het bij haar bemerkte, sloot hij zich van haar af alsof hij zich voor haar schaamde.

Ze roeiden terug naar de *Elsa* en Emil maakte de vissen schoon om ze te bakken. Maar Irene was onrustig. Het kwam deels door de plek. Van veraf tekende de totempaal zich dreigend af. De snavel leek een waarschuwing in te houden. Later, nadat ze de forel hadden verorberd, bood Emil Irene een schaal blauwe bosbessen aan. En toen was het moeilijk om boos op hem te blijven. Ze zei dat ze bang was geweest en vertelde over de schim die ze tussen de bomen had gezien.

Toen hij daar niet van opkeek, liet ze het rusten. Het was inmiddels donker geworden. Het was eb en de stank uit de modderplaten kringelde langs de boot omhoog. Ze was blij dat ze niet aan land was. De *Elsa* leek een veilige haven, waar ze beschermd was tegen het donkere woud en de hoge bergen daarachter. Ze miste haar moeder, hoewel Emil bij haar was en tegen het raam van de hut geleund aan dek zat te roken. Het drong tot haar door hoe weinig ze van hem wist en hoe afhankelijk ze van hem was daar in de wildernis.

Rita hield even op met praten om tegen een groot rotsblok op te klauteren. Ze gaf er een klopje op. 'Kom bij me zitten. Dit is een heerlijk plekje. Op dit tijdstip van de dag staat de zon er precies op en is het hier lekker warm.'

Ik klom omhoog en ging naast haar zitten.

'Ik heb hier ooit eens een krabbenpoot gevonden, boven op de rots. Gek, hè? Alleen het laatste eindje ervan. Ik heb het bewaard. Ik wilde altijd nog eens aan iemand vragen hoe een krab zomaar midden in British Colombia kon belanden, een paar honderd kilometer van zee.'

'Een vogel?'

'Dat zal het wel geweest zijn.'

Zoals Irene Emil beschreef, klonk hij soft. Zacht als de streling van een wimper. Hij zou nooit kwade bedoelingen kunnen hebben.

Maar na die tocht naar de waterval begon het haar te dagen dat hij in de ban was van duistere krachten. Het kwam bij vlagen en als dat gebeurde, werd hij onbereikbaar.

Als de zee te ruw werd, moesten ze ergens schuilen tot de storm geluwd was. Op een van die dagen waren ze in een beschutte baai voor anker gegaan om het slechte weer uit te zitten, maar de klippen waren te hoog om aan land te kunnen. Na een paar dagen raakten ze door hun drinkwater heen. Ze hadden zelfs geen water meer om 's morgens koffie te zetten. Daarom besloten ze om te proberen de volgende baai te bereiken, die volgens de kaart niet ver weg lag.

Na een zware tocht bereikten ze de baai en lieten ze opnieuw hun anker neer bij een wit schelpenstrand. Het was een indianendorp, dat zag ze aan de dikke, witte laag afgedankte schelpen van de vele generaties mensen die hier hadden gewoond. Van het dorp zelf was weinig over, een scheefgezakte totempaal en de ruïnes van een handjevol huizen langs de kust. Maar aan de rand van het strand, vrijwel geheel overwoekerd door prachtframboos en brandnetels, zagen ze een huis dat nog overeind stond. Ze pakten de jerrycans en de koffiepot, namen de twee krabben mee die ze hadden gevangen en roeiden ernaartoe.

Ze moesten de brandnetels met hun roeispanen platslaan om bij de deur te komen, die bewaakt werd door een vogel met een grote, kromme snavel en gespreide vleugels, ingekerfd boven de deurpost. Het huis was verlaten. Langs de wanden liep een lage bank en er hingen wat pannen. Er zat een opening in het dak om de rook naar buiten te laten, boven een stenen vuurplaats in het midden van de ruimte. Geen enkel teken van leven, maar Irene voelde zich niet op haar gemak. Ze had het gevoel dat er iemand was, iemand die hen in de gaten hield. Het kon best zijn dat het dorp niet verlaten was, maar tijdelijk niet werd gebruikt. Misschien was het een winterdorp en gingen de bewoners 's zomers ergens anders naartoe om te vissen.

Ondanks alles was het fijn om vaste grond onder de voeten te hebben en droog te zitten. Ze haalden water uit een bergstroom en Emil ging op zoek naar hout dat droog genoeg was om een vuur aan te leggen. Hij bleef lang weg en ze begon zich al zorgen te maken. Maar eindelijk kwam hij terug en legden ze het vuur aan om koffie te zetten en de krabben klaar te maken.

Ze vielen in slaap op de grond bij het vuur. Toen Irene wakker werd, was het vuur gedoofd en was Emil verdwenen. Door het gat in het dak viel bleek licht en ze hoorde de golven tegen het strand slaan. Ze had gedroomd over trommelaars en een danser met een masker dat zich opende om een ander masker te tonen dat eronder zat. Nu ze wakker was, hoorde ze het getrommel nog steeds. Ze ging naar de deur en keek naar buiten. Emil was nergens te bekennen. Maar de jol was meegenomen door de golven en sloeg met bonkende geluiden tegen de rotsen. Ze moest het water in waden om hem terug te slepen naar het strand.

De nevel hing tussen de bomen. Toen de mist later in de ochtend optrok, zat Irene nog steeds op het strand op Emil te wachten. Ze had geen lucifers – die had Emil bij zich – dus ze kon niet eens koffiezetten. Toen het eb werd, besefte ze dat ze het verkeerd hadden ingeschat en dat de *Elsa* te dicht bij de kust lag. De baai stroomde leeg en het schip liep tegen de grond in een ondiepe poel. Irene kon daar niets aan veranderen en dus groef ze met een lepel schelpdieren op voor de lunch.

Je krijgt een intens gevoel van het verstrijken van de tijd als je op een strand zit te wachten. De storm was gaan liggen. De *Elsa* zat hulpeloos vast en achter het schip strekte de zee zich eindeloos en verlaten uit. Na een tijdje stond Irene op en baande zich een weg door de brandnetels naar de rand van het bos om een kijkje te nemen, maar het was zo dichtbegroeid met braamstruiken dat ze zich niet verder waagde. Ze sliep even en toen ze wakker werd was het laat in de middag en kwam de vloed alweer opzetten.

Ze kon het niet uitstaan dat ze niets te doen had en hulpeloos moest afwachten. Als Emil terugkwam wilde ze capabel overkomen, als een toonbeeld van zelfstandigheid, strandgapers klaarmakend op het strand. Alsof ze amper had gemerkt dat hij weg was.

Toen de vloed was opgekomen besloot ze om naar de *Elsa* te roeien en te proberen het schip naar dieper water te brengen. Ze had de motor nooit zelf gestart. Het was een eencilinder benzinemotor met een vliegwiel dat aangeslingerd moest worden. Het kon lastig zijn als je het niet gewend was.

Ze vulde de koffiepot met water, roeide terug en klauterde aan boord. Ze wilde dit tot elke prijs goed doen. Ze moest eerst de knop van de dynamo omzetten. Dan moest het benzinetoevoerklepje open voor de ontluchting. Vervolgens zocht ze uit wat de zuigerstand van de motor was, of hij op de hoogste of op de laagste compressiestand stond. Je moest aan het vliegwiel draaien tot de zuiger op de laagste stand stond, wat je kon horen aan het zuigende geluid. Dan goot je er wat benzine in, stak je de startstang in het vliegwiel en gaf je er een slinger aan. Bij de eerste poging was ze vergeten het benzinetoevoerklepje te sluiten en spoot de benzine alle kanten op. Ze moest alles schoonmaken en het opnieuw proberen. Ze slingerde eraan tot ze een ons woog, maar Vivian was niet van plan om voor haar tot ontsteking te komen.

Ze voelde zich hulpeloos, deinend op de golven, kilometers overal vandaan zonder een levensteken van Emil op een boot die ze niet kon bedienen, met aan weerszijden hoge klippen, vóór haar een ontoegankelijk woud en achter haar, buiten de beschutting van de baai, de ruwe zee. Ze dwong zichzelf om niet in paniek te raken. Ze stak de Coleman-brander aan die ze bij mooi weer aan dek gebruikten, kookte haar strandgapers en zette thee. Maar ze bezwoer zichzelf dat ze de volgende keer beter zou opletten als Emil de motor startte.

Rita slikte en zocht moeizaam naar haar woorden. 'Ze had haar lesje geleerd en ze vertelde me dat ze het nooit heeft vergeten. Ze zei dat ze had geprobeerd om het jullie ook te leren.'

Het kostte haar de grootste moeite om haar tranen binnen te houden.

'Wat voor lesje?' vroeg ik.

'Ze zou haar lot nooit meer zo volledig in andermans handen leggen.' De tranen liepen langs Rita's neus en ze veegde ze weg. 'Dat moet je nooit doen. Afhankelijk zijn van een ander. Dat weet zij. Dat weet ik. Je moet jezelf beschermen.' Ze haalde diep adem. 'Ik denk dat jij dat wel zult begrijpen, Maggie. Jij, ik, Irene, we zijn allemaal een beetje zo. We beschermen onszelf. Jij nog meer dan je moeder. Dat mag je als een compliment opvatten. Daardoor zijn we echter niet makkelijk om mee te leven. Irene besloot dat ze van nu af aan nooit meer aan land zou gaan zonder alles mee te nemen wat ze nodig had, lucifers, een mes en voedsel.'

De avond viel en het werd opnieuw laagtij. Ze hoorde iets groots rondspetteren bij de klippen. Er kraste een uil. Je weet wat de kreet van een uil betekent, nietwaar? Het is maar bijgeloof, maar probeer jezelf daar maar eens van te overtuigen als je in het donker vastzit in een getijdenpoel, met niets anders dan een mastlicht en een olielantaarn.

Door de uilenkreet kwam het ineens bij haar op dat ze hem misschien moest gaan zoeken. Hij was vast koud en hongerig geworden. Misschien had ze al uren geleden naar hem op zoek moeten gaan. Het was niet eens bij haar opgekomen.

Ze kon niets meer zien op het strand. Ze overwoog om haar rubberlaarzen aan te trekken en door het ondiepe water naar de kust te waden. Ze kon de grote zaklamp meenemen en proberen om ermee te seinen. Maar toen nam haar boosheid weer de overhand en liet ze dat idee varen en kroop ze benedendeks in de kooi. Ze dacht niet dat ze kon slapen, maar toen ze haar ogen weer opsloeg, schemerde er een oranje gloed door de patrijspoort.

Toen ze aan dek ging, zag ze een kampvuur branden op het strand. Ze klauterde de ladder af en pakte de jol. Ze kon hem niet roepen. Ze wist niet wat ze moest roepen of wat ze zou aantreffen. De vloed kwam opzetten en boven de boomtoppen gloorde de dageraad. Hij bleef stil bij het kampvuur zitten, zelfs toen ze het bootje het strand op trok. Hij zag er vreemd en afwezig uit. Het eerste wat door haar heen schoot was dat hij boos op haar was. Misschien had ze niet goed begrepen hoe het er hier aan toeging, had ze iets moeten doen wat haar was ontgaan en zou hij nu terugvaren naar Bella Coola om haar daar af te zetten.

Ze noemde zijn naam. Ze vroeg hem of alles in orde was.

Hij gaf geen antwoord. Ze huiverde. Eigenlijk wist ze vrijwel niets van hem af en ze stond daar in haar rubberlaarzen en haar pyjama, met alleen een flanellen jasje eroverheen.

'Kom,' zei ze. 'Doof het vuur. Kom mee naar de boot.'

Hij keek over zijn schouder naar het woud alsof hij werd achtervolgd.

'Wat is er?' vroeg ze. Eindelijk stond hij op en liep hij naar de jol. Ze schopte wat zand over het vuur en sprong in de jol en aangezien hij geen aanstalten maakte om in beweging te komen, nam ze de roeispanen op en roeide hen terug.

Hij zat onder de bloedende schrammen en snijwonden. Zijn dikke haar zat vol blaadjes, flinters boomschors en takjes en zijn shirt was aan flarden gescheurd. Toen ze zag hoe hij eraan toe was, vergat ze haar boosheid en haar angst. Ze hielp hem om zijn shirt uit te trekken en kookte water om zijn wonden uit te wassen. Maar hij keerde zich van haar af. Hij stond niet toe dat ze de doornen en stekels uit zijn huid trok, al bezorgden ze hem uitslag. Daarom zette ze thee en warmde ze een blikje bonen op. Hij at zonder haar aan te kijken.

'Wat is er gebeurd?' drong ze aan. Toen hij uitgegeten was, ging hij naar bed en viel met zijn rug naar haar toe in slaap.

'Het begint koud te worden. Zullen we teruggaan?'

'Wat?' vroeg ik.

'Terug naar huis. De zon is weg,' zei Rita.

'O, ik dacht dat Irene dat zei.'

We sprongen van het rotsblok af en liepen door het bos terug naar Rita's huis.

'Ik heb nog hertenworstjes,' zei ze. 'Die zal ik opbakken met wat aardappels.'

We aten op de veranda en keken hoe het daglicht achter de besneeuwde bergtoppen verdween. We zeiden niet veel; ik zat nog op Emils boot en was benieuwd wat er met hem was gebeurd. Als ik aan deze Irene dacht als iemand die niet mijn moeder was, wilde ik maar één ding en dat was dat alles goed zou aflopen. Het moest in orde komen met Emil; ik wilde niet dat hij haar in Bella Coola van boord zou zetten. Misschien waren ze nog steeds op zee, roosterden ze vis op het strand en lieten ze zich alleen in de beschaafde wereld zien om proviand en benzine in te slaan.

Ik had het idee dat het Rita lukte om de Irene die zij kende los te zien van dat meisje over wie ze me vertelde. Ze was niet boos toen ze me dit verhaal vertelde. Er klonk geen spoortje jaloezie of bitterheid in haar stem.

'Het duurde meerdere dagen voordat Emil weer enigszins de oude was geworden,' vervolgde Rita.

Het was alsof hij behekst was, tot op een ochtend de ban verbroken werd. Ze zaten thee te drinken in de stilte waar Irene zich al bij had neergelegd, toen hij zei: 'Het spijt me. Ik weet dat ik je niet zomaar alleen achter had moeten laten.'

Vervolgens noemde hij achter elkaar op wat hij allemaal zo leuk aan haar vond: het geluidje dat ze maakte als ze thee dronk, haar sterke handen, de manier waarop ze haar wenkbrauwen fronste als ze ergens diep over nadacht. Hij nam haar handen in de zijne, kuste haar hals en zei nogmaals dat het hem speet, dat hij niet wist wat hem had bezield. Zij was het beste dat hem ooit was overkomen. Hij beloofde dat hij zijn leven zou beteren. Irene was opgelucht.

Dit was de Emil van wie ze hield. Ze nam aan dat het een vlaag van verstandsverbijstering was geweest en vergaf het hem.

Ze legden aan in Namu om te tanken en spullen in te slaan. Die duistere nacht lag achter hen. Er was niets gebeurd. Ze daalden de ladder af om in zee te zwemmen. Ze zochten zee-egels, groeven strandgapers op en probeerden zeewier te drogen om het 's morgens over hun eieren te sprenkelen. Emils schrammen genazen. Ze bedreven de liefde onder het open luik in het licht van de sterren.

Maar 's avonds vertelde hij haar stukje bij beetje het meest fantastische verhaal.

'Je moet het weten,' zei hij. 'Ik wil je niet bang maken, maar misschien is het je opgevallen dat we gevolgd worden door vogels. Ze achtervolgen me al sinds Winnipeg.'

Dat zei hij.

'Net als ik denk dat ik ze te vlug af ben geweest, komen ze terug. Ik weet niet of het dezelfde vogels zijn.'

De vogels waren Irene ook opgevallen. Waren ze er al die tijd al geweest? Hij vervolgde: 'Er zijn dingen die we niet begrijpen, er gebeuren dingen waar we met ons verstand niet bij kunnen.' Irene wist dat dat waar was. En hij zei: 'Je denkt dat ik gek geworden ben, hè?' Ze zei van niet. Ze begon de aalscholvers die boven de *Elsa* bleven hangen in de gaten te houden en tuurde naar de Amerikaanse adelaars die vanuit de takken van de sparrenbomen op hen neerkeken. Maar ze zag ook dat er een onrustige glans in Emils ogen lag die er eerder niet was geweest.

'Laatst in dat oude huisje aan het strand hoorde ik ze ook,' begon hij op een van die avonden. 'Ze zaten buiten, maar ik wist dat het niet lang zou duren voordat ze een manier hadden gevonden om binnen te komen. Ik wachtte tot ze in de bomen bij het strand zaten om het huis uit te sluipen en ik heb het op een lopen gezet. Zo heb ik al die schrammen opgelopen. Ik wilde je niet in de steek laten.' Het was belangrijk voor hem dat ze dat begreep. 'Ze moeten mij hebben, niet jou.'

Hij vertelde dat hij er een tijdlang in was geslaagd om aan de vogels te ontsnappen. Maar toen hij moest stoppen om op adem te komen, hoorde hij ze in de toppen van de ceders, met klapperende vleugels in de wind. Ze krijsten hem toe.

Hij waarschuwde haar dat ze het moeilijk te geloven zou vinden wat er toen was gebeurd. Hij zag een enorme veer op een rotsblok liggen. Het was geen adelaarsveer en ook geen veer van een havik; hij was ongeveer zestig centimeter lang. Hij dacht dat het misschien een soort offergave kon zijn, of een vorm van bescherming. Hij raapte hem op.

'Ik zou dit verhaal aan niemand anders durven toevertrouwen. Ik verzin dit niet.'

En Irene zag dat hij elk woord ervan geloofde. Zijn stem werd zo zacht dat hij bijna fluisterde. 'Toen ik de veer opraapte, veranderde ik in een vogel. Een reuzenvogel, ongeveer zo groot als een mens. Ik sloeg mijn enorme vleugels uit en steeg hoog boven de toppen van de ceders uit om weg te vliegen. Ik brak door een laaghangende wolk heen. Daarboven scheen de zon, maar de wereld beneden was verdwenen, de oceaan, het woud, alles was weg. Even later doemden er bergen met besneeuwde toppen voor me op, bijna van zilver, en ik landde aan de voet van een daarvan, pal voor een grote zwarte vogel die omringd was door andere, kleinere vogels. "Hoe ben je hier gekomen?" vroeg hij. Zijn stem klonk vreemd, als een krakende radio.

"Ik heb een vleugel opgeraapt," zei ik.

"Je liegt."

"Nee, ik lieg niet."

"Waar is hij dan? Geef hem aan mij."

"Ik weet niet waar hij gebleven is. Ik heb hem laten vallen, denk ik."

"Je liegt."

"Ik weet niet waar hij gebleven is."

"Dat zeg je altijd, hè?"

"Nee."

"Niets is ooit jouw schuld, hè?'"

Toen zei Emil dat hij Irene iets wilde opbiechten, iets wat hij nog nooit aan iemand had verteld. Hij moest het haar vertellen. De vogel wist het. Hij wist niet hoe, maar hij wist het.

Irene was niet bang voor wat hij te zeggen had. Ze wilde het waard zijn dat hij haar zijn geheim, wat het ook was, toevertrouwde. Dat was het enige wat telde.

De vogel zei: 'Ik weet alles van je broer, alles wat je hebt gezegd en hebt verzwegen. Je zei tegen jezelf dat het niet echt liegen was als je niet alles vertelde. Mensen weten niet hoe ze moeten liegen. Jullie kunnen veel van ons vogels leren. Wij kennen geen schuldgevoel. Jullie raken zo door schuldgevoelens verteerd, dat alle voordelen van het liegen erdoor verloren gaan.'

De vogel bood Emil een deal aan. Hij zou Emils geheim bewaren als Emil het zijne bewaarde. Het geheim van de vogel was die plek. Hij noemde het zijn koninkrijk. Hij zei dat Emil de veer die hij verloren had moest zoeken om hem te begraven. Minstens een meter onder de grond. Dat beloofde Emil. Toen hij bijkwam, lag hij weer op de grond in het woud. Hij zocht naar de veer. Hij moet uren hebben gezocht, tot het te donker was geworden om nog iets te kunnen zien. Toen is hij teruggegaan naar het strand en legde hij het vuur aan.

'Heb je hem niet gevonden?' vroeg Irene.

Emil zei van niet. Maar hij dacht dat het misschien een valstrik was. Misschien had de vogel de veer al. Hij zal hem wel flink uitgelachen hebben.

Irene zei dat ze hem geloofde, al was het nog zo'n wonderlijk verhaal. Misschien geloofde ze niet helemaal wat hij zei, maar wel de kern van zijn verhaal, dat hij een wonderlijke ontmoeting had gehad. En ze maakte zich zorgen over het feit dat hij de veer niet had gevonden, zoals de vogel had gevraagd. Ze was bang dat het Emil zou achtervolgen. Ze vroeg hem of hij terug wilde gaan om ernaar te zoeken.

Hij zei van niet. Het leek hem beter om daar weg te blijven.

'Wat was er dan met die broer?' vroeg ik.

Irene zweeg erover en een tijdlang leek het of Emil het was vergeten. Op een middag stak de wind op. Het zag ernaar uit dat het een aantal dagen flink zou waaien en ze moesten op zoek naar een veilige haven voordat het in alle hevigheid zou losbarsten. Ze waren echter net iets te laat, vrees ik.

De *Elsa* ploegde door metershoge golven en het water klotste over het dek. Op de kaart stond dat er een baai in de buurt was, maar als ze het raam schoonveegden was er niets anders te zien dan de woest kolkende, schuimende zee. De wind was sterker dan zij en de *Elsa* dreef langzaam maar zeker af, tot ze gevaarlijk dicht in de buurt van de hoge klippen kwamen. De rotsen waren niet hun enige zorg, want alles wat onzichtbaar onder water lag, was even gevaarlijk. Irene stuurde, terwijl Emil zijn hoofd naar buiten stak en aanwijzingen schreeuwde.

De wind beukte op hen in en ze kwamen geen meter vooruit. De klippen kwamen steeds dichterbij. Het leek Emil het beste om de boot vast te leggen aan een klip die steil boven het water uitstak. Hij ging aan dek met een enterhaak om te voorkomen dat de *Elsa* tegen de rotsen sloeg. Het waren angstige uurtjes. Irene hoorde schrapende geluiden onder de romp. Rotsen of ondergelopen bomen of iets anders, ze wist het niet. De golven spoelden over de *Elsa* en het schip zwalkte en stampte alsof het voorgoed zou zinken, tot er een grotere vissersboot opdook uit de storm. Ze wierpen hen een lijn toe en sleepten de *Elsa* naar de beschutting van een zeewiereiland.

Van het ene moment op het andere kwamen de golven tot bedaren. Ze zei dat ze nog nooit zoiets vreemds had meegemaakt. Emil vertelde haar dat de indianen hun boomstamkano's naar deze kelpeilanden trokken als de zee te ruw werd. Ze legden er zelfs vuren aan en zaten de storm daar uit.

De vissers waarschuwden Emil dat de kans groot was dat de

schroef of de romp van de *Elsa* averij had opgelopen, omdat er hoge rotspunten onder water lagen op de plek waar zij hadden aangelegd. Hij ging benedendeks om te kijken, maar zag geen tekenen van scheuren. De vissers beloofden dat ze iemand op de wal zouden vragen om naar hen uit te kijken zodra de storm was gaan liggen.

Die nacht, toen de golven tegen het kelpeiland sloegen en de regen op de patrijspoorten kletterde, liet Emil Irene een foto van een jongen zien, ongeveer van haar leeftijd.

'Dit is mijn broer,' zei hij. 'Deze foto is genomen op de middelbare school. Hij was heel knap.'

Irene was het met hem eens. Hij had net zulk dik, zwart haar als Emil en donkere, sprankelende ogen. Hij lachte grijnzend, een en al zelfvertrouwen.

Zijn broer heette Edward en hij was een jaar ouder dan Emil. Iedereen was dol op hem. Hij was altijd vrolijk, een plaaggeest. Hij had een prachtige stem en zong in het school- en het kerkkoor. Slechts weinig mensen wisten dat hij valse trekjes had. Emil zei dat hij misschien wel de enige was die dat wist.

Edward was een gezelschapsdier, in tegenstelling tot Emil. Hij was populair en kon met iedereen goed opschieten. Hij ergerde zich groen en geel aan Emils nerveuze gestuntel. Waar maakte hij zich druk over? Als ze samen ergens naartoe waren geweest, gebeurde het regelmatig dat hij zich liet gaan en al zijn ergernis over Emil uitstortte. Waarom kon Emil nooit eens iets normaals zeggen? Begreep hij dan niet dat hij anderen beledigde? Hij schaamde zich om met Emil gezien te worden. Dat zei hij wel vaker. Hij beweerde dat Emil beter als een kluizenaar in het bos kon gaan leven, omdat hij nooit zou leren hoe hij zich in gezelschap moest gedragen. Dan bleef hij als een dolle tekeergaan en kwam hij pas na een hele poos langzaam tot bedaren.

Emil zei dat hij niet wist hoe hij zich moest verdedigen, omdat alles wat Edward zei min of meer klopte. Hij probeerde het niet eens.

Maar op een dag in de grote vakantie gingen ze naar een feest in de wildernis. Iedereen werd dronken, ook Emil. Tot zijn opluchting zei Edward die nacht onderweg naar huis niets tegen hem. De volgende dag gingen ze vissen, met z'n tweetjes. Ze gingen naar een brug over de kreek, niet ver van waar ze woonden. Ze dronken een biertje om de ergste kater te bestrijden. Maar Emil wist dat er iets broeide. Er broeide altijd iets.

Zijn broer had de gewoonte om zijn keel te schrapen voordat hij iets zei. Het was een soort waarschuwing. En eindelijk hoorde hij het, dat schrapende keelgeluid. Edward wist precies wat Emils zwakke plekken waren. Sommige mensen zijn zo. Broers en zussen zijn misschien wel het ergste.

'Je hebt jezelf voor gek gezet.' Zoveel wist hij nog wel, maar dat was niets nieuws. 'Dat meisje waar je tegen aan stond te lullen vond je compleet geschift. Ik zag dat ze je met haar vriendinnen stond uit te lachen toen je weg was.'

Hij had wel erger gehoord, maar toevallig vond Emil dat meisje leuk en die dag was hij het ineens helemaal beu. Hij gaf Edward zo'n harde zet dat hij plat op zijn rug op de brug belandde. Hij sloeg keihard met zijn hoofd ergens tegenaan en stuiterde ietwat terug. Daar schrok hij van. Emil had nog nooit iets teruggedaan.

Edward bleef eventjes verdwaasd zitten, hoewel Emil zijn lijn al binnenhaalde. De dag was bedorven. Hij ging naar huis. Edward haalde hem in en zei: 'Dus je weet wel hoe je jezelf moet verdedigen.' Hij praatte wat onduidelijk. Emil dacht dat hij op zijn tong had gebeten toen hij met zijn hoofd tegen de brug sloeg.

Die avond kwam Edward niet naar beneden voor het eten. Hij zei tegen zijn moeder dat hij hoofdpijn had en zich niet lekker voelde. Hij bleef de hele avond boven. Toen Emil naar bed ging, dacht hij dat hij net deed of hij sliep om niet met hem te hoeven praten. Edward zou nooit zijn excuses aanbieden – dat had hij nog nooit gedaan – maar misschien zou er iets veranderd zijn nu Emil voor zichzelf was opgekomen.

Toen hij de volgende ochtend wakker werd en zich omdraaide, zag hij dat Edward nog steeds sliep. Het was al laat en hij vroeg zich af wat voor spelletje Edward speelde. Iets in zijn houding maakte hem echter ongerust. Misschien was hij te stil, of misschien was het te merkwaardig dat Edward uitsliep op een mooie zondagochtend, een dag waarop hij meestal met zijn vrienden naar het park ging om te rugbyen. Hij ging naar Edwards bed en boog zich over hem heen om zijn gezicht te kunnen zien. Zijn huid was asgrauw. Hij legde zijn hand op zijn arm om hem wakker te schudden. Hij was koud.

'O, mijn god,' zei ik.

'Ja,' knikte Rita. 'Hij riep zijn moeder. Ze kwam op een holletje naar boven. Toen de dokter arriveerde, concentreerde hij zich op de hoofdpijn waarover Edward had geklaagd. Emil wist niet eens of zijn broer werkelijk hoofdpijn had gehad of dat het zomaar iets was wat hij tegen zijn moeder had gezegd. Maar de dokter nam het als uitgangspunt. Hij vroeg wat Edward de dag daarvoor had gedaan en Emil vertelde over het feest van die vrijdagavond, over het vissen en het biertje dat ze hadden gedronken. Hij verzweeg alleen dat hij hem zo'n harde zet had gegeven dat hij met zijn hoofd tegen de brug was geslagen.'

'Arme Emil,' zei ik.

De sterren waren verschenen. Rita nam de borden mee naar de keuken en zette de ketel op om thee te zetten. Ik liep de veranda af om de sterren beter te kunnen zien. Ik zag Cassiopeia boven het huis staan. Ik vroeg me af of mama samen met Emil op de *Elsa* zat en naar dezelfde sterrenbeelden keek. Misschien werden ze allebei vermist op zee. Wie weet was er een ongeluk gebeurd. Maar er was zoveel tijd verstreken tussen de laatste keer dat Rita haar had gezien en nu, dat het niet te rijmen viel met een ongeval met de *Elsa*.

'Ik ben bijna aan het eind gekomen van wat ik weet, van het verhaal dat zij me heeft verteld,' zei Rita toen ze terugkwam met twee dampende mokken.

Toen de storm was gaan liggen, dook Emil onder water om de schroef te inspecteren. Een van de bladen bleek afgescheurd te zijn. Ze hielden een passerende boot aan en werden naar Namu gesleept.

Het was druk op de werf, de schepen kwamen en gingen. Dat was in 1958, het jaar van de recordzalmvangst. Sleepnetboten voeren af en aan, afgeladen met vis. Er werd een fortuin verdiend dat jaar. Het hele dorp stonk naar vis. De schepen lagen zes rijen dik aan de kade. 's Nachts kraakten en piepten de autobanden die de romp van die boten beschermden, de wind zong door de masten en stemmen schalden over het water. Irene wilde zo snel mogelijk weer weg. Maar Emil leek geen haast te hebben. Hij wachtte rustig op zijn nieuwe schroef, maakte hier en daar een praatje met de vissers, dronk zijn biertje en knutselde aan de boot. Hij zei dat hij ook de zalmvisserij in wilde en dat de boot moest worden aangepast. Om geen gevangene van zijn plannen te zijn, maakte Irene lange wandeltochten door de bossen om bessen te plukken.

Op een dag kwam ze na zo'n wandeling terug bij de *Elsa* en kon ze hem niet vinden. Zijn gereedschap lag nog op het dek, met een geopend flesje lauw bier ernaast. Ze verwachtte hem elk moment terug. Ze dacht dat hij spullen was gaan halen die hij nodig had voor de boot. Maar de schemering viel, de geluiden van de werf klonken op en dreven over het schip en zij zette koffie op de Coleman en probeerde zich geen zorgen te maken.

De dagen verstreken. Hoe ze ook haar best deed om bezig te blijven, om net te doen of het haar niets kon schelen, ze werd steeds ongeruster. Ze at niet, sliep nauwelijks en 's morgens gaf ze over.

Er was een arts in de conservenfabriek in Namu. Irene zat twee uur in de wachtkamer en liet iedereen voorgaan. Uiteindelijk dwong ze zichzelf om naar binnen te gaan. De dokter was een witharige, vriendelijke man. Ze vertelde hem dat ze dacht dat ze zwanger was. Hij stelde haar enkele vragen en onderzocht haar. Hij zei dat bloedonderzoek het zou bevestigen, maar dat hij er vrijwel zeker van was en dat de uitslag van de bloedtest zo lang op zich zou laten wachten, dat zij er tegen die tijd ook niet meer aan zou twijfelen.

Hij noemde haar 'lieverd'. 'Met wie leef je samen, lieverd?'

Irene durfde het hem niet te vertellen.

Hij zei dat hij absoluut geen oordeel over haar wilde vellen. Hij was vijfenzeventig jaar oud of zoiets en keek nergens meer van op. Maar hij vertelde haar dat ze goed voor zichzelf moest zorgen. Ze was te mager. Ze moest zeker tien tot vijftien kilo aankomen. Hij zei dat ze best een paar maanden kon blijven werken, in de conservenfabriek wellicht. Hij zei: 'Je moet goed voor jezelf zorgen, voor het kindje dat je bij je draagt. Dat is het enige waar jij je voorlopig druk over moet maken.'

In het begin deed ze niets, maar toen er twee weken waren verstreken, besefte ze dat Emil misschien wel nooit terug zou komen. Haar eerste baantje bestond uit vloeren dweilen in de conservenfabriek. Maar na een paar weken, toen ze de scheepsladingen vis amper konden bijbenen, ging ze over op blikjes vullen.

Ze keerde elke avond terug naar de *Elsa*, maakte eten klaar op de kleine brander en vroeg zich af wanneer Emil zou komen opdagen. Het weer sloeg om en ze besefte dat ze weinig zin had om de hele winter op de boot te blijven wonen. Ze verlangde hartstochtelijk naar een warm bad. Aan het einde van de dag had ze zulke koude handen en voeten, dat ze water moest koken om ze erin te laten weken voordat ze kon gaan slapen.

'Was dat Jenny?' vroeg ik. 'Was zij de baby?'

'Laat me eerst mijn verhaal afmaken, Maggie,' zei Rita. En toen vervolgde ze iets zachter: 'Oké? Maar ik denk dat je wel kunt raden wat er daarna gebeurde.'

Irene verdiende goed in de conservenfabriek. Ze besloot op zoek te gaan naar een betere woonplek. Op haar eerstvolgende betaaldag ging ze naar het warenhuis en kocht ze een aantal borden, pannen, een gietijzeren braadpan en een stel handdoeken.

Ze was wat aangekomen, maar het was niet te zien dat ze zwanger was.

Er werkte een roodharige man in de conservenfabriek. Patrick heette hij en hij stond bekend als een echte lieverd. De oudere indianenvrouwen met wie Irene samenwerkte plaagden hem graag. Ze noemden hem Prachtframboos. Hij bloosde zelfs als een prachtframboos, lachten ze. Hij was bevriend geraakt met een stel Chinese mannen die aan de snijmachine werkten. De ouders van een van hen runden een Chinees restaurant in het centrum. Op een dag tijdens de lunchpauze, toen ze buiten zaten om van het laatste zonnetje te genieten voordat de winter inviel, nodigde Patrick Irene uit om die avond in dat restaurant te gaan eten. Ze weifelde tien seconden, hooguit vijftien. Ze was in geen maanden uit eten geweest, had nog nooit Chinees gegeten en ze mocht Patrick graag. Toen hij glimlachte, sloeg haar hart een slag over. Later, toen de indiaanse vrouwen hen samen zagen, stootten ze elkaar aan en zeiden: 'Twee prachtframbozen bij elkaar. Ze zijn voor elkaar geschapen.'

Rita zweeg. We hadden allebei de roep van een uil gehoord, vlakbij.

Ik deed al een tijdje mijn best om mijn tranen voor Rita te verbergen. Ik wilde niet dat ze het verhaal voor me verzachtte. Ik wilde alles weten. Maar er ontsnapte een snik uit mijn keel en ik moest een sliert snot wegvegen van mijn neus.

'Ik hoor hier vaak uilen,' zei ze.

'Weet ik.'

'Het is maar bijgeloof.'

'Weet ik.'

'Ik zal even iets halen voor die snotneus van je.'

Het was een heldere nacht. Het was al laat, maar er glansde nog een bleke purperen gloed in het westen.

Twee prachtframbozen. Dat was het verhaal dat papa en mama Jenny en mij vertelden. Jenny was in mei 1959 geboren. Er kon onmogelijk sprake zijn van een andere baby. Dit was Jenny. Papa was niet Jenny's vader. Emil, die arme, romantische, knappe Emil was Jenny's vader. Hoe moest ik haar dat ooit vertellen?

Rita stak me een rol toiletpapier en een glas water toe.

'Dank je,' zei ik.

'Ik hoop dat ik er goed aan heb gedaan om je dit allemaal te vertellen,' zei ze. 'Het kan toch niet verkeerd zijn om de waarheid te vertellen? Dat heb ik tenminste altijd gedacht.'

'Wil je me nog iets vertellen over papa? Van nadat ze elkaar hebben leren kennen?'

'Ik geloof dat je het meeste al weet.'

Ze nam Patrick niet meteen geheel in vertrouwen. Ze vertelde dat ze op de boot van een vriend woonde, maar dat ze een andere woonplek zocht voor de winter. Hij wist een leuke kamer te huur in het huis waar hij woonde. Nadat ze hun *chow mein* hadden verorberd, wandelden ze ernaartoe om hem te bekijken. Hij lag op de bovenste verdieping en had een raam dat uitkeek op de kreek. Er stonden een bed en een kookplaat in, maar het beste van alles was een eigen badkamer met een badkuip. Irene was zo enthousiast dat ze de hospita onmiddellijk wilde spreken. Ze huurde de kamer diezelfde avond nog.

Dat weekend pakte ze haar spullen in een kinderkarretje dat ze van een van de vissers had geleend en sjouwde ze alles naar het huis. Ze sloot de *Elsa* zo goed mogelijk af. Ze overwoog om een briefje neer te leggen voor Emil, maar toen ze probeerde hem te schrijven, kon ze niets bedenken. Als hij haar wilde vinden, was dat gemakkelijk genoeg. De rest lag zo voor de hand dat het niet gezegd hoefde te worden.

Ze vertelde Patrick pas in oktober dat ze in verwachting was. Tegen die tijd wist ze wel ongeveer hoe hij zou reageren. Ze vertelde het hem in de lunchpauze op het werk. Zo voorkwam ze dat ze een hele rits vragen moest beantwoorden. Hij was te aardig om haar meteen af te wijzen. Hij was verrast, dat zag ze wel, maar het enige wat hij vroeg was: 'Wat doe je als hij terugkomt?'

'Dan ga ik door met wat ik nu doe,' antwoordde ze.

Toen ze die avond na hun werk in de conservenfabriek terugliepen naar huis, vroeg hij haar ten huwelijk.

'En zoals je weet zei ze ja.' Rita strekte haar armen uit boven haar hoofd. 'Te lang gezeten.'

Ik was blij dat papa het had geweten. Ik wilde niet dat hij voor de gek gehouden was. Ik zou het vreselijk vinden als er al die jaren zo'n groot geheim tussen hen in had gestaan.

'Het regenseizoen was begonnen aan de kust, dus niet lang daarna vertrokken ze naar Williams Lake. Irene was blij om de zon weer te zien. Patrick kreeg een baan als houthakker en was vrij veel weg. Maar hij was erbij toen ze moest bevallen. Toen Jenny geboren was, zei Patrick: "Weer een prachtframboos." Irene zei dat ze op dat moment wist dat ze van hem hield.'

Rita ging naar binnen. Ze bleef vrij lang weg. Toen ze terugkwam, had ze twee glazen en de fles bessenwijn bij zich. Ze schonk voor ons allebei in en hief haar glas.

'Op…' begon ze en toen stokte haar stem. We klonken en staarden de duisternis in, ons afvragend waar ze was.

HOOFDSTUK 31

Toen mama's stationwagen op zaterdagochtend Rita's erf opreed, bleek Vern achter het stuur te zitten.

'Wie hebben we hier?' Rita's stem klonk plagerig toen hij glimlachend uit de auto stapte.

'Vern!' Ik vloog bijna op hem af.

'Oom Leslie moest ergens aan de slag vanwege een aardverschuiving. Hij vroeg of ik je wilde halen.'

'Je hebt je rijbewijs,' zei ik.

'Min of meer.'

Rita overhandigde ons het lunchpakket dat ze had klaargemaakt en liet me beloven dat ik haar zou bellen.

'Dat zal ik doen,' zei ik, maar toen ik glimlachend en wuivend haar erf afreed, voelde ik me opgelucht.

'Je ziet er echt uit alsof rijden de gewoonste zaak van de wereld voor je is,' zei ik tegen Vern.

'Dank je.'

'Sinds wanneer rij je al?'

'Sinds een week of twee. Ik moest naar mijn werk kunnen.'

'Waarom ben je nu niet aan het werk?'

'Ze hebben me pas over een paar dagen weer nodig.'

Hij zag er goed uit in zijn witte T-shirt en versleten corduroy broek. Zijn huid was donkerder geworden van het werk in de buitenlucht en de spieren van zijn onderarmen spanden zich tijdens het sturen.

'Wanneer moet je terug zijn?'

'Volgende week,' zei hij.

We reden over Nakenitses Road met het opdwarrelende stof achter ons en een frisse bries door de open raampjes. Vern zette de radio aan en ik werd slaperig van het ritme van het rijden. Toen we bij het stopteken van het kruispunt kwamen, zei ik: 'Laten we naar Bella Coola gaan.'

'Wat hebben we in Bella Coola te zoeken?'

'Misschien iemand die meer weet over mama.'

'Ik ben voor,' zei Vern.

'Echt?'

'Natuurlijk.'

'Moet je het niet eerst aan oom Leslie vragen?'

'Ik weet al wat hij zou zeggen. Vragen kost onnodig veel tijd.'

'Krijg je dan niet op je duvel?'

'Denk het niet. Tenzij we niet terugkomen. Grapje.'

'Ik heb gehoord dat de weg nogal gevaarlijk is.'

'Freedom Road,' zei Vern.

'Ben je daar al eens geweest?'

'Nou en of. Erop, eroverheen, eronderdoor.' Vern grijnsde.

'Vind je het eng?'

Hij begon de eerste regels van *I've Been Everywhere* te zingen, grijnzend en wel. Ik schoot zelf ook in de lach. 'Nee, totaal niet eng.'

'Misschien kunnen we beter eerst ergens stoppen om te lunchen.'

'Goed idee.'

Vern zette de auto aan de kant van de weg en we stapten uit. De zon brandde en we liepen door de greppel naar een hek in de schaduw van een groepje geurige dennen. We klommen op het hek en aten de broodjes ei op die Rita voor ons had klaargemaakt. Er liep iets groots over de weg en wat het ook was, het kwam onze kant op.

'Ik hoop niet dat het een beer is,' zei Vern.

'Ben je bang voor beren?'

'Ik koester een gemiddelde, normale angst voor beren.'

'Bliksem, beren... waar ben je nog meer bang voor? Kijk, het zijn paarden.'

'Oef,' zei Vern.

Twee paarden liepen zonder ruiters achter elkaar langs de kant van de weg, met hangende hoofden, alsof ze vermoeid waren van een hele dag reizen. De ene was voskleurig en de andere was een schitterende bruin-wit gevlekte *pinto*. Het waren glanzende, goed-verzorgde paarden met geborstelde staarten. Ze stopten ter hoogte van ons hek om ons op te nemen, graasden wat en vervolgden hun weg.

Aan de overkant van de weg rezen in de verte de blauwe bergen met besneeuwde toppen op en een blauw meertje vormde de enige onderbreking in het groen van de velden. Vern en ik zagen het tegelijk.

'Het zit vast vol wier.'

'Het ziet er wel verleidelijk uit.'

We klauterden over het hek en renden ernaartoe. Toen we dichterbij kwamen, zakten onze voeten weg in de drassige grond.

'Het is een modderbende,' zei Vern.

'Ja, maar het water ziet er lekker uit.'

'Ik daag je uit.'

'Wat krijg ik als ik erin ga?' vroeg ik.

Hij greep me lachend bij de schouders. 'Mijn bewondering?'

'Daar doe ik het niet voor,' zei ik en ik greep hem bij zijn middel. We belandden stoeiend in het ondiepe water en gingen allebei kopje-onder.

'Wat koud!' gierde Vern.

'Ik ben kletsnat,' zei ik en ik kroop op handen en voeten overeind.

'Was dat niet het idee?'

'Jouw idee,' zei ik en ik lichtte hem opnieuw pootje.

We kropen stinkend naar modder en proestend van het moeraswater het meer uit en liepen door de velden terug naar de auto.

'Dat frist op,' zei Vern.

'Ik heb schone kleren bij me.' Ik glimlachte naar hem. 'Jij?'

'Ik heb de vuile was bij me die ik wilde meenemen naar oom Leslie. Vind je het erg als ik mijn vuile werkbroek aantrek?'

'Je gaat je gang maar,' lachte ik.

Vern en ik verkleedden ons ieder aan een andere kant van de auto. Het voelde fijn om even met de zon op mijn vochtige blote huid te blijven staan in de wetenschap dat Vern bij me was, dat we naar het westen zouden rijden, net zo lang tot we niet verder konden. Toen ik opkeek, zag ik hem naar me kijken.

We verlieten de hoogvlakte op de plek waar een groot verkeersbord stond met de waarschuwing: SNEEUWKETTINGEN VERPLICHT VOOR ALLE VOERTUIGEN.

'Wij ook?' vroeg ik.

'Alleen in de winter. Relax, Maggie. Vern George zit aan het stuur.'

Nog een verkeersbord, net achter het andere en nog groter: STEILE HELLING. CONTROLEER UW REMMEN.

Vern keek naar mij. Hij ging overdreven pompend de remmen uitproberen. 'Remmen... doen het. Benzinetank... halfvol. Oliepeil... in orde, voor zover ik weet. Alles kits.'

De blauwe bergen in de verte zagen er ruiger en onherbergzamer uit dan de bergen die we gewend waren. De sneeuw op de toppen glansde zo wit op dat het wel nep leek, alsof er aan het einde van de weg een toverland lag.

'Nu kunnen we niet meer terug,' zei Vern.

In het zuiden zagen we niets dan bergen, die zich uitstrekten tot ver voorbij ons blikveld reikte. Ze zagen er verlaten uit, geen wegen of steden te bekennen. Het woud werd steeds dichter, vol sparren en dennen met slierten zwart mos in hun takken, en her en der verspreid wat meren en vennen. Een kleine zwarte beer was aan het foerageren langs de kant van de weg. Vern keek me veelbetekenend aan, maar zei niets. Een lichte motregen wierp spetters op onze stoffige voorruit. We waren aan de afdaling begonnen.

De wilde rozen bloeiden uitbundig in de berm en we zetten de ramen op een kier om de geur van rozen en regen op te snuiven. We kropen vooruit. De rand van de weg, met daarachter de bomen en het ravijn, lag slechts een autobreedte van ons af. De weg was aangelegd als een ontsnappingsroute, een manier om weg te komen als de regen en de bergen je te veel werden. Ze hadden het kennelijk niet nodig gevonden om hem tweebaans te maken. Het zou best kunnen dat de stratenmakers de weg in een vlaag van waanzin hadden uitgehakt, zonder erbij stil te staan dat alles wat naar beneden reed uiteindelijk ook weer naar boven zou moeten.

Een pick-uptruck kwam ons tegemoet.

'Jeetje,' zei Vern.

'Blijf aan de binnenkant,' zei ik.

'Maak je niet ongerust, ik blijf bij de rand uit de buurt.'

Vern kroop zo dicht mogelijk tegen de bergwand om hem te laten passeren. De truck zat onder de modder en de chauffeur vervolgde met een groet zijn weg en liet ons weer alleen. Even later reden we de regen in.

'Stik,' zei Vern bij zichzelf. En toen: 'Vrees niet, Maggie! Vern George heeft alles onder controle.'

'Ik ben niet bang,' zei ik.

'Mooi zo, want je hoeft nergens bang voor te zijn. Waar zou je bang voor moeten zijn?' Hij hield zijn ogen strak op de weg gericht en zijn knokkels lagen wit van de inspanning op het stuur. 'Afgezien van het feit dat we van een berg afglijden met een hellingsgraad van achttien procent, op anderhalve meter van een diep ravijn. Ik ben ook niet bang. We hoeven alleen maar naar beneden. Geen centje pijn.'

Ik schonk hem een glimlach, hoewel hij die niet opving. Ik voelde me heel vreemd, totaal niet bang, maar geheel in overgave, alsof de weg ons opslokte, alsof de wielen amper de aarde raakten. Ik zat in deze auto, in deze regen, dankbaar voor Vern en voor zijn grapjes.

Onze ruitenwissers kreunden onder de kletterende regen tegen de voorruit. De weg werd glibberig van het slik. De banden slipten meer dan ze rolden. Vern remde pompend en stuurde naar binnen bij. Het gaspedaal hoefde hij niet aan te raken. Hij deed wat hij kon om de bochten zo langzaam mogelijk te nemen.

'Ik ruik iets,' zei ik.

'Dat zijn de remmen.'

'Moeten we stoppen?'

Vern lachte witjes. 'Ik geloof niet dat dat kan.'

Er was sowieso geen plek om te stoppen en zouden we dat wel doen in die glibbertroep, dan kwamen we misschien nooit meer weg.

Het was moeilijk te zeggen hoe diep het ravijn was, misschien wel driehonderd meter, en hoeveel verroeste autowrakken er op de bodem zouden liggen.

'Hoe dik is die laag modder?' vroeg Vern.

We kropen zo traag vooruit dat ik het portier opende om te kijken. De wielen zakten ongeveer vijftien centimeter in de kleverige prut en werden door de zwaartekracht bergafwaarts gezogen. 'Dik zat,' zei ik.

We zaten zo hoog dat de heuvels en bergtoppen op ooghoogte waren. We daalden en daalden en toen spuwde de weg ons uit in een weidse groene vallei waar de bomen hoog boven ons uittorenden; de bergketen lag pal voor ons. Vern zette de auto aan de kant en liet zijn hoofd op het stuur vallen.

'God zal me kraken, ik wilde dat ik nu een sigaret had,' zei hij.

Hij begon te grinniken. Toen kregen we allebei de slappe lach tot de tranen over onze wangen stroomden en we de overtollige adrenaline schuddend van het lachen uit ons lijf verdreven.

'Die weg neem ik nooit meer,' zei Vern. Hij keek uit het raam. 'Dit lijkt me wel een fijne plek om te wonen, vind je niet? We kunnen hier best voor altijd blijven.'

We waren het zonlicht weer in gereden. De damp sloeg van de weg. Alles zag er ongelooflijk groen en gezond uit en ik wilde dat er nooit een einde kwam aan deze dag.

We reden over Highway 20, op zoek naar een mooie weg. Toen we er eentje vonden die er veelbelovend uitzag, namen we die. Dieper in het woud werd het heuvelachtiger en werden we ingesloten door het landschap.

'Berenstront,' zei Vern en hij wees voor ons uit. 'We zijn niet alleen.'

We stopten bij een puinhelling waar een kleine open plek was ontstaan, net groot genoeg om de auto te parkeren. Er stroomde een beekje langs de weg en zo te zien liep er een pad iets dieper het woud in.

'Wil je zien waar dat naartoe gaat?' vroeg ik Vern.

'Die berg op, denk ik.'

'Misschien kunnen we ergens bessen plukken.'

'Of we vinden de bron van die beek. Wie weet zijn er wel warme bronnen.'

We gingen op weg, hoewel het pad zelf al snel doodliep in het dichte woud. We klommen geleidelijk en gestaag omhoog. Mos, stenen en blauwebessenstruiken, hun tere blaadjes oplichtend in het zonlicht. Ik proefde een bes, maar hij was nog niet rijp genoeg. Het bos werd minder dicht en de wind stak op. We kwamen uit op een rotsachtig terrein met slechts een handjevol armetierige struiken om de wind te breken. We hijgden van de klim en toen we halt hielden, had ik het gevoel dat we werden gadegeslagen. We gingen zitten en keken uit over de boomtoppen. De wind gierde over de rotsen en er liepen diersporen door de bosjes.

'Er is iets griezeligs aan deze plek,' zei Vern.

'Misschien komt het door de wind.'

'Zou kunnen. Laten we weggaan.'

Toen we weer tussen de bomen liepen, leek de wind aan te wakkeren, maar alleen in de boomtoppen, die flink begonnen te zwiepen. We letten amper op of we wel goed liepen en kwamen in een moerasgebied terecht, met hoge varens tussen de rottende, met mos begroeide boomstronken. Dwars door het geluid van de wind heen hoorde ik een stem een enkel woord roepen.

'Dit terrein komt me niet bekend voor,' zei Vern.

'Hoorde je dat?'

'Wat?'

'Het leek wel of er iemand riep.'

We bleven staan om te luisteren. Niets. Toen we verder liepen hoorde ik het opnieuw, een woord van twee lettergrepen dat veel weg had van mijn naam.

'Nu hoorde ik het wel,' zei Vern.

'Hoe klonk dat volgens jou?'

'Als een vrouwenstem die iemand riep.'

'Ja.' Ik probeerde het gevoel van angst van me af te schudden. Wie zou mij hier zoeken? Wie kon weten dat ik hier was?

Achter ons schoot plotseling een schim uit het bos, die ons in volle vaart passeerde; het kreupelhout sidderde in zijn kielzog.

'Jezus christus,' riep Vern uit. Zijn hand schoot naar zijn hart.

'Volgens mij was het een hond.'

'Hoe zag je dat?'

'Ik ving een glimp op van zijn staart.'

Even later dook er voor ons een vrouw op, gekleed in een ver-weerd leren jasje, jeans en rubberlaarzen. Aan een band over haar schouder hing een geweer.

'Jullie kunnen beter zorgen dat je uit de wind komt,' zei ze. 'Het gaat stormen. Je weet nooit of er bomen omlaag komen.'

Vern en ik waren zo verbaasd dat we haar alleen maar konden aankijken.

'Ik ben op zoek naar Laddie, mijn hond.'

'Hij rende ons net voorbij,' zei ik.

'Hij jaagt ergens op,' zei ze. 'Er is een paar dagen geleden een vliegtuigje neergestort. Het wrak is nog steeds niet gevonden, maar ik zag het neerkomen. Zijn jullie iets tegengekomen?'

Vern en ik schudden ons hoofd.

'Laat het me weten als je iets vindt. Ik kampeer ongeveer anderhalve kilometer verderop. Dat vind je wel. Een blauwe tent.'

'Oké,' zei Vern.

'Er zaten mensen van de regering in dat vliegtuig, meldde de Canadese politie.'

Er ging een windvlaag door het bos en de boomtoppen bogen kreunend door.

'Maak maar gauw dat je binnen komt,' waarschuwde ze en ze verdween tussen de bomen.

'De weg kan niet ver meer zijn,' zei Vern. We zetten de pas erin, en hij had gelijk.

De auto was nergens te bekennen op de plek waar we het bos uit kwamen, maar we waren er vrij zeker van dat we te ver naar het zuiden waren afgedwaald.

'Die kant op?' vroeg ik en Vern knikte.

Na een minuut of vijf kwamen we aan de voet van de berg en doemde de puinhelling voor ons op.

'Gelukkig,' zei Vern.

Toen we eenmaal veilig in de auto zaten, zei Vern: 'Dat was best vreemd.'

'Ze zag er niet uit als iemand van een officiële zoekactie.'

Hij startte de auto en zette de verwarming hoog. 'Ik dacht even dat ze jouw naam riep.'

'Echt?' Ik reikte over de stoelleuning om mijn slaapzak te pakken.

'Koud?' vroeg Vern. Hij hielp me om de slaapzak uit te spreiden. Hij gedroeg zich anders dan anders, met een terughoudendheid die ik ook bij mezelf voelde.

'Jij?' vroeg ik.

Hij knikte en ik spreidde de slaapzak over ons beiden uit. De wind beukte tegen de auto en floot langs de ramen. Er viel zoveel te zeggen dat we beiden zwegen.

Vern legde zijn koele hand in het kuiltje van mijn nek. Ik draaide mijn gezicht naar hem toe. Hij trok me tegen zich aan en ik voelde zijn warme lippen in mijn nek. Toen nam hij teder mijn gezicht in zijn beide handen en kuste hij me. Alsof we van de bergweg gleden, in volledige overgave.

De raampjes raakten beslagen. De motor was afgeslagen. Vern schakelde hem uit. Zijn handen gleden van mijn nek naar mijn schouders, langs mijn armen naar mijn handen, die hij even vasthield. Toen schoof hij zijn handen onder mijn shirt en legde ze zachtjes op mijn borsten. Hij viel kreunend tegen me aan. Hij negeerde de knopen en trok het flanellen shirt over mijn hoofd tot halverwege mijn armen. Zijn mond gleed van mijn nek naar beneden en zijn tong beroerde mijn tepel. Ik snakte naar adem. Vern maakte een geluidje als een klein dier, perste zijn heupen tegen me aan en schudde en trilde in mijn armen.

Zo bleven we liggen, vochtig en warm onder de slaapzak, met de schemering achter de beslagen ruiten.

'Maggie,' zei Vern.

'Ja?'

'Ik heb er zo naar verlangd om je te strelen. Het spijt me als ik...'

'Nee. Ik ook. Ik ben blij. Ik bedoel dat ik het fijn vond.'

Hij veegde een stukje van de voorruit schoon en we zagen een randje van de maan over de bergkam verschijnen.

We schoven de achterbank omlaag, maakten kussens van onze kleren en trokken de slaapzak over ons heen. Vern viel meteen in slaap. Maar ik luisterde naar twee jankende coyotes in het bos en lag te piekeren. Hoe moest ik Jenny ooit vertellen dat haar vader haar vader niet was, dat we slechts halfzussen waren en dat mama een leven had geleid waar we nooit iets van hadden geweten? Ik kon niets bedenken om dat te verzachten. Ik besloot dat ik het haar niet over de telefoon ging vertellen. Ik zou het pas doen als we weer bij elkaar waren en zelfs dan zou ik een goed moment afwachten.

Ik bedacht dat ik voor ik het haar ging vertellen moest weten waar we dan zouden zijn, waar we zouden gaan wonen en of ik van school af zou moeten of niet.

Fluisterende woordjes. 'Maggie.' Luider. 'Maggie.'

Ik spande me in om mijn ogen open te doen.

Vern boog zich over me heen, zijn stem rauw van de slaap.

'Wat?'

'Je droomde. Gaat het?'

'Mama riep me. Ik hoorde haar. Net als vandaag, "Mag-gie." Ze stond met Cinnamon in haar armen en ze riep me. Maar toen ik dichterbij kwam, was het die oude dame uit het bos en richtte ze haar geweer op me.'

'Je huilt. Niet huilen.' Vern schoof zijn arm onder mijn schouder en trok me naar zich toe. 'Niet huilen. Misschien vinden we haar wel. Wie weet zit ze in Bella Coola.'

Wat zou hij wel niet van me denken als ik hem vertelde dat de eenzaamheid die ik op dat moment voelde alsof er een gat in mijn buik zat niet mijn moeder gold, maar mijn wit met oranje kat met haar zachte snoetje en haar gespin als een tractor?

HOOFDSTUK 32

Bella Coola lag kletsnat en grauw in het late ochtendlicht. Een wit kerkje, een verbleekte totempaal en de afgebladderde huizen van het reservaat glommen van de regen. We vonden een winkel en kochten een blik bonen, een brood en een paar amper rijpe bananen. Er stond een oudere man bij de kassa. Toen hij mijn boodschappen in een papieren zak stopte, vroeg ik: 'Kent u iemand in de stad die Deschamps heet?'

'Alice Deschamps? Ik ken praktisch iedereen hier, lieverd. Ik vergeet misschien weleens een naam zo nu en dan, maar dat gebeurt niet vaak.'

'Een oudere vrouw, uit de Prairiën.'

'Dat is Alice. Ze woont in het huis met de muur van rode baksteen aan de rivier.'

'Dank u.'

We vonden het rode huis aan de rivier. Het was klein en goed onderhouden, met een zijmuur van nepbakstenen. Het lag verscholen tussen de seringen en er groeiden kattenkruid en margrieten rond het stoepje bij de voordeur, druipend van de regen. Ik klopte op de hordeur. Geen reactie. Ik klopte opnieuw. De gordijnen aan de voorkant waren gesloten, maar ik meende dat ik ze zachtjes zag bewegen. Langs de randen van het gemaaide gazon torende een dicht woud van ceders en dennen op. Ik klopte nogmaals en ging toen terug naar de auto, waar Vern en ik onze lunch opaten en wachtten.

Toen er na een paar uur nog niemand was gekomen, reden we

naar de haven. De regen spatte kuiltjes in het water en de ceders dropen. Het mos vrat aan het verweerde zilveren hout van een rottende steiger. Blauw, groen, grijs, grijsgroen, groenblauw, blauwgrijs. Alleen de oranje verroeste tinnen daken van de conservenfabriek en de blauwe, gele en rode sierstrippen van de boten aan de kade onderbraken dat monotone landschap. Een man in een pickuptruck parkeerde langs de rand van de weg en bleef met draaiende motor staan. Het dak van de conservenfabriek hing even scheef als de diepgroene berg erachter en de besneeuwde blauwe bergen in de verte daar weer achter. Dit was het einde van de weg. Als we nog verder wilden, moesten we een boot nemen en verder trekken over de rivier, langs in wolken gehulde bergen naar de oceaan.

Vern en ik besloten om wat telefoontjes te plegen. Vern belde oom Leslie, maar hij nam niet op. Ik belde zuster Anne.

'Ze is uit het ziekenhuis, Maggie. Ze blijft voorlopig met Sunny bij ons. Het gaat heel goed met ze.'

'Is ze dan beter?'

'Een heel stuk beter. Ze houden haar medicatie goed in de gaten, maar ze is helder. Ze zorgt uitstekend voor de kleine Sunny. Wil je dat ze je belt?'

'Ik ben in Bella Coola,' zei ik. 'Misschien kan ze me bellen in de telefooncel.'

Ik gaf haar het nummer en we spraken af dat Jenny om vijf uur zou bellen. De rest van de dag, toen Vern en ik modderige zijwegen insloegen, het druipende regenwoud verkenden en uitkeken over snelstromende beken, bedacht ik wat ik tegen haar zou zeggen.

Maar toen de telefoon om vijf uur precies begon te rinkelen, hoefde ik helemaal niets te zeggen.

'Maggie, het is niet te geloven wat een gaaf kind Sunny is. Ze heeft van die ernstige groene ogen waar ze alles mee in de gaten houdt. De nonnen zeggen dat ze een oud zieltje heeft. Ze denken niet dat ze ooit lastig zal zijn. Ik ben zo blij dat ik haar Sunny heb genoemd, dat past precies bij haar. En laatst lachte ze naar me, ik weet niet meer precies wanneer, toen ze de fles kreeg. En ze groeit als een dolle. Je zou haar moeten zien. We zijn met haar in het wagentje gaan wandelen. Ik begin Vancouver leuk te vinden. Je kunt zomaar naar een winkel lopen om bloemen te kopen en ze hebben hier allerlei soorten fruit. Wat doe je in Bella Coola?'

'Wauw Jenny, je klinkt geweldig,' zei ik.

'Ik voel me zo'n stuk beter. Dat was bizar, hè? Je zult wel gek van ongerustheid zijn geweest. Maar dit is het beste wat me ooit is overkomen. Ik bedoel, niet dat ik helemaal knetter werd, maar Sunny. Als ik bedenk dat ik haar bijna had afgestaan, moet ik huilen. Dan kijk ik naar haar en jank ik tranen met tuiten, als ik eraan denk hoe verschrikkelijk dat zou zijn geweest. Dan had ze haar moeder nooit gekend.'

'Geweldig, Jenny. Zal ik zuster Anne over een paar dagen weer bellen?'

'Wacht even. Weet je al iets meer over mama?'

Ik aarzelde. 'Had ik je al verteld van de auto?'

'Ja.'

'Verder is er nog niet zoveel gebeurd. Maar er woont iemand in Bella Coola die misschien iets weet. Daarom ben ik hier.'

'Maggie?'

'Ja?'

'Nu ik zelf moeder ben, kan ik niet geloven dat ze zomaar is weggelopen. Ik hoop dat je begrijpt waar ik naartoe wil.'

'Ik denk het wel.'

'Oké. Nou, tot gauw dan. Je zult niet geloven hoe groot Sunny al is.'

'Ik verheug me erop om haar weer te zien.' Ik hing op. Ik was blij dat ik niets had gezegd wat Jenny's geluk kon verstoren.

De volgende dag, toen Vern en ik naar de haven gingen om een hengel uit te gooien, liep ik weer naar het rode huis en klopte aan de deur. Ook nu bewogen de gordijnen en ditmaal zag ik het kopje van een kat onder de stof verschijnen, haar kleine witte pootjes klauwend aan de vensterbank. Ze keek me schuins aan en verdween. Ik tikte op het raam. Ik wilde haar kopje wat beter zien, maar dit kon geen toeval zijn. Het was Cinnamon.

Ik bonsde op de deur. Niemand deed open. Ik voelde de tranen opwellen. Mijn kat. Wie was de vrouw die mijn kat had? Ik liep om het huis heen en voelde aan de achterdeur. Ik overwoog om op zoek te gaan naar een schroevendraaier en het slot open te breken. Ik controleerde de ramen zelfs, nadat ik eerst had gekeken of de buren me niet in de gaten hielden. Toen ging ik op de stoep zitten wachten, tot ik zo koud en nat was geworden dat ik het niet langer uithield.

Vern en ik waren een houthakkerspad opgereden om die nacht ons kamp op te slaan. We legden een kampvuur aan en zagen het boven de kringelende rook van het vuur en de boomtoppen eindelijk opklaren. Toen ik opstond om me uit te rekken, stond Vern ook op en nam hij mijn handen in de zijne. Ik ging dichter tegen hem aan staan en voelde hem hard worden. Hij ritste mijn jeans los en stak zijn hand erin. Toen mijn benen slap werden, hield hij me vast bij het holletje van mijn rug. Het was heerlijk om bij het vuur te staan onder de blinkende sterrenhemel, op die verlaten weg, met de geur van de hoge ceders en Verns handen die mijn lichaam streelden.

'Niet bang zijn,' fluisterde hij. 'Ik weet dat we niet te ver kunnen gaan.'

En dus was ik niet bang. We openden de achterdeur van de stationwagen en strekten ons uit op de slaapzak, met onze hoofden naar buiten om naar de sterren te kijken. Onze huid was zo vochtig als de lucht, met kippenvel van het genot van onderzoekende vingers over spieren en tepels en de zachte donkere haarlijn op onze buik.

HOOFDSTUK 33

'Cinnamon,' zei ik en ik bukte me om haar te aaien. Ze zat vlak achter de deur toen er werd opengedaan.

'Hoe noem je haar?' vroeg de vrouw.

'Cinnamon. Heet ze niet zo?'

Ze nam me aandachtig op. 'Ik heb haar geen naam gegeven. Ik heb haar van mijn neef gekregen. Het is een oude kat.'

'Ze is nog niet zo oud. Een jaar of vijf pas. Het is mijn kat. Ik heb haar Cinnamon genoemd.'

'Wie ben je dan?'

'Ik heet Maggie.'

'Ken ik jou?'

'Maggie Dillon.'

'Het spijt me, maar dat komt me niet bekend voor. Wie zoek je?'

'Ik ben op zoek naar Emil.'

Ze nam me nogmaals aandachtig op. 'Dan kun je beter binnen-komen. Ga zitten. Schuif die emmers maar opzij. Ik was de bossen in om bessen te plukken.'

Ze keek me nerveus aan. Ze veegde haar handen af aan haar schort. 'Heb je zin in thee?'

'Graag,' zei ik. Toen ze met haar rug naar me toe stond, vroeg ik: 'Leeft hij nog?'

Ze draaide zich abrupt naar me om. 'Vertel me eerst maar eens wie je bent.'

'Mijn zus is Emils dochter.'

Alice, Emils tante, legde het aanrecht vol aardappels, uien, wortels en selderij; ik keek toe en dronk afwachtend mijn thee op.

'Ik ga vissoep maken. Ik kan wel wat hulp gebruiken.' Zij maakte de zalm schoon en sneed hem in moten, dus ik hakte de groenten fijn. Cinnamon kwam bij ons zitten en wachtte geduldig tot ze haar deel van het visafval kreeg. Alice maakte een bordje voor haar klaar en gaf het aan mij. Ik zette het op de grond, streek over Cinnamons vacht en keek toe hoe ze at.

'Zij was de kleinste uit het nest,' zei ik. 'Ik heb haar geitenmelk gevoerd met een druppelaar om haar in leven te houden. Ze was piepklein. Ik kreeg haar nadat mijn vader was overleden. Irene is mijn moeder.'

Ik voelde Alice verstarren bij het horen van die naam.

'Ken je haar?' vroeg ik. Ik schoof de gehakte selderij naar haar toe om bij de soep te doen.

'Ik ken haar van naam. Ik heb haar nooit ontmoet. Ik wist niet dat ze kinderen had.'

'Ik heb haar al drie jaar niet gezien.'

Alice schrok opnieuw en toen zuchtte ze.

'Emil is de zoon van mijn broer. Hij is artistiek, altijd geweest. Hij groeide op tot een wat stille jongen, heel serieus. Heel anders dan zijn broer. Dat moet moeilijk voor hem zijn geweest. Edward was de lieveling van iedereen. Hij stierf een plotselinge dood toen ze tieners waren en Emil is er nooit overheen gekomen.

Ik heb altijd een zwakke plek voor Emil gehad, als kind al. Hij kroop graag op mijn schoot om naar de wereld te kijken. Dat was toen hij nog heel klein was. Maar als volwassene kende ik hem niet echt, totdat ik hiernaartoe verhuisde. Hij kwam me weleens opzoeken en uiteindelijk kocht hij een boot. Ik geloof dat hij rond die tijd Irene heeft leren kennen. Een paar jaar geleden nu, aan het eind van de zomer, stond hij ineens midden in de nacht op de stoep met die kat. Jouw Cinnamon... ik noem haar gewoon Poes.' Ze keek me verontschuldigend aan. 'Emil heeft me niet verteld hoe ze heette. Hij was in alle staten.'

Hij was mager geweest, met een woeste blik in zijn ogen, amper herkenbaar. Hij was alleen gekomen om haar te vragen of ze voor de kat wilde zorgen. Hij was die nacht niet eens blijven slapen, maar was vertrokken nadat hij haar met haar hand op het hart had laten beloven dat ze goed voor de kat zou zorgen. Ze hoorde pas maanden later waar het beestje vandaan kwam, en het verhaal dat erbij hoorde.

Alice beloofde me dat ze me alles zou vertellen wat ze wist. Maar ze zei dat het een verhaal was dat in een zeer veilige omgeving verteld moest worden. Ik kon het beste bij haar blijven slapen en tot in de loop van de volgende dag blijven. Ik zei dat ik dat wel wilde.

Ik liep naar de haven om Vern te zoeken en we reden samen terug naar Alice' huis.

'Weet je het zeker, Maggie?' vroeg hij.

'Ik weet het zeker,' zei ik.

'Ik kom je morgenmiddag halen.' Hij hield mijn hand vast en wilde hem niet loslaten. 'Welterusten,' zei hij en hij boog zich naar me toe om me te omhelzen. 'Dan ben ik vannacht helemaal alleen met de beren.'

Die hele avond kneedden Alice en ik het deeg, rolden we taartranden uit en maakten de bessen schoon.

Alice vertelde me dat ze in 1955 uit Manitoba was weggegaan.

'Ik ben weggelopen,' zei ze.

'Weggelopen waarvan?'

'Van mijn man. Ik had wat geld geërfd van mijn zus. Ze wist wat er speelde bij mij thuis en toen ze stierf, liet ze haar geld na aan mij en aan Emil. Ik had het geld nog niet eens, maar ik kon niet wachten. Ik had net genoeg voor een buskaartje naar Calgary. Vanaf daar ben ik gaan liften. Ik wilde ergens naartoe waar hij nooit van gehoord zou hebben. Ik kreeg een lift van een houthakker die op weg was naar Bella Coola. Hij vertelde me over de weg die een

paar jaar eerder was uitgehakt. Zei dat hij Freedom Road werd genoemd. Dat overtuigde me ervan dat dit de juiste plek voor me
was. Hoewel ik erbij moet zeggen dat ik vreesde niet lang van mijn
vrijheid te kunnen genieten, toen ik eenmaal op die weg zat.'

'Ik weet wat je bedoelt.'

'O, het is nu niets vergeleken met toen.'

Toen we naar bed gingen, stond het aanrecht vol verse broodjes
en bosbessentaart.

'Ga eerst maar wat slapen,' zei Alice.

Ik had al zo lang gewacht, kennelijk moest ik nog iets langer
wachten. In de logeerkamer waar Alice een bed voor me had opgemaakt kon ik de rivier horen. Het was kil in de kamer en ik trok de
extra deken over me heen. Ik hoorde dat het weer keihard was gaan
regenen. Vern zou naar het gestage ritme op het dak van de stationwagen liggen luisteren. Midden in de nacht werd ik bezweet wakker tussen de verwarde lakens, dromend over Vern die me streelde.
Een zoete pijn verspreidde zich van binnenuit over mijn ledematen, mijn vingers en mijn tenen. Ik probeerde mijn ogen open te
doen om me te herinneren waar ik was, maar ik werd vastgehouden
in dat warme, zachte hoekje van de slaap. Er klonk een geluidje,
vertrouwd en troostend in die vreemde kamer. Het was Cinnamon
die naast me lag te spinnen, haar warme lijfje opgerold tegen mijn
rug.

De volgende ochtend ontbeten we niet. Alice gaf me een kop slappe thee. We liepen naar de rand van haar tuin en stapten het bos in.
We volgden een modderig pad door de bomen naar de rand van de
rivier en bleven langs de steenachtige oever lopen, tot we rook zagen opstijgen van een vuurtje op een kiezelstrand. Twee jonge vrouwen hielden het vuur gaande. Ze glimlachten me toe toen we dichterbij kwamen. Niet ver van het vuur lag een hut van gebogen
takken, bedekt met dekens en canvas. Het weer was die nacht op-
geklaard en de bergen en de lucht waren schoongeveegd en helder-

blauw. Een van de jonge vrouwen hield een pan in de stroom en schepte het water in een ton. Dat deed ze meerdere malen. De lucht geurde naar de rook van cederhout. De andere vrouw gaf me een flanellen nachtpon om aan te trekken en vroeg of ik sieraden droeg. Dat was niet het geval. Alice en de andere vrouwen legden hun sieraden op een bankje bij het vuur.

Toen alles gereed was, gingen we de hut binnen. Ze trokken de dekens voor de ingang en het werd aardedonker. Het water siste en hulde ons in een dichte wolk stoom. Mijn hartslag vertraagde. Mijn ogen vielen dicht. De hitte prikte op mijn huid en sijpelde dieper naar binnen, tot hij mijn botten losser maakte en mijn spieren ontspande.

Er klonk een verhaal op in het donker, het verhaal van een man die in de schaduw van een last leefde, zo zwaar dat geen angst hem meer kon deren. Hij was niet bang voor grizzlyberen en poema's, voor bliksemslag, sneeuwstormen of voor de roofvogels die hun nesten bouwden in de bomen bij zijn blokhut. Soms, wanneer zijn tante de motorboot nam naar die afgelegen baai en diep het bos in trok waar hij woonde, trof ze hem buiten aan in de motregen, op de open plek bij zijn blokhut, waar hij met rode handen van de kou op vochtig karton vogels tekende met houtskool.

Ze stookte zijn vuur op, maakte soep met opgebakken brood voor hem en bleef net zo lang tot hij alles had opgegeten. Hij was compleet schoongeschraapt; bij hem viel niets meer te halen. Het schuldgevoel was als een woekerende brandnetel door hem heen geschoten en had al het andere verstikt; hij kon niet meer voelen zoals andere mensen deden, omdat hij geen enkel ander gevoel kende om het mee te vergelijken. Dat was de enige manier waarop hij in leven kon blijven. Dit is een triest verhaal. Denk niet dat je deze man voorzichtig kunt benaderen zoals een wild, ingesloten dier. Denk niet dat je hem je hand kunt toesteken. Dat staat hij niet toe.

Na een tijdje kropen we uit de hut het zonlicht in, spetterden onszelf nat met rivierwater uit de ton en luisterden naar de vogels die elkaar toeriepen vanuit hun nesten in de bomen aan de andere oever.

Toen we weer naar binnen gingen, sisten de stenen, de stoom steeg op en het werd nog warmer. Hoeven repten zich langs de hut en de donder rommelde. Verhalen bevolkten de duisternis.

Een vrouw met de naam Irene in een blokhut in de bush, toen de sneeuw smolt, de salomonszegel bloeide onder de bomen en de fragiele turkooizen schalen van uitgebroede vogeleieren gebroken in het zachte mos lagen. Irene, onze moeder, die prachtig rood haar had en slanke benen als van een ree, beviel van een kind met niemand anders dan een man die van haar hield en een zelfhulpboek van jaren oud. De zon scheen op de vloer van de blokhut, kroop langs de wanden omhoog tot de schaduwen lengden, de ramen donker kleurden. Het vuur knetterde en knapperde, het water kookte, de stoom steeg op en nog wilde de baby niet komen en hielden haar barensweeën aan.

Hij bood aan om haar naar de truck te dragen en ze bespuwde hem en schold hem uit voor idioot. Maar daar had hij over gelezen. Hoe aanstaande moeders zomaar lelijk konden gaan doen. Hij probeerde haar te masseren met olijfolie, wat haar er niet van weerhield om hem een mep voor zijn kop te verkopen en te zeggen dat hij haar met rust moest laten.

Je moet weten dat de man die van onze moeder hield dit verhaal heeft verteld aan de vrouw die zijn beschermster was, die het op haar beurt aan mij vertelde en haar best deed om hem te beschermen. Maar ik vermoed dat het grotendeels waar is. Toen hij het hoofdje van de baby zag, hield Emil een spiegel voor Irene op om het te zien en toen het hoofdje weigerde om ook maar een millimeter verder te komen, hielp Emil het naar buiten. Irene was doodmoe van het langdurige persen en ze kon niet meer. Het was donker buiten. Een uil kraste bij het raam en Emil had het gevoel dat hij bespot werd. Even na middernacht haalde Emil eindelijk de baby. Het was een jongen en hij zag blauw. Op hetzelfde moment, van diep binnen in het lichaam van onze moeder, begon het bloed te vloeien. Emil had nog nooit zoveel bloed gezien.

Het stroomde op de vloer, terwijl Irene uitgeput op het bed lag en om een deken vroeg. Emil wist niet of hij voor de baby of voor Irene moest zorgen. Hij stopte handdoeken tussen Irenes benen en probeerde de baby aan het ademen te krijgen. In de boeken stond dat je de baby niet moest slaan, maar in zijn wanhoop deed hij dat toch. Het hielp niet. Dus legde hij de baby in het wiegje dat ze voor hem hadden klaargezet en hield hij zich bezig met Irene en het bloed.

Ze vroeg niet langer om een deken maar hij stopte haar toch lekker in en kuste haar voorhoofd. De kleur van haar huid was als het binnenste van een mosselschelp, lichtgevend grijs-paars. De handdoeken waren doorweekt en meer had hij niet en toen hij wilde kijken, borrelde het nog steeds naar buiten, kleverig en taai donkerrood bloed. Hij dacht aan koud water om het bloeden te stelpen, maar hij had niets anders dan heet water.

De uil kraste en Irene lag roerloos en voelde koud aan, haar ademhaling was amper waarneembaar. Dus rende hij naar buiten het bos in, vond nog wat sneeuw dat hij in een schone pan schepte en meenam naar dat warme, bloederige huis. Hij kuste haar opnieuw, maar toen was ze al dood. De kat, Cinnamon, zat ineengedoken op de stoel bij het fornuis.

Hij bracht een deel van de nacht door in dat bitter geurende, bloederige huis en liet het vuur doven. Toen de dag aanbrak, nam hij de kat mee naar buiten in zijn armen, pakte een blik benzine en sprenkelde het over de voordeur, de muren en de vier hoeken van de hut en stak hem aan. Hij stond tussen de bomen en zag het tot de grond toe afbranden met Irene en de baby erin. Hijzelf verdween met de kat en werd lang niet gezien. Toen hij weer opdook, zou niemand die hem vroeger had gekend hem nog herkennen.

Zijn tante Alice zag de geest van wie hij ooit was geweest in de nacht waarin hij haar de kat kwam brengen. Ze zag hem niet terug, tot ze geruchten hoorde over een broodmagere man met een zwarte baard die in het bos leefde en vogels tekende op karton. Ze wist dat hij het moest zijn en ging naar hem op zoek.

In de zinderende hitte was ik plat op de grond beland. Het jammerende geluid van een baby. Het snot liep uit mijn neus in de koele modder onder mijn wang. Het licht prikte in mijn ogen toen ik uit de hitte naar buiten kroop. Zon en helderblauwe lucht. De stoom sloeg van mijn lijf toen een vrouw me afspoelde met koud rivierwater.

We aten zilte zalmsoep en beboterde broodjes. Bessentaart. Zoete thee. De vogels hipten kwetterend tussen de takken, bezig hun nest te bouwen.

'Er ligt een stuk grond iets verderop in het dal,' zei Alice. 'Emil bezit de eigendomsakte. Hij heeft me verteld dat hij ergens in een kluis ligt. Hij had hem voor Irene bestemd. Ik denk dat hij wil dat Jenny hem nu krijgt.'

Het vuur knapperde en rookte met de volle geur van cederhout. We zagen de schaduwen veranderen; het zonlicht legde banen over de varens en de omgewaaide bomen. Het werd tijd om terug te gaan.

's Morgens, toen de zon boven de bergen verscheen, pakten Vern en ik de stationwagen in en reden de vallei uit. We zagen twee beren, drie herten en overal bloeiden de wilde rozen. Ik hield Cinnamon op schoot, die uit het raampje keek, afwisselend miauwde en spinde en toen naar de achterbank klauterde om zich op precies hetzelfde plekje als vroeger op de vloer op te rollen om te gaan slapen. Alice stond erop dat ik haar meenam. 'Het is het enige wat ik van haar heb wat ik je kan geven,' zei ze.

Ik sloot mijn ogen en viel in slaap. Ik droomde van mama en in mijn droom wiegde ik haar in mijn armen.

EPILOOG

Jenny heeft me gevraagd om dit op te schrijven. Ze doet samen met Sunny een dutje in de tent, die we precies zo hebben opgezet dat hij 's middags in de schaduw staat. Zo zit Jenny in elkaar. Ze loopt op de dag vooruit, zoals hij zal gaan, zoals hij zou moeten gaan. 'Sunny moet rond een uur of één haar middagdutje doen,' zei ze. 'Als het te warm is, slaapt ze niet.'

De luiers hangen aan de lijn die we tussen de bomen hebben gespannen. Ze waaien zachtjes op in de wind. Vanochtend stond ik naar Jenny te kijken, toen ze de teil vulde bij de kreek; ze zette hem in het gras en ging met een stuk Sunlight-zeep de luiers te lijf. Sunny zat op haar knietjes naast haar en spetterde met haar handjes in het water. Hun gelach zweefde als vogelgekwetter boven ons kamp.

Ik heb ons kampvuur van gisteravond nieuw leven in geblazen en als Jenny wakker wordt, staat de koffie klaar. Ze drinkt koffie, tegenwoordig. Ze zegt dat het de enige manier is om Sunny bij te houden, die met haar dertien maanden al loopt. Als zij haar koffie drinkt, voert ze Sunny bramen en een koekje. Ze heeft een regelmaat ontwikkeld waar ze zich strikt aan houdt.

Emil heeft het stuk grond dat voor onze moeder was bestemd op Jenny's naam gezet. Het ligt in een zonnige vallei, ongeveer een uur rijden van Nakenitses Lake, waar Rita woont. Er loopt een kreek doorheen en Alice vertelde dat Emil het water een paar jaar geleden in Williams Lake heeft laten testen. Het is puur en helder, zo zuiver als kristal. Hij heeft ons op het hart gedrukt om geregeld de stroom langs te lopen, om te controleren of er geen dood vee of wilde dieren in terechtgekomen zijn. Als ik me naar voren buig om de percolator te vullen, adem ik de scherpe geur in van wilde munt. Ik pluk wat bladeren voor in mijn beker en giet er water bij, voordat ik de rest aan de kook breng. Zelfs in de hitte van hoogzomer is het water zo koud als de besneeuwde bergtoppen waar het vandaan komt. Het heeft een vage aardsmaak, een geur van rotsen en moerasgras, de geur van deze plek.

Bea is niet allergisch voor katten. Dat weet ik, want toen ik vorige zomer samen met Vern terugkwam in Williams Lake, heb ik Cinnamon mee naar binnen genomen. 'Weet je nog wie dit is?' vroeg ik. Ik zette haar op de grond en ze rook aan het tapijt, waarop ze spinnend tegen mijn benen aankroop.

'Verdikkie nog aan toe!' zei Bea, en haar onderlip begon zo heftig te trillen dat ik zei: 'Het geeft niet.'

Ze liet zich amechtig op een eetkamerstoel vallen, zette haar bril af en droogde haar ogen. Bea had ons zien aankomen in de stationwagen. Ze moet een en ander bij elkaar opgeteld hebben.

'Alles kits?' vroeg Vern toen hij mijn slaapzak naar binnen bracht. Ik knikte. 'Dan laat ik jullie maar even alleen,' zei hij, en toen Bea hem niet meer kon zien, wankelde hij theatraal achterwaarts de voordeur uit en trok hij zijn wijsvinger langs zijn keel.

Toen ik de kattenbak pakte, zei Bea: 'Zet hem maar bij de achterdeur.' Verder hield ze haar gedachten voor zichzelf. Ze zette die avond een ovenschotel met tonijn op tafel. Na het eten, toen ik de borden afruimde, sprong Cinnamon op de bank en nestelde zich op Bea's schoot. Bea schrok er een beetje van. 'Ze voelt zich al aardig thuis,' zei ze stijfjes. Ze hoefde niet te niezen en uitslag kreeg ze ook niet.

Ik ging aan de afwas en bedacht wat ik tegen Bea zou zeggen. Ik had besloten dat ik vooral aardig zou blijven. Ik droogde af, wachtte tot de thee getrokken was en schonk een kopje voor haar in, netjes met een schoteltje eronder, precies zoals ze het graag had.

Cinnamon sprong van haar schoot en kroop op de mijne. 'Mama komt niet terug,' zei ik. Het klonk verkeerd.

'Dat dacht ik al,' zei Bea. Dat klonk ook verkeerd. 'Ik bedoel niet...'

'Weet ik wel.'

Verder zeiden we niets en toen we naar bed gingen, bleven de onuitgesproken woorden zwaar in de lucht hangen.

De volgende dag, toen Bea aardappels schilde aan het aanrecht en ik een glas chocolademelk maakte, zei ze plotseling: 'Vraag of ze terugkomt.'

'Wie?'

'Jenny.'

Dat was wat ik wilde horen.

De tentflap bewoog en er stak een mollig handje naar buiten. Ik maakte de bandjes los en hielp Sunny zo stil als ik kon naar buiten.

'Mama slaapt nog,' fluisterde ik. 'Als we haar laten liggen, is ze straks in een veel beter humeur.'

Sunny brabbelde een stroom woordjes in haar eigen taal. Ze pakte mijn hand. Ik ving een woord op dat klonk als 'loop'. 'Kom maar,' zei ik. 'Kom maar eens kijken wat tante Maggie heeft gedaan.' We liepen door de wei naar de plek waar ik staken in de grond had gestoken. Ik had er twijgen tussen gespannen die ik met papa's zakmes gesneden had.

'Op een dag bouwen we hier een stevig houten huis. Hier komt jouw slaapkamer, aan de kant waar de zon opkomt. Dan hebben we een generator en een ballerinalamp en keukenkastjes met echte deurtjes ervoor. Het wordt een huis voor mensen die van plan zijn er te blijven.'

ORLANDO
uitgevers

FRANCES GREENSLADE

Schuilplaats

LEESCLUB
ORLANDO

Zie ook:
www.orlandouitgevers.nl
www.leescluborlando.nl

OVER DE AUTEUR

© Stuart Bish

De Canadese Frances Greenslade (1962) is geboren in St. Catharines, Ontario, en groeide op met vier zussen en een broer. In 1992 studeerde ze af in Creatief Schrijven aan de University of British Columbia.

Frances Greenslade schreef twee non-fictieboeken: *A Pilgrim in Ireland: A Quest for Home* en *By the Secret Ladder: A Mother's Initiation*.

In 2005 verhuisde ze naar Okanagan, waar haar liefde voor het landschap van British Columbia opbloeide. *Schuilplaats*, haar debuutroman die zich daar afspeelt, is fictie, maar is gebaseerd op veel van haar eigen diepste angsten.

Op www.francesgreenslade.com staat meer informatie over het boek, speciaal voor leesclubs, waaronder een soundtrack met liedjes uit de jaren zestig en zeventig, een fotoalbum van Frances Greenslades reizen door British Columbia en een lijst van boeken waaraan ze refereert in *Schuilplaats*.

DANKWOORD VAN FRANCES GREENSLADE

De eerste versie van *Schuilplaats* schreef ik in 1992, vijf jaar na de dood van mijn moeder en kort nadat ik mijn man David had leren kennen. David vertelde me verhalen uit zijn jeugd, waarvan sommige zich afspeelden in Chilcotin. Daar had hij korte tijd op een ranch in de wildernis gewoond, op een uurtje rijden van Williams Lake. De eerste zomer na onze kennismaking reden we Highway 20 op en namen we de achterafweggetjes tussen Williams Lake en Bella Coola in Davids onverwoestbare Volkswagen Sirocco. Tijdens deze tocht begonnen de zusjes Maggie en Jenny en hun verdwenen moeder mijn fantasie te bevolken. Ik voltooide de roman ongeveer een jaar later en stuurde hem naar een uitgever, die hem afwees. Dus stopte ik hem weg om aan andere dingen te werken. Een paar jaar nadat ik zelf moeder was geworden, dacht ik weer aan het verhaal van Maggie en Jenny en heb ik het herschreven.

Ik vermeld dit, omdat er mensen zijn die ik wil bedanken voor hun steun in de periode van die eerste versies in het begin van de jaren negentig: Jay Draper en Barbara Johnston; Allan MacDougall van Raincoast Books en mijn collega's van de universiteit van British Columbia waar ik mijn Masters of Fine Arts afrondde.

Voor het huidige *Schuilplaats* gaat mijn dank uit naar de Saskatchewan Arts Board voor de financiële steun in het begin. Ik ben het Okanagan College dankbaar voor hun steun tijdens de research en het schrijven van het manuscript. Mijn getalenteerde collega's van de afdeling Engels van Okanagan College hebben me geïnspireerd en gesteund. Anne Cossentine, Deborah Cutt en Surandar Dasanjh in de campusbibliotheek van Penticton deden wat ze konden om microfilms te zoeken van kranten uit de jaren zestig en zeventig, en diepten allerlei moeilijk te vinden artikelen op die ik nodig had. Stan Chung vertelde me hoe het was om op te groeien in Williams Lake in de jaren zeventig en ik putte veel informatie uit zijn boek *Global Citizen*. Sage Birchwaters schitterende boek *Chiwid* gaf me inzicht in de mensen uit de streek en inspireerde me om een fictieve Chiwid te verwerken in *Schuilplaats*. Ook was de heer Birchwater bereid om me te ontvangen en mijn vragen over Chilcotin in de jaren zeventig te beantwoorden.

Tijdens het onderzoek voor deze roman logeerde ik tweemaal in Bracewells Lodge in Tatlayoko Lake. Alle dank aan Connie voor de warme ontvangst. De tocht van de lodge naar Potato Mountain in juni was een onvergetelijke ervaring. Mijn lieve gezelschap op de tweede tocht bestond uit Al, Jesse, Jack, Lynn en Maggie, onze gids. Ze benoemden de wilde bloemen voor me tijdens de klim. Het Cowboy Museum in Williams Lake voorzag me van de nodige historische details. Gaines McMartin beantwoordde mijn vragen over houthakken. Mijn schoonvader Dan Joyce was een waardevolle bron van informatie over de visvangst voor de kust van British Columbia. Hij vertelde me vissersverhalen uit de jaren vijftig, las delen van het manuscript en corrigeerde waar nodig.

Hoewel ik heb geprobeerd alle informatie die ik kreeg op de juiste manier in het boek te verwerken, zijn eventuele onjuistheden van mij. Wie in dat gebied woont zal zien dat ik de meeste kleinere plaatsnamen heb verzonnen, uit respect voor degenen wier levensgeschiedenissen zijn verweven met die namen.

Dank aan mijn goede vriendin Rozanne Haddad, die me uitnodigde voor een logeerpartij aan Nimpo Lake, waar ze een zomer heeft gewerkt als bakker voor een vliegvisserskamp. Dankzij haar bruisende natuur leerde ik een kant van Chilcotin kennen die ik anders nooit ontdekt zou hebben. In het boek heb ik mijn petje afgenomen voor Fred (wiens achternaam ik nog steeds niet weet), die me over Freedom Road naar Bella Coola reed en me 'dat mooie plekje' liet zien dat ik in het boek tot leven heb getracht te brengen.

Ik wil het Naramata Centre bedanken, waar ik meerdere malen verbleef tijdens het schrijven van het manuscript. De vredige locatie bij Okanagan Lake gaf me de rust om zonder onderbreking door te kunnen werken. Melanie Murray en ik lazen daar elkaars werk. Anne McDonald sprak me meerdere malen moed in tijdens het project. Ik waardeer hun voortdurende belangstelling en steun.

Denise Bukowski is niet alleen een onvermoeibare agente, maar leverde ook commentaar op mijn beginnende schrijfsels. Dat heb ik ter harte genomen, waardoor de roman aanzienlijk sterker is geworden. Dank aan Louise Dennys voor haar enthousiaste reactie op het manuscript. Mijn redacteur bij Random House Canada, Anne Collins, was bezielend vanaf het begin en haar suggesties verleenden *Schuilplaats* diepgang en nauwkeurigheid. Dank je, Angelika Glover, voor je zorgvuldige en nauwkeurige bureauredactie.

Ik ben ook heel blij met de nooit aflatende steun van mijn familie, mijn broers en zussen Anne, Mary, Pat, Barbie en Neil. Mijn vader, Arthur Greenslade, stierf voordat *Schuilplaats* werd uitgegeven, maar wanneer we elkaar ook spraken vroeg hij steevast hoe het met het schrijven ging. Terwijl ik dit schrijf is David in de keuken het ontbijt aan het afruimen en speelt mijn zoon Khal een deuntje op de harmonica in de woonkamer. Dat ik hen in mijn leven heb, geeft me de vreugde en het gevoel van veiligheid die het schrijven mogelijk maken. Ik ben hen innig dankbaar.

ENKELE VRAGEN AAN FRANCES GREENSLADE

Je bent begonnen met het schrijven van Schuilplaats *na het overlijden van je moeder. Droeg het schrijven bij aan de verwerking van dit verlies?*
Ik ben een paar jaar na het overlijden van mijn moeder begonnen met het schrijven van *Schuilplaats*. Haar dood kwam geheel onverwachts en het duurde een hele tijd voordat ik echt geloofde dat ze er niet meer was en nooit meer terug zou komen. Ik schreef het boek oorspronkelijk vanuit het perspectief van een rouwend kind. Maar toen ik een paar jaar later zelf moeder werd, heb ik het helemaal herschreven. Ik denk dat ik op een bepaalde manier moest leren om zowel mijn moeder als mezelf te vergeven. Het schrijven van het boek heeft me geholpen daar achter te komen.

Je hebt ervoor gekozen om het verhaal te vertellen door de ogen van een kind. Waarom?
Maggies stem sprak het eerste tot mij. Ze was zo levendig en echt. Ik heb in eerste instantie geprobeerd om de roman in de derde persoon te schrijven, want dat was logistiek handiger voor de plot. Maar Maggie stond erop dat ik haar aan het woord liet. Hoofdpersonen kunnen erg dominant zijn.

Was het lastig om je in de belevingswereld van een getraumatiseerd kind te verdiepen?
Ik heb nooit het gevoel gehad dat ik ver van het kind afstond.

Ik kon me makkelijk in haar verplaatsen. Toen ik mijn eigen moeder verloor, was ik een hele tijd ook een 'Maggie'. In wezen hebben we hetzelfde meegemaakt. Mijn zoon groeide op terwijl ik *Schuilplaats* schreef en ik heb soms geprobeerd om in zijn geest te kruipen om de goede vertelstem voor het verhaal te pakken te krijgen.

Een belangrijk thema in Schuilplaats *is het moederschap. Is dit een thema dat je fascineert en waarom?*
Ik schreef voor het eerst over het moederschap in mijn tweede boek, *By the Secret Ladder: A Mother's Initiation*. Mijn overgang naar het moederschap was niet gemakkelijk. Ik was geschokt door de transformatie die plaatsvond. Het moederschap zette niet alleen mijn leven maar ook mijn persoonlijkheid op zijn kop.

Het verhaal is in de eerste persoon geschreven. Was dat een bewuste keuze? Gaat je voorkeur uit naar schrijven in de eerste persoon en zo ja waarom?
Schrijven in de eerste persoon brengt een hoop uitdagingen mee voor een auteur in termen van plot en hoofdpersonen. Het heeft daarom zeker niet mijn voorkeur. Maar schrijven in de eerste persoon stelt me in staat om mezelf echt te identificeren met het karakter dat het verhaal vertelt. Ik heb geprobeerd mijn volgende roman in de derde persoon te schrijven maar kwam uiteindelijk toch weer uit bij de eerste persoon. Ondanks dat het niet mijn voorkeur heeft, werkt het blijkbaar het beste voor mij.

Hoe belangrijk is setting voor je?
Setting is zeer belangrijk voor mij. Als een Canadees die opgroeide op het platteland, heeft het landschap me geestelijk gevormd, getroost, en me soms ook vervreemd. Ik ben geïnte-

resseerd in hoe wij de wereld ervaren, niet alleen emotioneel en intellectueel, maar ook fysiek en geestelijk. Ik denk dat het landschap waarin we ons bevinden daar een enorme invloed op heeft.

Heb je altijd een notitieboekje bij je om ideeën voor nieuwe ver-
halen die in je hoofd zitten op te schrijven?
Ja, ik heb er zelfs een aantal: een kleintje voor in mijn porte-monnee, een voor in het dashboardkastje van de auto, er ligt er altijd een naast mijn bed en dan heb ik er nog een voor als ik op reis ga. Ik vind de maagdelijke pagina's van een nieuw notitieblokje echt onweerstaanbaar.

Heb je bepaalde rituelen tijdens het schrijven? Luister je bijvoor-
beeld naar muziek, prefereer je volledige stilte, heb je vaste tijden
et cetera?
Ik denk dat rituelen belangrijk zijn voor een schrijver. Rituelen helpen je hersenen om te (h)erkennen dat het tijd is om te werken. Ik schrijf elke ochtend, na het maken van een pot thee. Soms luister ik naar muziek die me meteen laat wegzweven naar de wereld van het verhaal.

Heb je een speciale, favoriete plek om te schrijven?
Het is goed om een vaste schrijfplek te hebben, ook al is het maar een hoek van een kamer. Tijdens het schrijven van mijn eerste twee boeken had ik zo'n stukje in de woonkamer. Nu schrijf ik in mijn eigen kantoor aan huis van waaruit ik uitkijk op de blauw-getinte heuvels die onze wijk omringen. Staren uit het raam is een belangrijk onderdeel van mijn schrijfritu-eel.

LEESCLUB

LEESCLUBVRAGEN VOOR *SCHUILPLAATS* DOOR FRANCES GREENSLADE

1 Toen *Schuilplaats* de ronde deed onder Amerikaanse uitgevers, ontstond er een discussie tussen de redacteuren of Irene een goede moeder was of niet. Natuurlijk is haar keuze om de meisjes in de steek te laten niet iets wat ik associeer met goed moederschap, maar hoe vond je haar als moeder voordat ze vertrok?

2 Op een bepaald moment in het boek zegt Maggie: 'Ik kreeg een beeld van mama als een meer waarop Jenny en ik ronddreven, zonder ook maar te kunnen dromen of ons zelfs maar af te vragen hoe diep dat groene water was.' Dat gevoel is deels afkomstig uit een persoonlijke ervaring. Toen mijn moeder stierf, had ik het gevoel dat ik haar nooit als vrouw had gekend. Heb jij andere ervaringen met je moeder? En hoe ervaar je jezelf als moeder (als je dat bent)?

3 Waarom schrijven vrouwen zo vaak over weeskinderen en/ of moeders die verdwenen zijn? Denk daarbij bijvoorbeeld aan Lori Lansens, *De weg naar huis*. Als je het antwoord weet, mail me dan, alsjeblieft.

4 Waarom is Irene volgens jou weggegaan? Door welke emotie werd ze gedreven? Denk je dat ze van plan was om terug te komen?

5 Maggie is gefascineerd door Chiwid, de vrouw met bijna mythologische trekjes die onder alle weersomstandigheden in de openlucht leeft. Ze weet echter niet of ze nu medelijden met haar heeft of jaloers op haar is. Waarom denk je

dat ze medelijden met haar zou hebben en waar was ze jaloers op?

6 Ik wilde een roman schrijven waarin het Canadese landschap bijna exotisch zou overkomen; de ene keer vreemd, de andere keer juist heel vertrouwd en soms een beetje dreigend. Sommige recensenten schreven hierover dat het landschap in *Schuilplaats* bijna als een van de personages aangemerkt kan worden. Als dat zo is, welke rol speelt het dan in het leven van Maggie en Jenny? En wat waren de overeenkomsten en/of verschillen met je eigen ervaringen?

7 Wat vond je van alles wat er met Jenny gebeurde? Vind je dat ze de juiste keuze heeft gemaakt?

8 Vern en oom Leslie worden heel belangrijk voor Maggie. Ze zijn min of meer gebaseerd op mensen die ik vroeger heb gekend. Hoe denk jij over hen? Vond je hen soms verrassend?

9 Maggie is de verteller, maar als verteller in de eerste persoon enkelvoud is haar verhaal misschien niet altijd even betrouwbaar. Waren er stukken in *Schuilplaats* waarbij je het gevoel had dat Maggie niet helemaal betrouwbaar was als verteller?

10 Tijdens het schrijven zijn de personages in *Schuilplaats* enorm tot leven gekomen voor mij. Ik denk nog weleens aan hen en vraag me dan af hoe het met ze gaat. Wie was jouw lievelingspersonage en bij wie voelde je je het meest betrokken?

© www.francesgreenslade.com